LES BELLES INOUBLIABLES

MARCEL BROUILLARD

LES BELLES INOUBLIABLES

50 grandes chansons histoire et paroles

Données de catalogage avant publication (Canada)

Brouillard, Marcel
Les belles inoubliables:
50 grandes chansons: histoire et paroles

1. Chansons françaises - Histoire et critique.
2. Musique populaire - Francophonie - Histoire et critique. 3. Chansons françaises - Textes. 4. Musique populaire - Francophonie - Textes. I. Titre.

ML3470.B875 2002   782.42164'0917541   C2002-941095-9

DISTRIBUTEURS EXCLUSIFS:

- Pour le Canada
  et les États-Unis:
  MESSAGERIES ADP*
  955, rue Amherst
  Montréal, Québec
  H2L 3K4
  Tél.: (514) 523-1182
  Télécopieur: (514) 939-0406
  * Filiale de Sogides ltée

- Pour la France et les autres pays:
  VIVENDI UNIVERSAL PUBLISHING SERVICES
  Immeuble Paryseine, 3, Allée de la Seine
  94854 Ivry Cedex
  Tél.: 01 49 59 11 89/91
  Télécopieur: 01 49 59 11 96
  Commandes: Tél.: 02 38 32 71 00
  Télécopieur: 02 38 32 71 28

- Pour la Suisse:
  VIVENDI UNIVERSAL PUBLISHING SERVICES SUISSE
  Case postale 69 - 1701 Fribourg - Suisse
  Tél.: (41-26) 460-80-60
  Télécopieur: (41-26) 460-80-68
  Internet: www.havas.ch
  Email: office@havas.ch
  DISTRIBUTION: OLF SA
  Z.I. 3, Corminbœuf
  Case postale 1061
  CH-1701 FRIBOURG
  Commandes: Tél.: (41-26) 467-53-33
  Télécopieur: (41-26) 467-54-66

- Pour la Belgique et le Luxembourg:
  VIVENDI UNIVERSAL PUBLISHING SERVICES
  BENELUX
  Boulevard de l'Europe 117
  B-1301 Wavre
  Tél.: (010) 42-03-20
  Télécopieur: (010) 41-20-24
  http://www.vups.be
  Email: info@vups.be

Pour en savoir davantage sur nos publications,
visitez notre site: www.edhomme.com
Autres sites à visiter: www.edjour.com •
www.edtypo.com • www.edvlb.com •
www.edhexagone.com • www.edutilis.com

Dépôt légal: 3e trimestre 2002
Bibliothèque nationale du Québec

ISBN 2-7619-1699-9

Gouvernement du Québec – Programme de crédit d'impôt pour l'édition de livres – Gestion SODEC.

L'Éditeur bénéficie du soutien de la Société de développement des entreprises culturelles du Québec pour son programme d'édition.

Nous reconnaissons l'aide financière du gouvernement du Canada par l'entremise du Programme d'aide au développement de l'industrie de l'édition (PADIÉ) pour nos activités d'édition.

Du même auteur

Récits de voyage

Journal intime d'un Québécois au Mexique, préface de Constance et Charles Tessier, Éditions populaires, 1971.

Journal intime d'un Québécois en Espagne et au Portugal, préface de Robert-Lionel Séguin, Éditions populaires, 1971.

Journal intime d'un Québécois en France, en Grèce et au Maroc, préface d'Ernest Pallascio-Morin, Éditions Populaires, 1973.

Le Maroc sans problèmes, coauteur: Jean Côté, Point de mire, 1976.

Romans

L'Escapade, postface de Yoland Guérard, Éditions Populaires, 1973.

Dana l'Aquitaine, Héritage, 1978.

Essais sur la peinture

À la recherche du pays de Félix Leclerc, coauteur: Claude Jasmin, 24 tableaux de Fernand Labelle, Publications Transcontinental, 1989.

De Ville-Marie à Montréal, coauteur: Ernest Pallascio-Morin, 75 tableaux de Marcel Bourbonnais, Publications Transcontinental, 1991.

Récits bibliographiques

Mes rencontres avec les grandes vedettes, préface de Fernand Robidoux, Éditions Populaires, 1972.

Félix Leclerc, l'homme derrière la légende, Québec/Amérique, 1994 et Éditions du Club Québec-Loisirs, 1996.

L'Homme aux trésors, Robert-Lionel Séguin, Québec/Amérique, 1996.

Sur la route de Vaudreuil, Fides, 1998.

La chanson en héritage, Quebecor, 1999.

Visages de la chanson, L'Essentiel/Novalis, 2000

AVANT-PROPOS

Vous trouverez, dans cet ouvrage, l'histoire de 50 chansons qui ont franchi l'épreuve du temps comme *C'est beau la vie*, de Jean Ferrat, *Mon pays*, de Gilles Vigneault, *Le p'tit bonheur*, de Félix Leclerc, ou encore *Prendre un enfant*, d'Yves Duteil.

Mais il est étonnant de constater qu'avant même l'avènement de l'ère audiovisuelle et des grosses machines promotionnelles à fabriquer les vedettes, des chansons plus anciennes ont connu une véritable cote d'amour auprès du public. C'est le cas pour *Plaisir d'amour*, *Le temps des cerises*, *La Paloma*, *Frou-frou* et *Fascination*.

C'est l'invention de l'imprimerie par Gutenberg en 1434 qui, dès le XIXe siècle, va contribuer à immortaliser les chansons et mettre un terme à cette époque où les auteurs distribuaient des feuilles volantes sur lesquelles figuraient les paroles de leurs ballades et apprenaient leurs mélodies aux gens de la rue et à ceux qui fréquentaient les endroits publics.

Il fallait également compter avec nombre d'acteurs soucieux de sauvegarder cette part importante du patrimoine culturel francophone.

C'est le cas de Jean-Jacques Ampère (1800-1864), ministre de l'Instruction publique en France, qui a lancé une vaste enquête pour recueillir les chansons populaires. Au Québec, l'abbé Charles-Émile Gadbois (1906-1981) a lui aussi propagé *La Bonne Chanson* par ses cahiers vendus à 30 millions d'exemplaires. En 1952, il a également fondé la station de radio CJMS. D'autres pionniers, tels Lionel Daunais, Jacques Labrecque, Madame Édouard Bolduc (Mary Travers) ou

Félix Leclerc ont fait largement leur part pour la langue, la culture et la chanson francophones.

Impossible de passer sous silence le rôle prépondérant joué par Conrad Gauthier, qui a lancé en 1920 ses *Veillées du bon vieux temps* au Monument National. Il a enregistré une centaine de titres chez RCA Victor. Son fils, l'abbé Paul-Marcel Gauthier, auteur de *La chanson du petit voilier,* lui a succédé. Pour sa part, Charles Marchand, décédé à l'âge de 39 ans, a légué son vaste répertoire à Ovila Légaré et à Oscar O'Brien, directeur du Quatuor Alouette (Jules Jacob, Roger Filiatrault, Émile Lamarre, J.-A. Trottier).

En 1931, Uldéric S. Allaire a répertorié 180 chansons dans *Le chansonnier canadien,* publié par la Librairie Beauchemin. On y retrouve avec nostalgie, entre autres, *La Paimpolaise, Le Credo du paysan, Dans les prisons de Nantes, Cadet Rousselle, Le Roi Dagobert.*

Cette liste des mélodies qui défilent dans les anthologies et dictionnaires de la chanson française pourrait s'allonger à l'infini. Et nous devons également une fière chandelle au corps professoral qui, depuis longtemps, contribue à l'enseignement de la musique et du chant.

Auprès des mouvements pour les enfants et adolescents de France, Raymond Fau, Chantal Goya et Jacques Vassal ont énormément contribué à faire connaître et apprécier la belle chanson. D'autres pionniers que nous avons vus en pleine action méritent d'être mentionnés: Jacques Canetti, Bruno Coquatrix, Claude Duneton, Eddy Marnay, Pierre Grosz, André Halimi et Jean-Paul Sermonte qui a raconté, dans ses nombreux ouvrages, l'œuvre de Gilles Vigneault, Jacques Brel, Félix Leclerc et Georges Brassens. Au Québec, Guy Latraverse, Alain Simard, Jean-Pierre Coallier, Luc Plamondon, Henriette Major, Jacques Boulanger sont parmi les grands propagandistes de la chanson populaire. N'oublions surtout pas de citer aussi Monique Giroux avec *Les refrains d'abord* à la radio et *Au cabaret des refrains* à la télévision.

Par ailleurs, il existe quelque 150000 choristes au Québec; l'Alliance des chorales du Québec compte à elle seule 250 associations regroupant 10000 choristes. Christine Harel en est un bel exemple. En plus d'être choriste à l'Opéra de Montréal, elle dirige l'Ensemble vocal d'Outremont depuis 13 ans. Pour ces gens de tous âges, chanter est devenu un loisir populaire, comme en témoignent aussi les émissions télévisées *La Fureur,* avec Véronique Cloutier, *Chanter la vie,* avec Pascal Sevran et *Vivement Dimanche,* avec Michel Drucker.

D'excellentes interprètes nées en France, entre 1866 et 1894, ont contribué à façonner la chanson populaire entre les guerres de 1914 et de 1939. Mentionnons Eugénie Buffet, Yvette Guilbert, Paulette Darty, Mistinguett, Berthe Silva, Fréhel, Damia, Marie Dubas, Yvonne George. À ces noms célèbres s'ajoutent d'autres grandes chanteuses, nées entre 1903 et 1918: Lucienne Boyer, Joséphine Baker, Mireille, Suzy Solidor, Lys Gauty, Lina Margy, Renée Lebas, Odette Laure, Georgette Plana et, bien entendu, Édith Piaf, qui mérite une inscription au palmarès en lettres d'or et de diamant.

Le répertoire de ces inoubliables interprètes fut souvent repris par plusieurs groupes vocaux: les Compagnons de la chanson, les Frères Jacques, les Quatre Barbus, les Trois Ménestrels, les Chaussettes noires, les Charlots, la Compagnie créole, mais aussi par des pionniers tels Jacque Douai, Mouloudji, Marc Ogeret et toute une relève talentueuse.

L'apport des chorales en France, en Belgique et en Suisse est le même. Autant du côté de l'Afrique, du Maghreb, du Moyen-Orient, que de la Louisiane, on fait des efforts surhumains pour survivre en français. Les choristes contribuent amplement au rayonnement de la chanson populaire et à tenir tête à l'invasion et aux pressions des musiques anglo-saxonnes.

La Confédération musicale de France est la plus importante association du genre. Elle regroupe plus de 6000 écoles de musique et sociétés musicales de tout genre, et plus de 600 chorales régionales divisées en plusieurs catégories. Cet organisme a pour objectif de promouvoir et de développer la pratique musicale auprès des jeunes et du public en général. Les 300 000 choristes de France accordent une importance accrue au répertoire traditionnel et aux nouvelles chansons de Francis Cabrel, Julien Clerc, Axel Red, Zazie et les autres.

D'autres événements, tels les Francofolies de La Rochelle, le Festival d'été de Québec, le Printemps de Bourges, le Festival international de la chanson de Granby, le Festival de la Petite-Vallée en Gaspésie, les FrancoFolies de Montréal continuent grandement à fortifier les liens qui relient la France et toute la francophonie au Québec. Chaque année, les Félix de l'ADISQ et les Victoires de la musique récompensent l'excellence de nos artisans de la chanson. Nous en faisons d'ailleurs mention tout au long des pages de ce livre.

Le lecteur nous pardonnera le choix restrictif des succès d'hier et d'aujourd'hui, de même que l'absence de portées musicales. La difficulté de publier les paroles et la musique est souvent insurmontable et par trop onéreuse. Cet ouvrage a pour objectif de rafraîchir notre mémoire collective, d'évoquer de beaux souvenirs et de démontrer ainsi la vigueur de nos racines françaises.

Nul ne peut nier l'influence de la chanson. Les maisons de disques, agences de publicité et autres entreprises commerciales suscitent une croissance économique en diffusant, à la télévision et à la radio, des refrains connus du public. Pour sa part, la Fédération des producteurs de lait du Québec a eu la bonne idée de faire la promotion d'un premier album de 10 chansons populaires, entre autres, *C'est ma vie*, d'Adamo ; *La mer*, de Charles Trenet ; *J'ai rencontré l'homme de ma vie*, interprétée par Diane Dufresne et *Si tu n'existais pas*, de Joe Dassin. À la fin de l'an 2002, le nombre d'exemplaires vendus de cet album pourrait atteindre le chiffre colossal de 300 000.

« Il n'est pas de chronique sociale, économique et politique plus sûre que la chanson. Contrairement à la prose officielle, assaisonnée de préjugés et truffée de mensonges, la parole du chansonnier tombe drue, mordante, sincère. C'est qu'elle traduit fidèlement la volonté et le sentiment populaires. » Voilà ce que Robert-Lionel Séguin (1920-1982) signe en préface de *Chansons politiques du Québec*, un ouvrage en deux tomes, de Maurice Carrier et Monique Vachon. La chanson gaillarde et libertine, ouvrière et politique a eu son heure de gloire dans la rue, à l'usine, au bureau, dans les casernes militaires, mais rarement à la petite école ou au sein de nos familles. De nos jours, c'est une tout autre histoire…

Il reste que les chansons gaies ou tristes, fantaisistes, folkloriques ou avant-gardistes de nos créateurs seront toujours présentes sur les lèvres de toutes les générations aux goûts diversifiés. En parcourant ce livre jalonné de portraits vivants et d'anecdotes, le lecteur prendra plaisir à chanter ses joies et ses peines pour refaire le plein d'énergie, rompre le mur du silence, trouver l'amour, glorifier et accepter son travail, profiter du repos du guerrier, en espérant « atteindre l'inaccessible étoile », un désir si bien énoncé dans *La Quête* de Jacques Brel.

LE PASSÉ CHANTE

1732-1899

(Chansons du XVIIIe et XIXe siècles reprises au XXe siècle)

ÇA IRA (1786-1790) / LA CARMAGNOLE (1792)

Marc Ogeret, 1932-

MA NORMANDIE (1836) / BONSOIR MADAME LA LUNE (1899)

Reda Caire, 1905-1963

ALSACE ET LORRAINE (1871) / LE CHANT DU DÉPART (1794)

Georges Thill, 1897-1984

LA CHANSON DES BLÉS D'OR (1882)

Armand Mestral, 1917-2000

LE CREDO DU PAYSAN (1890) / DORS MON GARS (1895)

Jack Lantier, 1930-

L'ANGELUS DE LA MER (1894)

Albert Viau, 1910-2001

LA PAIMPOLAISE (1895) / LE PETIT GRÉGOIRE (1898)

Jean Lumière, 1905-1979

ENVOI DE FLEURS (1898) / FERMONS NOS RIDEAUX (1899)

Lina Margy, 1914-1973

À LA CABANE BAMBOU (1899)

Tohama, 1920-

THA-MA-RA-BOUM-DI-HÉ (1892) / LES GUEUX (1812)

Germaine Montero, 1909-1999

Ça fait peur aux oiseaux (Marie Dubas), À Saint-Lazare (Aristide Bruant), Fanfan la Tulipe (Gérard Philipe), Les filles de La Rochelle (Jacqueline Lemay et Édith Butler)

AUX MARCHES DU PALAIS

1732

Paroles et musique : Auteurs inconnus

INTERPRÈTES

Guy Béart, André Claveau. Compagnons de la chanson, Gérard Delord, Dorothée, Yves Montand, Nana Mouskouri, Claudine Regnier, Colette Renard, Germaine Sablon, Sylvie Vartan

HISTOIRE

Dans ses trois albums, *Sylvie Vartan chante pour les enfants*, enregistrés en 1997 et 1998, la chanteuse interprète des chansons traditionnelles d'une époque lointaine, mais toujours présente dans la mémoire collective de tous les francophones. *Aux marches du Palais* vient en tête de liste de ce florilège de titres d'or. Mais il faut aussi compter avec des titres tels *La mère Michel, En passant par la Lorraine, Le roi Dagobert, Nous n'irons plus au bois, Cadet Rousselle, Le temps des cerises* et *La mère Michel.*

Entre 1732, année de sa création, et 1910, cette mélodie incontournable a été l'objet d'une quarantaine de versions. *Aux marches du Palais* a donc été célébrée par les poètes et chantée par le public. Dans les écoles, elle a figuré dans les livres scolaires, alors que maints interprètes ont vite fait de l'ajouter à leur répertoire. En 1938, c'est Germaine Sablon (1899-1985), la sœur de Jean Sablon, qui a été la première à l'enregistrer. Dans le film de Christian-Jaque, *Sortilèges,* sorti en salle en 1945, Renée Faure la chante à son tour avec ravissement.

Dans les années 50, plusieurs vedettes enregistrent également *Aux marches du Palais,* à commencer par Les Compagnons de la chanson, Yves Montand, Cora Vaucaire et Colette Renard. Durant la décennie 60, d'autres vedettes suivent leur exemple: Jacques Douai, Marie Laforêt, Guy Béart et Jean-Claude Pascal. Enfin, de 1970 à nos jours, des douzaines d'artistes ont ajouté leur note personnelle à cette romance: André Claveau, Nana Mouskouri, Isabelle Aubret, Mathé Altéry et, évidemment, Sylvie Vartan.

L'essentiel des paroles de cette romance éternelle, dont les auteurs sont anonymes, a été tiré d'un manuscrit publié en 1732. Sa musique, qui n'est pas exactement celle que l'on chante aujourd'hui, a été publiée dans un recueil de contre-danses de cette époque. Le compositeur s'était alors inspiré de quelques chansons plus anciennes. Ainsi, le processus de changements et de retouches de cette chanson s'est échelonné sur plus d'un siècle. Précisons enfin que pour terminer la chanson, on ne chante plus comme c'était le cas jadis: «Nous coucherons ensemble», mais bien «Et là, nous dormirions ensemble (bis)/Jusqu'à la fin du monde.»

Sylvie Vartan

Née le 15 août 1944, à Iskretz, en Bulgarie

Née en Bulgarie en 1944, Sylvie Vartan passe les huit premières années de son enfance à Sofia où son père, Georges, travaille comme attaché de presse à l'Ambassade de France. En 1937, sa mère, Illona, a déjà donné naissance à son fils Eddy. Pour améliorer leur sort, les Vartan décident d'émigrer à Paris. Les deux enfants trouvent difficile le fait de ne pas parler français, mais à force de travail, Sylvie entre au lycée Victor Hugo, puis à l'institut pour jeunes filles Hélène Boucher.

Dès 1960, Sylvie s'intéresse au rock et à ses rois, tels Bill Haley et Elvis Presley, et même au jazz. Mais c'est grâce à son grand frère Eddy Vartan, qui devient son directeur artistique, qu'elle débute comme chanteuse. En novembre 1961, elle donne sur disque la réplique à Frankie Jordan dans la chanson *Panne d'essence.*

Sylvie Vartan peut dès lors compter sur l'appui de Daniel Filipacchi, directeur artistique chez Decca, qui fait tourner cette chanson, ainsi que celles qui suivront, dans son émission de radio *Salut les Copains,* diffusée sur les ondes d'Europe 1. En 1963, le mensuel du même nom lui décernera, par vote populaire, le titre de Première chanteuse de France.

À la fin de 1961, Sylvie Vartan sort son premier 45 tours, *Quand le film est triste,* et fait une courte apparition lors du spectacle du rocker anglais Vince Taylor. Après les fêtes, elle part en tournée avec Richard Anthony. Elle devient rapidement une idole et multiplie les enregistrements de tubes tels *Est-ce que tu le sais.*

À partir de 1963, son idylle et ses fiançailles avec Johnny Hallyday font beaucoup parler. Lors d'un voyage avec lui aux États-Unis, elle enregistre dans un studio de Nashville *Si je chante* et *La plus belle pour aller danser,* une chanson écrite pour elle en mars 1964 par Charles Aznavour et Georges Garvarentz.

En janvier 1964, Sylvie Vartan fait l'Olympia en première partie de Trini Lopez et des Beatles. La même année, pendant que Johnny fait son service militaire, Sylvie engage Carlos comme secrétaire particulier et décroche de petits rôles au cinéma (*Cherchez l'idole*). À New York, elle enregistre un disque en anglais, *Gift Wrapped From Paris,* destiné à conquérir le marché américain et elle passe au *Ed Sullivan Show.*

Mais l'événement médiatique de 1965 est sans contredit le mariage de Sylvie et de Johnny (de son vrai nom Jean-Philippe Smet) le 12 avril. Un an plus tard, le 14 août 1966, leur fils David naît.

À la fin de 1966 et en 1967, deux chansons grimpent au sommet des palmarès et remportent un succès considérable: *Par amour, par pitié* et *2 minutes 35 de bonheur* qu'elle interprète avec son ex-secrétaire Carlos, qui entreprend à son tour une carrière de chanteur.

À l'Olympia, en 1967, elle remporte un véritable triomphe. Cette année-là, elle est la chanteuse numéro un en Espagne, après avoir fait une tournée en Amérique latine. En 1968, elle enregistre deux albums qui affichent une rupture plus nette avec le twist et le rock: *Comme un garçon* et *La Maritza.*

Le 11 avril 1968, elle est victime d'un grave accident de voiture. Mais elle va remonter la pente et retrouver la scène de l'Olympia avec des chansons telles *L'Oiseau, Jolie poupée* et cette chanson nostalgique de sa Bulgarie natale: *La Maritza.* Elle entreprend ensuite une longue tournée en compagnie de Carlos en Afrique et en France.

En 1970, Sylvie est une nouvelle fois victime d'un accident de la route, en compagnie de Johnny. Il lui faudra plusieurs interventions chirurgicales pour qu'elle retrouve sa beauté. Après une longue convalescence à New York, elle effectue un retour à l'Olympia en 1972 et part en tournée au Japon après avoir enregistré trois titres en japonais. De retour à l'Olympia en 1973, cette salle parisienne qui lui porte chance, elle ajoute à son répertoire *Ne me quitte pas* de Jacques Brel et *Mon père* en hommage à son paternel, décédé deux ans plus tôt.

Toujours en 1973, pour la première fois, Sylvie enregistre un duo avec Johnny, *J'ai un problème,* lequel est traduit et chanté en plusieurs langues. Au Québec, Monique Vermont et Jean Faber enregistrent également ce succès international. On réclame Sylvie en solo ou en duo avec Johnny sur toutes les scènes du monde. Ce souhait se concrétise à Montréal en 1975, alors que le duo se produit à la Place des Nations de Terre des Hommes. Puis Sylvie Vartan présente un spectacle grandiose avec paillettes et un bataillon de danseurs et de danseuses au Palais des Congrès à Paris. Après ce marathon, elle part se reposer aux États-Unis.

En 1977, c'est la fin du couple Vartan-Hallyday. Dès lors, le producteur italo-américain Tony Scotti devient son compagnon. Elle l'épousera le 2 juin 1984.

Dans les années 80, elle fait de nombreuses tournées à travers la France et cumule les succès avec des chansons comme *L'amour c'est comme les cigarettes* et *Toute une vie passe*.

Désormais, Sylvie Vartan habite la Californie avec son fils David et Tony Scotti et elle se produit à Las Vegas. Mais elle ne boude pas la France pour autant. Elle y revient régulièrement pour lancer ses nouveaux albums et son livre de conseils sur la forme et la beauté. En 1993, elle tourne dans *L'Ange noir,* un film de Jean-Claude Brisseau. En juin 1993, pour célébrer le cinquantième anniversaire de Johnny, elle accepte de chanter en duo avec lui la chanson *Tes tendres années* au Parc des Princes devant un public de 60 000 personnes.

Son retour au Casino de Paris et la tournée qui suit donnent un nouvel élan à sa carrière.

En 1996, Sylvie Vartan enregistre l'album *Toutes les femmes ont un secret* qui comporte des chansons de Luc Plamondon, Richard Cocciante, Jean-Louis Murat, Yves Simon. C'est avec ce nouveau matériel, qu'elle s'amène aux FrancoFolies de Montréal en 1997. Les Québécois ont alors la joie de renouer avec l'éblouissante Sylvie dans la grande salle de la Place des Arts.

Tout en s'occupant de sa carrière, de sa famille et de ses deux petites-filles, Ilona et Emma, la courageuse Sylvie enregistre en 1997 et en 1998 une cinquantaine de chansons inoubliables dédiées aux enfants. C'est à cette époque qu'elle adopte une fillette d'origine bulgare, la petite Dorina.

En 1999 et 2000, Sylvie Vartan effectue une longue tournée en France et en Europe. Elle se produit également pendant trois semaines sur la scène du légendaire Olympia où elle rend un hommage particulier à Mistinguett. Elle revient à la télévision avec un spectacle rappelant les années 70 et reprend les grands succès de son album *live* intitulé *Tour de siècle*: *Qu'est-ce qui fait pleurer les blondes, Souvenirs, souvenirs, Les temps du swing, Tourne, tourne, tourne*. On y retrouve aussi quelques-unes des plus belles chansons françaises du XXe siècle, notamment *Fascination, Parlez-moi d'amour, Boum, Quand Madelon, Pigalle, Et maintenant, La vie en rose* et *Je m'voyais déjà*.

Alors qu'elle entreprend le tournage d'un téléfilm intitulé *Mausolée pour une garce*, son frère Eddy, qui a contribué à lancer sa carrière de chanteuse dans les années 60, meurt le 19 juin 2001. C'est un grand moment de tristesse pour cette femme au cœur d'or.

Honorée de maintes décorations (Chevalier des Arts et des Lettres de France en1985, chevalier de l'Ordre national du Mérite en 1987, de l'Ordre du Cavalier de Madura en Bulgarie en1966, Sylvie Vartan a également reçu la Légion d'honneur à l'Élysée le 24 novembre 1998. Elle ne fait pas pour autant ses adieux à la scène. Son agenda de 2003 en dit long sur ses voyages en France et à l'étranger. En ce qui a trait à ses futurs projets, il semble que Sylvie ait maintenant envie de poursuivre sa carrière artistique en suivant la voie de la comédie.

AUX MARCHES DU PALAIS

Aux marches du palais (bis)
Y'a une tant belle fille, lon, la,
Y'a une tant belle fille.

Elle a tant d'amoureux (bis)
Qu'ell' ne sait lequel prendre lon, la,
Qu'ell' ne sait lequel prendre.

C'est un p'tit cordonnier (bis)
Qu'a eu sa préférence...

Et c'est en la chaussant (bis)
Qu'il lui fit sa demande...

La bell' si tu voulais (bis)
Nous dormirions ensemble...

Dans un grand lit carré (bis)
Garni de toile blanche...

Aux quatre coins du lit (bis)
Un bouquet de pervenches...

Dans le mitan du lit (bis)
La rivière est profonde...

Tous les chevaux du roi (bis)
Pourraient y boire ensemble...

Et là nous dormirions (bis)
Jusqu'à la fin du monde.

PLAISIR D'AMOUR
1785

Paroles : Jean-Paul Florian
Musique : Jean-Paul Martini

INTERPRÈTES

Joan Baez, Charlotte Church, Edmond Clément, André Dassary, Paulyne Fontaine, Beniamino Gigli, Georges Guétary, Daniel Guichard, Florian Lambert, Jack Lantier, Nana Mouskouri, Marie Denise Pelletier, Yvonne Printemps, Alice Raveau, Colette Renard, Mado Robin, Tino Rossi, Jean Sablon, Richard Verreau

HISTOIRE

S'il existe une mélodie française qui a fait le tour de la planète et traversé les âges, c'est bien *Plaisir d'amour*. En effet, 217 ans après sa création, des gens de tous âges continuent de chanter et de vénérer cette romance éternelle créée en 1785.

À cette époque, ses deux créateurs, Jean-Paul Florian et Jean-Paul Martini, ne se doutent sûrement pas que leurs paroles et musique vont connaître aussi rapidement la faveur du public. En fait, cette chanson devient populaire peu après la mort de l'écrivain et philosophe Jean-Jacques Rousseau (1712-1778). Ce dernier ayant de son vivant lancé la mode de la romance parlée et chantée, c'est ce modèle que Florian et Martini suivent à la lettre pour composer *Plaisir d'amour*.

Vers 1890, *Plaisir d'amour* est chantée en France au café-concert ou caf'conc'. Ces établissements sont des théâtres où le public peut écouter des chanteurs, des comiques tout en prenant des consommations. En 1908, cette chanson apparaît dans un recueil pour enfants, tandis que la compagnie Pathé propose plusieurs versions enregistrées. Durant la guerre de 1914, Edmond Clément est le premier chanteur à l'enregistrer. Dans les années 30, Alice Raveau, Yvonne Printemps, surnommée « Mademoiselle printemps la fée de l'opérette », et Beniamino Gigli se l'approprient avec succès. La grande cantatrice Mado Robin, de l'Opéra de Paris, l'inscrit à son répertoire lors de ses tournées mondiales.

Plus tard, en France, des dizaines de vedettes enregistrent aussi *Plaisir d'amour,* notamment André Dassary, Colette Renard, Tino Rossi. Pour sa part, la chanteuse américaine Joan Baez, ardente militante contre la guerre du Viêt-nam, la reprend dans les années 60.

Au Québec, le chanteur d'opéra Richard Verreau déploie tout son talent et son art lors de l'enregistrement de cette divine mélodie (RCA Victor), sous la direction d'André Grassi (1911-1972), réputé chef d'orchestre et excellent accompagnateur.

Nana Mouskouri interpréta *Plaisir d'amour* avec une voix pleine de douceur et de nuances. Accompagnée du groupe *Les Athéniens,* l'ensemble grec dirigé par son mari George Petsilas, elle a enregistré cette chanson en même temps qu'une autre chanson immortelle : *Le temps des cerises.*

Nana Mouskouri

Née Joanna Mouschouri, le 13 octobre 1936,
à Athènes, en Grèce

Rien ne peut mieux définir Nana Mouskouri que cette mélodie qu'elle chante avec ravissement: *Une voix qui vient du cœur.* Il est miraculeux que la petite fille des faubourgs d'Athènes soit devenue une vedette internationale. Et c'est avec le plus grand talent et toute une somme de détermination qu'elle a enregistré tout au long de sa carrière quelque 1400 chansons dans de nombreuses langues: le grec, le français, l'anglais, l'espagnol, l'italien, l'allemand, le portugais et le japonais.

C'est incroyable! Elle a à son actif plus de 250 millions de disques vendus, sans compter des milliers de concerts, galas et émissions de télévision. Il en a coulé de l'eau sous les ponts de la Seine depuis ses premières rencontres à Paris avec Eddy Marnay et Claude Lemesle, qui lui ont fait enregistrer ses premières chansons à la fin des années 50. C'est en 1962 que l'Olympia lui ouvre ses portes. Elle fait alors la première partie de Georges Brassens. Cinq ans plus tard, c'est son nom qui domine sur la façade du temple de la renommée de Bruno Coquatrix, alors que Serge Lama et Jacques Martin assurent la première partie de son spectacle.

Nana Mouskouri vient pour la première fois à Montréal en 1967, année de l'Exposition universelle. De 1967 à 1994, elle se produit à 25 reprises à la Place des Arts où elle donne un total de 145 représentations. Sans parler de ses nombreuses tournées dans d'autres villes du Québec et du Canada.

Outre ses nombreuses visites au Québec, la chanteuse a également fait preuve de compréhension et d'ouverture face au public québécois en enregistrant avec grand plaisir des chansons comme *Le curé de Terrebonne*, *Je reviens chez nous* de Jean-Pierre Ferland et *Un Canadien errant*, une chanson composée par Antoine Gérin-Lajoie pendant l'insurrection et l'exil des Patriotes de 1837.

Hier comme aujourd'hui, Nana Mouskouri chante l'amour à merveille. Et il est permis de penser que jusqu'à son dernier souffle, elle saura nous arracher bien des larmes avec *L'amour en héritage*, *Roses blanches de Corfou*, *Quatre soleils*, *Le temps qu'il nous reste* et, bien sûr, *Plaisir d'amour*.

De sa première union avec George Petsilas, deux enfants sont nés: Nicolas en 1968, et, deux ans plus tard, Hélène. Au début de 2002, alors qu'elle se trouve à Athènes, sa ville natale si chère à son cœur, Nana Mouskouri se livre à une émouvante confession concernant sa liaison avec André Chapelle. Cet homme qui a été longtemps son directeur artistique est également l'homme de sa vie depuis 20 ans. Elle confie alors son désir de s'engager dans une union solennelle et publique avec lui.

Toute sa vie, Nana Mouskouri a donné la première place à ses enfants et n'a pas voulu leur imposer un beau-père. Mais Nicolas et Hélène ont dépassé la trentaine et ne demandent pas mieux que de voir leur mère penser davantage à elle, maintenant qu'elle vient de terminer une tournée de 200 concerts en Angleterre, en Allemagne, en Nouvelle-Zélande, en Amérique latine, aux États-Unis, au Canada et au Québec.

Enfin, outre la chanson, Nana Mouskouri a d'autres occupations et si elle décide un jour de se retirer de la scène artistique, elle avoue qu'elle continuera de jouer son rôle d'ambassadrice de l'UNICEF, ce qui l'amène à venir en aide à tous les enfants de la planète qui souffrent du froid et de la faim.

PLAISIR D'AMOUR

Refrain
Plaisir d'amour ne dure qu'un moment
Chagrin d'amour dure toute la vie

J'ai tout quitté pour l'ingrate Sylvie
Elle me quitte et prend un autre amant.

Refrain

« Tant que cette eau coulera doucement
Vers ce ruisseau qui borde la prairie,

Je t'aimerai », me répétait Sylvie
L'eau coule encore, elle a changé pourtant.

Refrain

LES FILLES DE LA ROCHELLE
1841

Paroles et musique : Auteurs inconnus

INTERPRÈTES

Georges Beauchemin, Jean-Pierre Bertrand, Édith Butler, Edmond Clément, Pierre Daigneault, Le Diable dans la fourche, Jacqueline Lemay, Mary Marquet, Colette Renard

HISTOIRE

Même si la première version de *Les filles de La Rochelle* a été publiée en 1841, il est possible que cette chanson remonte au début du XIXe siècle, vers 1810. Ses véritables auteurs n'ont pas laissé de traces et n'en ont pas revendiqué la paternité. C'est l'écrivain français Gérard de Nerval, né à Paris en 1808 (mort en 1855), qui l'a reprise en y intégrant un refrain différent. Pour celui-ci : « Les richesses poétiques n'ont jamais manqué aux marins, ni aux soldats qui ne rêvent dans leurs chants que filles du roi. »

Au XXe siècle, les folkloristes font à leur tour la promotion de cette chanson à la mode auprès des gens lettrés et des artistes. Après 1910, *Les filles de La Rochelle* fait partie du répertoire scolaire et militaire. En 1947, elle est inscrite sur la liste des chants au certificat d'études en France. Pour sauver la morale, on a occulté de son texte des mots comme « pucelage » pour le remplacer par « rose blanche ».

Mais les étudiants dégourdis ont vite fait de chanter sa version gaillarde, transmise selon la tradition orale. En effet, au départ, *Les Filles* de *La Rochelle* est considérée comme une chanson libertine, souvent reprise en groupe ou par des chorales dans toute la francophonie. Sur son album *Chansons gaillardes de la Vieille France*, Colette Renard, avec son air canaille et son timbre gouailleur, lui donne une saveur inégalée. En 1996, Marc Ogeret, Grand Prix de l'Académie Charles-Cros en 1962, l'interprète également sur son album consacré aux chansons de la marine.

Au Québec, le groupe La Bottine souriante chante une version totalement différente de cette chanson, même si elle porte le même nom. Fondé en 1976, ce groupe explore dans le monde entier depuis plus de 25 ans des avenues nouvelles pour interpréter des chansons traditionnelles. Les folkloristes Ovila Légaré et Émile Daigneault, ainsi que son fils Pierre, ont eux aussi toujours réservé une place d'honneur à cette mélodie, sur scène et sur disque, à la radio et à la télévision, ou dans leurs recueils patrimoniaux.

Pour sa part, en 1995, Jacqueline Lemay a enregistré *Les Filles de La Rochelle* sur son album *Mon folklore, la recherche d'un héritage*. Quant à la pétillante Édith Butler, elle la chante depuis son adolescence et le public ne s'en lasse pas.

Édith Butler

Née le 27 juillet 1942, à Paquetville, au Nouveau-Brunswick

Quand Édith Butler décide de chanter et d'enregistrer d'autres chansons que les siennes, elle les fait virevolter dans la francophonie et les catapulte en haut des palmarès. C'est exactement ce qui s'est produit avec *Les Filles de La Rochelle,* cette chanson d'un autre siècle qu'elle interprète sur des arrangements personnels du temps présent.

Sur les 600 habitants de son village, en Acadie, Les Butler vivent non loin de la mer, dans une forêt d'érables. Son grand-père possède le magasin général et exploite un moulin à bois. Lors de la Seconde Guerre mondiale, son père, Johnny Butler, membre de la Royal Air Force, est cantonné à Terre-Neuve. Sa mère, Lauretta Godin, pianiste à ses heures, lui transmet le goût de la musique et du chant. Enfant, Édith monte des spectacles de marionnettes, apprend le piano, le violon et l'accordéon et, le soir venu, mêle sa voix à celle de ses quatre frères et sœurs.

Adolescente, elle est réclamée dans toute l'Acadie, dans le cadre des festivals de homard ou de la fraise et à la télévision d'Halifax. Édith chante à merveille le folklore de ses ancêtres et fait pleurer ses compatriotes avec *Évangéline,* mais aussi avec *Ma Normandie* ou *La légende des flots bleus.*

En 1964, Édith Butler décroche le rôle principal du film *Les Acadiens de la dispersion,* produit par l'Office National du Film. Ayant complété son programme au collège Notre-Dame d'Acadie, elle poursuit ses études à l'université Laval de Québec où elle obtient sa maîtrise ès lettres. Parallèlement à ses études, elle choisit d'exploiter son talent musical, d'interpréter du folklore acadien et de bâtir son propre répertoire, en s'accompagnant à la guitare. Elle prend son envol dans les grands festivals folkloriques des

États-Unis et du Canada où elle fait connaître l'histoire, la culture, les traditions et les chansons du peuple acadien.

Aussi étonnant que cela puisse paraître, c'est au Japon, en 1970, que la chanteuse fourbit ses armes, lors de l'Exposition universelle d'Osaka, alors qu'elle donne des spectacles trois fois par jour pendant six mois au pavillon du Canada. C'est à cette époque qu'elle fraternise avec Gilles Vigneault, Claude Léveillée, Jean-Pierre Ferland et les producteurs qui veulent s'occuper de sa carrière en exclusivité.

À son retour au pays, Édith Butler épouse Robert Grenier, archéologue sous-marin, épris comme elle d'histoire et de découvertes. Le couple vit à Restigouche, près de la réserve des Indiens MicMacs, entouré de chiens et de chevaux. Entre les fouilles archéologiques, elle entreprend des tournées à travers l'Irlande, l'Angleterre, le Canada et les États-Unis.

En 1973, la chanteuse s'installe seule à Montréal et signe un contrat avec la compagnie de disques Columbia, qui produit son premier microsillon. Ses chansons, dont elle a écrit certaines en collaboration avec son nouvel imprésario, Lise Aubut, tournent aussitôt à la radio: *L'Acadie s'marie, Anne, ma sœur Anne, Ma vie recommence, Laissez-moi dérouler le soleil* et *Paquetville*. Se portant volontiers à la défense de l'identité acadienne, Édith Butler connaît ses premiers succès sur disque grâce à ces chansons et sa popularité ne tarira pas tout au long des années 70, au Québec, dans les provinces maritimes et dans l'Ontario francophone.

En 1981, Édith Butler entreprend de conquérir la France. Elle explose sur scène au Théâtre de la Ville, à Paris, et remporte le prix International de la jeune chanson française accordé par le président de la République. Toute la presse française est élogieuse. *Le Figaro* parle de «la tornade Butler», alors que selon *France-Soir,* «Elle fait partie de ces êtres ouragans». Et *L'Humanité* d'affirmer: «On devrait photographier la tête des gens lorsqu'ils sortent heureux de l'un de ses spectacles.»

En 1984, son album *De Paquetville à Paris* lui vaut le Grand Prix de l'Académie Charles-Cros. Elle se produit en Europe au Festival de Nyon, en Suisse, au Printemps de Bourges et aux Francofolies de La Rochelle. Paris lui fait la fête à l'Olympia en 1985 et en 1986. Michel Drucker lui déroule le tapis rouge lors de son émission de télévision *Champs Élysée*. Le journal *Le Parisien* salue en ces termes son dynamisme: «Une vitalité à faire fondre les glaces du Saint-Laurent.» Partout, on l'accueille avec ardeur, que ce soit au Festival Lafayette en Louisiane, ou au Québec à la Place des Arts, au Théâtre Saint-Denis, au Théâtre du Nouveau Monde ou au théâtre Outremont.

De 1985 à 1987, rares sont les familles qui n'ont pas chanté ou dansé sur sa série de trois albums et ses spectacles de «party», *Le Party d'Édith, Et le party continue, Party pour danser.* Tous ces albums et cassettes ont fait «swinguer» la francophonie.

En 1990, Édith Butler offre à son vaste public un dix-septième album sur lequel on trouve *Ne pleure pas, Kappa, Comme un béluga, Drôle d'hiver* et surtout *Un million de fois je t'aime*. Six ans plus tard, elle publie, chez Stanké, un livre-cassette racontant *La vraie histoire de Ti-Loup*. D'autres albums voient le jour : *Ça swingue* (1992), *Édith à l'année longue* (1995), *Madame Butterfly* (2002) avec Catherine Lara.

Bien des honneurs ont contribué à souligner l'immense talent d'Édith Butler: Grand Prix de l'Académie Charles-Cros, plusieurs Félix lors des galas de l'ADISQ (1985 et 1986), Nellie Awards for best performance in radio (Toronto 1986), Chevalier de l'Ordre du mérite de la culture française du Sénat canadien (1971), Chevalier de l'Ordre des francophones d'Amérique et de l'Ordre du Canada (1975), sans oublier le prix Méritas acadien en 1994.

La liste s'allonge avec le prix Dr Helen Creighton Lifetime Achievement Award (1997) et l'accession au titre de Chevalier de l'Ordre national du mérite de la République française, en 1999. C'est cette même année qu'elle joue dans la comédie *Le tintamarre,* au Théâtre du Rideau Vert.

Édith Butler, qui est une conteuse incomparable sur scène et dans la vie, sait tout faire : cuisiner, décorer, bricoler, dessiner. On dit que sa maison située dans l'arrondissement Outremont, à Montréal, ressemble à une vraie caverne d'Ali Baba. C'est un véritable musée où l'artiste entasse des trophées et des médailles, des instruments de musique, des timbres, des livres et des disques, des poupées artisanales, des sculptures et des tableaux, entre autres, du peintre acadien Nérée de Grâce.

LES FILLES DE LA ROCHELLE

C'sont les filles de La Rochelle
Qui ont armé un bâtiment (bis)
Pour aller faire la course
Dedans les mers du Levant
Ah! la feuille s'envole s'envole
Ah! la feuille s'envole au vent.

La grand'vergue est en ivoire
Les poulies en diamant (bis)
La grand'voile est en dentelle
La misaine en satin blanc
Ah! la feuille s'envole s'envole
Ah! la feuille s'envole au vent.

Les cordages du navire
Sont de fils d'or et d'argent (bis)
Et la coque est en bois rouge
Travaillé fort proprement
Ah! la feuille s'envole s'envole
Ah! la feuille s'envole au vent.

L'équipage du navire
C'est tout filles de quinze ans (bis)
Le capitaine qui les commande
Est le roi des bons enfants
Ah! la feuille s'envole s'envole
Ah! la feuille s'envole au vent.

Hier faisant sa promenade
Dessus le gaillard d'avant (bis)
Aperçut une brunette
Qui pleurait dans les haubans
Ah! la feuille s'envole s'envole
Ah! la feuille s'envole au vent.

Qu'avez-vous gentille brunette
Qu'avez-vous à pleurer tant? (bis)
Avez-vous perdu père et mère
Ou quelqu'un de vos parents
Ah! la feuille s'envole s'envole
Ah! la feuille s'envole au vent.

J'ai cueilli ma rose blanche
Qui s'en fut la voile au vent (bis)
Elle est partie vent arrière
Reviendra en louvoyant
Ah! la feuille s'envole s'envole
Ah! la feuille s'envole au vent.

UN CANADIEN ERRANT

1842

Paroles : Antoine Gérin-Lajoie

INTERPRÈTES

La famille Brassard, Émile Champagne, Leonard Cohen, Diane Dufresne, Jacques Labrecque, Nana Mouskouri

HISTOIRE

Toute sa vie, Antoine Gérin-Lajoie a encouragé ses compatriotes à défricher de nouvelles terres plutôt que de s'expatrier aux États-Unis. Journaliste et avocat, Antoine Gérin-Lajoie (1824-1882) écrit les paroles d'*Un Canadien errant* alors qu'il est étudiant au Collège de Nicolet. Nous sommes alors en pleine époque de la révolte des Patriotes du Bas-Canada (1837-1838). Alors que le Parlement britannique fait de l'anglais la seule langue officielle du Canada-Uni, par l'Acte d'union en 1840, les patriotes, mal organisés et exaspérés, engagent un combat inégal contre l'armée anglaise à Saint-Denis, Saint-Charles et Saint-Eustache. Cet épisode historique tragique se soldera par la condamnation à mort de nombreux patriotes alors que d'autres sont poussés sur les chemins de l'exil.

Tandis que nombre de familles éprouvées pleurent l'absence des pauvres « Canadiens bannis de leurs foyers », cette chanson nostalgique devient en quelques mois à peine un refrain extrêmement populaire, connu et chanté partout où il y a des Canadiens français. Dans plusieurs villes-frontières américaines, les exilés et leur progéniture reprennent en chœur cette mélodie composée sur l'air de la musique folklorique de *Par-derrière chez ma tante*.

Au XXe siècle, c'est Leonard Cohen, né à Montréal en 1934, porte-parole du *folk song*, au même titre que Bob Dylan et Joan Baez, qui fait connaître *Un Canadien errant* à travers l'Europe, particulièrement en Grèce et en France. Et sur toutes les scènes du monde, la grande interprète Nana Mouskouri (*Plaisir d'amour, Roses blanches de Corfou, Le temps des cerises*) chante également *Un Canadien errant*, en prenant soin de rappeler la petite histoire de cette chanson extrêmement populaire. Il faut souligner également que cette chanson a été traduite en anglais. En 1950, Jacques Blanchet (1931-1981), sur la même musique, en écrit une version originale.

Au début des années 50, pendant son long séjour à Londres et à Paris, le grand folkloriste Jacques Labrecque enregistre *Un Canadien errant* et la chante sur scène. En 1995, cette chanson se retrouve sur un album-compilation (Fonovox). Il semble que le talent et la contribution énorme de cet homme, qui a su maintenir la flamme patrimoniale de la bonne chanson folklorique et populaire, n'aient pas été reconnus à leur juste valeur. C'est pourquoi son histoire vaut la peine d'être soulignée.

Jacques Labrecque

Né le 17 juin 1917, à Saint-Benoît

Fils unique de Berthe Rhéaume et de Charles Labrecque, chauffeur de véhicules à la Commission des alcools, le petit Jacques quitte la région historique de Deux-Montagnes pour suivre ses parents à Montréal. S'il n'a pas la chance de fréquenter l'université bien longtemps, cet autodidacte est tout à fait capable d'en apprendre aux autres par son érudition et son éveil naturel aux arts et à la culture générale. Son père insiste pour qu'il devienne parfaitement bilingue et qu'il se trouve un emploi dans le monde des affaires. Mais c'est au monde de la musique folklorique que Jacques Labrecque se destine.

Adolescent, il étudie le chant avec Marie-Thérèse Paquin, Roger Filiatrault et Oscar O'Brien, du Quatuor Alouette. Ces derniers lui inculquent la passion du folklore. À la fin des années 30, il chante régulièrement aux Variétés lyriques (1937). Il fait aussi de la radio. Sous la direction de Charles Goulet et de Lionel Daunais, il chante dans l'émission *Le réveil rural* de Radio-Canada. Il fait également la tournée des salles paroissiales et des églises.

En 1949, Jacques Labrecque représente le Canada au Festival international de folklore de Venise, en Italie. À Londres, il enregistre des airs folkloriques francophones et des extraits d'opérette. De 1951 à 1956, il donne de nombreux concerts en Europe, participe à plusieurs émissions de radio et de télévision de l'Office de la radio-télévision française (ORTF) à Paris et de la British Broadcasting Corporation (BBC) à Londres, où il vit en permanence. Il donne également la chance à des Québécois, notamment à Fernand Robidoux, de venir enregistrer dans les studios londoniens. Ces deux amis partagent d'ailleurs les mêmes convictions patriotiques et le Québec leur tient fort à cœur.

De retour à Montréal, Jacques Labrecque fonde la compagnie de disques Musicana et remporte personnellement deux succès populaires avec *La parenté* (1957) et *Monsieur Guindon,* de Jean-Paul Filion. En 1959, il enregistre la première chanson de Gilles Vigneault qui ait été mis sur disque, *Jos Montferrand,* laquelle passe difficilement sur les ondes parce qu'il y est écrit: « Le cul su'l'bord du Cap-Diamant / Les pieds dans l'eau du Saint-Laurent. » Mais depuis 40 ans, les temps ont bien changé et les chansons se sont affranchies avec les Kevin Parent, Daniel Boucher, Éric Lapointe et autres qui nous en font entendre de toutes les couleurs!

Au début des années 60, Jacques Labrecque enregistre quatre microsillons chez London. Ces disques comportent plusieurs titres de Filion et Vigneault, ainsi que des chansons folkloriques et religieuses, comme *Des mitaines pas d'pouces* et *Le temps des fêtes* d'Ovila Légaré, *Le grand Jos* de Tex Lecor ainsi que *Bing sur la ring, Au chant de l'Alouette, La bastringue, Les anges dans nos campagnes, Nouvelle agréable, Venez Divin Messie.*

En 1960, Jacques Labrecque remporte le Grand Prix du disque CKAC pour le meilleur microsillon de folklore: *Jacques Labrecque en France.* Sa renommée comme folkloriste québécois dépasse largement les frontières du pays et il est invité à donner des récitals à l'étranger. Plusieurs se rappellent encore de cette époque où il accueille les gens qui s'entassent dans son cabaret-restaurant de la rue Stanley, à Montréal.

Après sa rupture avec son épouse, Jacqueline Plessis-Belair, qui lui a donné son fils Serge, la chanteuse Paulette de Courval l'assiste remarquablement jusqu'en 1966.

Après une tournée avec les Jeunesses musicales du Canada (1970-1971), Jacques Labrecque retourne en France avec celle qui, depuis 1967, est sa conjointe. Il s'agit de Michèle Duquette, infirmière et artiste-peintre. Malgré le fait qu'il ne possède pas de diplômes, de 1971 à 1975, le Québécois pure laine enseigne le folklore à l'Université de Paris VI, et ce, avec compétence et autorité. Pendant cette période, il donne également d'autres récitals en Europe.

De retour à Montréal, Jacques Labrecque anime une télésérie à la télévision de la société Radio-Canada (SRC), *Chansons voltigeantes... chansons dolentes* (été 1976), et entreprend de nouvelles tournées au Québec et au Canada. Il participe enfin à quelques festivals folkloriques en Europe. Mais en 1979, après un dernier récital d'adieu au Grand Théâtre de Québec, le chanteur se retire dans sa maison-studio des Éboulements, dans le comté de Charlevoix. S'enclenche alors une nouvelle étape dans la carrière de Jacques Labrecque, lequel est admirablement appuyé par sa femme. Il s'agit d'un travail colossal de pionnier dans le domaine de la promotion et de la diffusion du patrimoine musical folklorique.

Fondateur des Éditions du Patrimoine, Jacques Labrecque réenregistre ses grands succès et fait connaître davantage le célèbre violoniste Jean Carignan (1906-1988). Il produit également des disques de documents historiques, de contes et légendes et de chansons folkloriques régionales. Pendant quelques années, à compter de 1983, il enregistre plusieurs microsillons, notamment *Géographie sonore du monde de la mer,* avec la participation de l'Ensemble Claude Gervaise et le chœur Chante-Joie. On y retrouve *À Saint-Malo, Partons la mer est belle, Quand le marin revient de guerre, Le 31 du mois d'août, Ti-Jean, le marin,* de Lawrence Lepage.

Par ses recherches, son savoir et ses réalisations, Jacques Labrecque s'inscrit dans la même lignée qu'Édouard Zotique Massicotte, Marius Barbeau, Luc Lacourcière, Maurice Carrier. L'ethnologue Robert-Lionel Séguin est devenu son grand ami et les deux chercheurs invétérés se sont visités aux Éboulements ou à Rigaud, où

Séguin a habité de 1920 jusqu'à sa mort, en 1982. C'est d'ailleurs pour lui rendre un hommage posthume que Jacques Labrecque lui a dédié son microsillon *Géographie sonore du Québec (région de Charlevoix)*.

Pour compléter le tableau, précisons enfin que, dans le domaine du cinéma, Jacques Labrecque a tourné dans les films *The Soho Conspiracy* (1949), *Something in the City* (1950), *Amanita pistilens* (1963), où il a partagé la vedette avec Geneviève Bujold, qui adorait l'entendre chanter *C'est la belle Françoise* et *La colline aux oiseaux*.

Il est bien dommage que dans certains milieux, on n'ait pu reconnaître à sa juste valeur le travail de titan accompli par ce folkloriste à nul autre pareil. Jacques Labrecque nous a quittés en 1995, à l'hôpital Pierre-Boucher de Longueuil. Mais la Galerie Patrimoine, dirigée par Michèle Duquette, est toujours là, dans Charlevoix, pour nous rappeler sa mémoire.

Par ailleurs, malgré que leur fils, Jean-Hugues, ait collectionné les diplômes en économie et finance, il a délaissé l'enseignement en 2001, pour prendre la relève de son père. Se produisant Au Lion d'or, à Montréal, et au Petit Champlain, à Québec, il a épaté les spectateurs avec ses propres compositions, mais aussi avec ses interprétations de *Jos Montferrand* et d'*Un Canadien errant*.

UN CANADIEN ERRANT

Un Canadien errant,
Banni de ses foyers,
Parcourait en pleurant
Des pays étrangers.

Un jour, triste et pensif,
Assis au bord des flots,
Au courant fugitif
Il adressa ces mots :

« Si tu vois mon pays,
Mon pays malheureux,
Va, dis à mes amis
Que je me souviens d'eux.

« Ô jours si pleins d'appas,
Vous êtes disparus,
Et ma patrie, hélas !
Je ne la verrai plus !

« Non, mais en expirant,
Ô mon cher Canada !
Mon regard languissant
Vers toi se portera. »

LE TEMPS DES CERISES

1866

Paroles : Jean-Baptiste Clément
Musique : Antoine Renard

INTERPRÈTES

Patrick Bruel, Reda Caire, Jean Clément, André Dassary, Yvan Dautin, Suzy Delair, Fred Gouin, Juliette Gréco, Florian Lambert, Jack Lantier, Georgette Lemaire, Jean Lumière, Yves Montand, Mouloudji, Nana Mouskouri, Marie Denise Pelletier, Georgette Plana, Colette Renard, Tino Rossi, Jean Sablon, Charles Trenet, Sylvie Vartan, Cora Vaucaire

HISTOIRE

Derrière *Le temps des cerises* se cache la légende perpétuée par son auteur, Jean-Baptiste Clément (1836-1903). Il compose son joli poème d'amour en 1866, à l'époque où il n'est pas encore engagé comme activiste et militant politique socialiste. Sa chanson n'est pas destinée à devenir un jour le symbole des barricades de la Commune de Paris de 1871. On y retrouve les éléments d'un autre de ses textes, *Fleurs et fruits*, écrit par ses soins deux ans plus tôt.

C'est en 1867, à Bruxelles, que Jean-Baptiste Clément rencontre l'ex-chanteur de l'Opéra de Paris et musicien Antoine Renard (1825-1872), auquel il confie sa chanson pour qu'il en écrive la musique. Il cède ses droits au compositeur lyrique pour le remercier de lui avoir consenti une avance qui prend la forme d'une pelisse, soit un manteau doublé de fourrure, un jour de décembre 1867 où il faisait un froid de canard. Pour cet auteur, *Le temps des cerises* est alors une chanson d'amour.

En 1868, Clément devient républicain. Mais en 1871, Jean-Baptiste Clément, élu de la Commune de Paris, monte aux barricades et participe au Combat de la «Semaine sanglante» pendant laquelle de nombreux communards seront fusillés. La chanson *Le temps des cerises* est publiée en 1874 dans *L'Almanach de la bonne chanson*. Puis, en 1885, elle fait son chemin dans le recueil *Chansons choisies*. La même année, exilé à Londres, Jean-Baptiste Clément la dédie à l'ambulancière Louise Michel qui, le 28 mai 1871, a ravitaillé les fédérés à la barricade de la rue de la Fontaine-au-Roi. C'est ainsi que d'une romance qui relate un amour déçu, cette chanson devient le symbole des «communards». Mais quelques années plus tard, une fois la poussière des barricades retombée, elle redeviendra une chanson d'amour classique. Jean-Baptiste Clément passera 10 années de sa vie dans la capitale britannique (1871-1880). De retour en France en 1880, il s'implique dans des partis ouvriers et socialistes et ses convictions se reflètent dans les textes qu'il écrit alors, comme *Serrons les rangs* (1897).

En 1838, Tino Rossi entre en studio pour enregistrer *Le temps des cerises,* à la suite d'Anna Thibaud et de Fred Gouin qui l'ont fait connaître au café-concert. Pour sa part, Yvan Dautin la chante le 10 mai 1981, Place de la Bastille. Pour ce qui est de la petite histoire, le premier enregistrement de cette chanson revient à Agustarello Affre en 1908.

D'autres interprètes réputés ont eux aussi repris cette mélodie: Jean Lumière, Hélène Delavault, André Dassary, Charles Trenet, Mouloudji et Yves Montand. Au Québec, en 2000, Marie Denise Pelletier lui donne un souffle nouveau et l'intègre à son album. La chanson *Le temps des cerises* est donc véritablement entrée dans la mémoire populaire de maints pays de la francophonie.

Yves Montand

Né Yvo Livi, le 13 octobre 1921, à Monsumano, en Italie

Parmi la centaine d'interprétations de la chanson *Le temps des cerises,* comment ne pas retenir celle, très réussie, d'Yves Montand, gravée sur son microsillon *Chansons populaires de France* (Pathé).

Il en a fait du chemin le petit Yvo Livi depuis son arrivée à Marseille, alors qu'il est âgé de deux ans et que sa famille fuit le régime de Mussolini.

Dans le petit village toscan, à Monsumano, son père, Giovanni, possède une petite fabrique de balais. Lui et sa femme, Giuseppina, y travaillent 15 heures par jour pour survivre. À cause de ses convictions socialistes, il est obligé de fuir les fascistes de Mussolini et de trouver refuge à Marseille ainsi qu'un nouvel emploi : ouvrier dans une usine d'huile. En 1924, toute la famille le rejoint à Marseille. À la maison, on continue de parler italien. Yvo, le benjamin de trois enfants, a de la difficulté à apprendre le français et n'a pas la chance d'étudier bien longtemps. En 1932, conséquence de la crise économique de 1929, la famille Livi se retrouve dans la misère. Alors âgé de 11 ans, Yvo, devenu Yves, quitte l'école pour travailler. Il est embauché dans une usine de pâtes alimentaires, où il remplit des cartons six jours par semaine. Il y reste pendant deux ans, puis il devient manœuvre, livreur et serveur dans un bistrot du port. Sa sœur, Lydia, réussit dans la coiffure et ouvre son propre salon dans le garage de la maison familiale. Et c'est là qu'Yves fait ses débuts comme apprenti coiffeur.

À 13 ans, l'adolescent rêveur découvre le cinéma, le jazz et s'imagine dès lors dans la peau de Fred Astaire, qu'il admire profondément, et de Fernandel. Il continue de couper et de friser les cheveux dans le salon de coiffure tout en fredonnant sans arrêt les chansons de celui qui deviendra son idole, Charles Trenet.

Un soir, il chante dans un caf'conc' de son quartier et fait quelques imitations devant une cinquantaine de personnes, des amis et des voisins. Il a décidé de devenir chanteur. Il suit donc des cours de chant, place sa voix, se trouve un imprésario qui se nomme Berlingot et change de nom. Il opte pour un pseudonyme tiré tout droit d'une phrase de sa mère, «Ivo, monta!» et il devient Yves Montant. Plus tard, il changera le «T» de Montant pour le remplacer par un «D». Berlingot lui trouve un engagement à l'Alcazar, le grand music-hall marseillais (1800-1966) où il interprète, entre autres, son premier grand succès, *Dans les plaines du Far West,* écrite par le compositeur aveugle, Charles Humel.

Cependant, au moment où sa carrière décolle enfin à l'Alcazar de Marseille, le 21 juin 1939, la guerre éclate. Fini le music-hall pour un temps. Yves Montand devient métallo aux Chantiers de la Méditerranée et occupe d'autres petits emplois. Puis il se décide et va à Paris. Le 18 février 1944, il fait ses débuts à l'ABC (1934-1965) le grand music-hall du boulevard de la Poisonnière, en première partie d'André Dassary. Son style plaît et les engagements ne manquent pas. Sur cette fin de guerre, la carrière du «beau marlou», comme on le surnomme alors, est lancée.

En 1945, il est découvert et lancé par Édith Piaf qui le voit à l'œuvre alors qu'il se produit à ses côtés au célèbre Moulin-Rouge et il triomphe également au Théâtre de l'Étoile, où il reviendra en vedette en 1951.

L'union professionnelle de Bob Castella, ce talentueux pianiste qui dirige ses musiciens, et d'Yves Montand va durer 44 ans, et consacrer toute une époque de chansons qui donnent à Yves Montand son statut de vedette: *Battling Jœ, Luna Park, Les Grands Boulevards, Elle a, Mais qu'est-ce que j'ai à tant l'aimer, À Paris, Mon manège à moi.* À partir de 1945, toutes les portes s'ouvrent à lui en France et en Europe et il se met à immortaliser des rengaines, entre autres, de Francis Lemarque, Jacques Prévert et Joseph Kosma.

Quant au beau roman d'amour qui lie Yves Montand à Édith Piaf, il se termine au début de l'année 1946. Puis, en août 1949, à Saint-Paul-de-Vence à la Colombe d'or, le chanteur fait la connaissance de la belle actrice Simone Signoret, épouse du cinéaste Yves Allégret et mère de Catherine Allégret. C'est le coup de foudre! Ils se marient le 22 décembre 1951 et s'installent chez Yves Montand, Place Dauphine, à Paris. Tous deux partagent la même conscience professionnelle et mais aussi politique du fait qu'ils adhèrent à des idées de gauche. À vivre aux côtés de son épouse, Yves Montand apprend ce qu'est le bonheur, mais aussi la rigueur de son métier et l'engagement social et politique. Pour le couple, c'est le début d'un long chemin tissé de revendications et de combats en faveur des plus démunis, des exploités, des prisonniers torturés sans raison. Quand il dénonce les dictatures, Montand est intransigeant. En ce qui a trait, par exemple, à la dictature militaire espagnole, Montand déclarera: «Je refuserai toujours de chanter en Espagne devant le dictateur Franco.»

Outre la chanson qui lui apporte tous les succès, Montand réussit avec le même bonheur au cinéma, et ce, aussi bien en France qu'aux États-Unis. C'est d'ailleurs en 1959, pendant le tournage du film *Le milliardaire,* à Hollywood, qu'Yves Montand a une idylle avec Marilyn Monrœ (1926–1962), une escapade que Simone Signoret consentira à lui pardonner. Après le tournage du film *Le Salaire de la peur,* de Henri-Georges Clouzot, et de *La loi,* de Jules Dassin, mettant aussi en vedette Gina Lollobrigida et Melina Mercouri, le chanteur engagé se produit à l'Olympia durant six mois, à guichets fermés, soit du 5 octobre 1953 au 5 avril 1954. D'autres chansons s'ajoutent alors à son répertoire: *Quand un soldat* (Francis Lemarque), *Les Feuilles mortes* (Prévert et Kosma), *Planter café* (Stern-Marnay), *Voir* (Jacques Brel).

Cette année-là, le couple Montand-Signoret achète une propriété en Normandie, dans le département de l'Eure, à Autheuil-Anthouillet.

L'Amérique lui tend les bras! Yves Montand fait ses débuts à Broadway le 27 septembre 1959. Dans la salle, il reconnaît Marlene Dietrich, Lauren Bacall, Ingrid Bergman et, bien entendu, Marilyn Monrœ. Plus de 60 millions de téléspectateurs le voient à l'émission de Dinah Shore. À compter de 1960, Yves Montand est au sommet de sa gloire comme chanteur. Pendant deux mois, il triomphe de nouveau, au Golden Theatre de Broadway. Puis il revient à l'Étoile de Paris et entreprend une tournée en Angleterre, en Allemagne, au Japon, en Pologne, en Union Soviétique et au Canada. À Montréal, il choisit de se produire au Théâtre Saint-Denis. En 1961, à Québec, un autre triomphe l'attend au Capitol.

De retour sur la scène de l'Olympia en 1968, il fait courir les foules 33 soirs d'affilée. D'autres tubes portés par sa voix chaude s'inscrivent au palmarès: *À bicyclette, Mon manège à moi, La Marie-Vison*. Puis, pendant 13 ans, il décide de se consacrer plus spécifiquement à sa carrière cinématographique. Pendant cette période, il travaillera avec les réalisateurs Costa Gavras et Claude Sautet

Il reprend l'affiche à l'Olympia, du 7 octobre 1981 au 3 janvier 1982, puis du 20 juillet au 17 août de la même année. Ses tournées se multiplient un peu partout dans le monde et il chante au Brésil, à San Francisco et à New York, au Metropolitain Opera. Mais ce triomphe du siècle qu'il affiche au music-hall, correspond aussi aux adieux qu'il fait à la scène et à son public.

Cela ne signifie pas pour autant qu'il quitte la chanson. Au printemps 1984, ce militant des droits de l'Homme sort un nouvel album consacré à l'auteur David McNeil. Il enregistre aussi l'album *Chansons populaires de France*, où l'on retrouve *Le roi Renaud de guerre revient, Aux marches du Palais, Le roi a fait battre tambour, Le temps des cerises*, et autres.

Le 30 septembre 1985, alors qu'Yves Montand est en plein tournage du film *Manon des Sources,* une adaptation d'une œuvre de Marcel Pagnol, Simone Signoret s'éteint dans leur maison d'Autheuil. Il lui avait rendu visite la veille et l'avait quittée songeur. Elle était alors très souffrante. Par la suite, sa vie ne sera plus pareille. Le 31 décembre 1988, il épouse Carole Amiel, son assistante. De cette union naît son fils, Valentin. Infatigable, Montand tourne d'autres films et multiplie ses apparitions à des émissions télévisées où il annonce son grand retour sur les planches de la plus grande scène parisienne, le Palais Omnisport de Bercy. Mais personne n'aura le bonheur de le revoir sur scène, pas même son fils, puisque le 9 novembre 1991, Yves Montand quitte son public à tout jamais alors qu'il succombe à un infarctus du myocarde.

LE TEMPS DES CERISES

Quand nous en serons au temps des cerises,
Et gai rossignol et merle moqueur
Seront tous en fête,
Les belles auront la folie en tête
Et les amoureux du soleil au cœur.
Quand nous chanterons le temps des cerises
Sifflera bien mieux le merle moqueur

Mais il est bien court le temps des cerises,
Où l'on s'en va deux cueillir en rêvant
Des pendants d'oreilles.
Cerises d'amour aux robes pareilles
Tombant sous la feuille en gouttes de sang.
Mais il est bien court le temps des cerises
Pendants de corail qu'on cueille en rêvant.

Quand vous en serez au temps des cerises,
Si vous avez peur des chagrins d'amour,
Évitez les belles!
Moi qui ne crains pas les peines cruelles
Je ne vivrai pas sans souffrir un jour.
Quand vous en serez au temps des cerises,
Vous aurez aussi des chagrins d'amour.

J'aimerai toujours le temps des cerises
C'est de ce temps-là que je garde au cœur
Une plaie ouverte!
Et Dame Fortune, en m'étant offerte
Ne saura jamais calmer ma douleur.
J'aimerai toujours le temps des cerises
Et le souvenir que je garde au cœur.

LE FIACRE

1888

Paroles et musique: Léon Xanrof

INTERPRÈTES

Marcel Amont, Barbara, Georges Brassens, Jacques Douai, Jacqueline François, Yvette Guilbert, Francis Lemarque, Monique Leyrac, Félicia Mallet, Gisèle Mackensie, Lina Margy, Germaine Montero, Marc Ogeret, Patachou, Colette Renard, Jean Sablon, Cora Vaucaire

HISTOIRE

Le Fiacre est une histoire vraie qui se déroule en huit tableaux. Cette chanson est créée en 1888 lors de la reprise de la pièce *Les Mohicans de Paris*. Son auteur, Léon Xanrof (1867-1953) s'appelle Léon Fourneau, Xanrof étant une anagramme de Fourneau. Avocat à ses débuts, il va très vite se consacrer à la chanson. Cet auteur, qui est aussi chansonnier au cabaret montmartrois Le Chat Noir, a écrit les paroles et la musique de cette chanson le jour où il manqua d'être renversé, rue Lepic, par un fiacre qui «allait cahotant, jaune avec un cocher blanc».

Félicia Mallet est la première à avoir chanté cette mélodie au Théâtre de l'Ambigu et à en prendre tout le crédit. Mais c'est Yvette Guilbert (1867-1944) qui s'approprie bien vite ce succès, au grand bonheur de Léon Xanrof, puisque depuis son premier passage en 1890 au Pavillon de Flore à Liège et à l'Eden-Concert à Paris, la vedette du Moulin-Rouge n'a jamais retiré de son répertoire cette rengaine enregistrée chez Pathé-Marconi à l'occasion de l'Exposition universelle de 1900. Yvette Guilbert a d'ailleurs fait connaître plusieurs chansons de Léon Xanrof qui, en fin de carrière, s'est plutôt consacré à l'écriture théâtrale. Entre autres, il a écrit l'adaptation de *Rêve de valse* et l'opérette *Madame Putiphar*.

C'est Jean Sablon (1906-1994) qui a l'heureuse idée de reprendre *Le Fiacre* et de l'agrémenter du bruit des pas d'un cheval sur le pavé. Dans les années 60, c'est au fantaisiste chanteur Marcel Amont de remplacer le bruit des sabots par celui d'une Jaguar. Au Québec, Fernand Robidoux compte cette mélodie dans son tour de chant. Il l'y maintiendra jusqu'à la fin de sa vie, le 27 septembre 1998.

Une vingtaine d'interprètes connus ont enregistré *Le Fiacre*, notamment Barbara, Georges Brassens, Patachou, Francis Lemarque et Colette Renard. Chacun y a apporté sa touche personnelle et le public s'est épris de ce récit humoristique dans lequel Léon est prié d'enlever son lorgnon «Cahin-caha, Hu, dia! Hop là!» Un fait demeure cependant: l'interprétation de la célèbre Yvette Guilbert reste légendaire.

Yvette Guilbert

Née Emma Laure Esther, le 20 janvier 1865, à Paris

Née de Julie Lubrez, d'origine flamande, et de Normand Esther, comptable de profession, la jeune Yvette Guilbert travaille dans un atelier de couture quand elle est remarquée par le critique Edmond Stoullig qui veille à ce qu'elle suive des leçons de diction et de comédie. En 1885, à l'âge de 20 ans, Yvette monte sur les planches des Bouffes du Nord, puis elle se produit dans de nombreux théâtres parisiens et part en tournée.

Elle est mannequin aux magasins Printemps et comédienne sur les boulevards. Mais Yvette Guilbert rêve surtout de devenir chanteuse. En 1889, le Casino de Lyon, puis le café-concert parisien l'Eldorado (1858-années 30) l'engagent, mais ses entreprises se soldent par un échec complet. Elle écrit alors *La Pocharde*, sur une musique de Byrec. Avec son teint blafard, ses cheveux roux, ses longs gants noirs et sa robe verte, Yvette Guilbert se produit à Liège et à Bruxelles, puis à Paris. Le succès n'est toujours pas au rendez-vous. Puis elle chante sous le pseudonyme de Nurse Valéry dans la salle de spectacle le Moulin-Rouge, créée en 1889 par son ami Zidler. En 1891, elle chante au café-concert Le Divan japonais, sur la rue des Martyrs à Paris. Tous ses efforts et sa persévérance lui donneront finalement raison et elle prend véritablement son envol à Paris au café-concert La Scalla où elle se produit de 1892 à 1895, avec, à son répertoire, des chansons comme *Vierges* et *Fœtus*.

La chanteuse à la diction impeccable et à l'esprit vif devient célèbre grâce aux 16 planches de dessin que le grand peintre Toulouse-Lautrec lui offre sur un plateau d'argent. Son portrait au fusain, que l'on peut admirer au Musée d'Albi, est d'ailleurs une des belles réussites de Lautrec.

Elle se produit aussi dans tous les cafés-concerts et salons littéraires et lors de ses spectacles en Angleterre, en Allemagne et en Amérique. Partout, le public lui réclame *Le Fiacre,* de son ami Léon Xanroff, et *Madame Arthur,* de Paul de Kock, un texte humoristique rempli de sous-entendus convenant tout à fait à sa forte personnalité, mais aussi *À la Villette* d'Aristide Bruant.

Mais en 1900, une maladie rénale contraint Yvette Guilbert à mettre un frein à sa fulgurante carrière pour subir cinq interventions chirurgicales. En 1913, elle entreprend une seconde carrière au Casino de Nice et se consacre à la renaissance de vieilles chansons du Moyen Âge, à des textes et poèmes de Baudelaire, Verlaine, Montherland jusqu'à Béranger, auteur de *Julie la rousse*.

Pendant 50 ans, cette ambassadrice de la chanson populaire française a tenu le haut du pavé et c'est elle qui sans contredit a ouvert la voie à Mistinguett, à Damia, à Mireille, à Lucienne Boyer et à Édith Piaf. Dans l'*Art de chanter une chanson* et ses mémoires, *La chanson de ma vie* et *La passante émerveillée,* publiées en 1929, Yvette Guilbert raconte son parcours, parfois houleux, mais toujours exaltant. Elle est décédée à Aix-en-Provence en 1944, et son corps a été transporté en l'église Saint-Jean de Malte. Puis, le 25 octobre 1945, le docteur Maxime Schiller, son plus grand ami, a fait ramener son cercueil au cimetière du Père Lachaise, à Paris.

LE FIACRE

Un fiacre allait, trottinant
Cahin, caha,
Hu, dia, hop là!
Un fiacre allait, trottinant,
Jaune, avec un cocher blanc.

Derrièr'les stores baissés,
Cahin, caha,
Hu, dia, hop là!
Derrièr'les stores baissés
On entendait des baisers.

Puis un'voix disant: «Léon!
Cahin, caha,
Hu, dia, hop là!
Puis un'voix disant: «Léon!
Pour... causer, ôt'ton lorgnon!»

Un vieux monsieur qui passait,
Cahin, caha,
Hu, dia, hop là!
Un vieux monsieur qui passait,
S'écri' : « Mais on dirait qu'c'est
Ma femme avec un quidam!

Cahin, caha,
Hu, dia, hop là!
Ma femme avec un quidam!»
I's'lanc'sur le macadam'.

Mais i'gliss'su'l'sol mouillé,
Cahin, caha,
Hu, dia, hop là!
Mais i'gliss'su'l'sol mouillé,
Crac! il est écrabouillé.

Du fiacre un'dam'sort et dit:
Cahin, caha,
Hu, dia, hop là!
Du fiacre un'dam'sort et dit:
«Chouett', Léon! C'est mon mari!

Y a plus besoin d'nous cacher,
Cahin, caha,
Hu, dia, hop là!
Y a plus besoin d'nous cacher,
Donn'donc cent sous au cocher!»

FROU-FROU

1897

Paroles : Monréal et Blondeau

Musique : Henri Chatau

INTERPRÈTES

Mathé Altéry, André Bélair, Danielle Darrieux, André Dassary, Suzy Delair, Roland Gerbeau, Fernand Gignac, Yvette Giraud, Jack Lantier, Serge Laprade, Lina Margy, Juliette Méaly, Lionel Parent, Line Renaud, Mado Robin, Tino Rossi, Monique Saintonge, Berthe Sylva

HISTOIRE

Si Henri Chatau (1843-1933) est aujourd'hui célèbre, c'est pour avoir composé la musique de cette seule chanson, *Frou-frou,* même s'il a créé les mélodies de 567 chansons dont une dizaine ont eu, elles aussi, leur heure de gloire. La jolie Juliette Méaly, vedette du café-concert de la Belle Époque de Toulouse-Lautrec, est la première à avoir interprété *Frou-frou* au Théâtre des Variétés, en 1897. Rappelons que le mot frou-frou apparaît dans les dictionnaires au XVIIIe siècle pour évoquer aussi bien le bruissement soyeux d'étoffes et de volants que la comédie ainsi intitulée.

Dans un premier temps, la mélodie d'Henri Chatau, assisté de Lucien Delormel, porte le titre de *La fête du souffleur.* Un auteur allemand, de passage à Paris, en fait aussitôt une version qu'il baptise *Beim Supper (Au souper)* et qui remporte un véritable triomphe à Vienne. Quant à Monréal et Blondeau, premiers paroliers de *Frou-frou,* ils en écrivent une nouvelle version pour leur revue musicale présentée au Théâtre des Variétés où Juliette Méaly a laissé ses traces, tout comme l'interprète Eugénie Buffet (1866-1934) d'ailleurs. Cette dernière, surnommée «La cigale nationale» pendant la guerre de 1914-1918, a été décorée de la Légion d'honneur en 1933.

Parmi la centaine d'interprètes ayant enregistré *Frou-frou,* il convient de citer quelques noms plus connus qui l'ont chantée de 1950 jusqu'à nos jours: Line Renaud, Tino Rossi, Mathé Altéry, Danielle Darrieux, André Dassary, Jack Lantier. Ce dernier, peu connu des Québécois, a pourtant enregistré 28 albums qui se vendent encore par milliers.

À Montréal, Lionel Parent, vedette des années 40 à Radio-Canada et à CKAC, et Fernand Gignac ont réellement ancré *Frou-frou* dans le cœur de tous les Canadiens français (ainsi désignés avant 1960) et mis cette chanson sur leurs lèvres. Dans toutes les réunions de famille ou soirées paroissiales, c'est la chanson que l'on reprend en chœur avant ou après *Ah! le petit vin blanc, Le plus beau tango du monde, Le chaland qui passe, Un amour comme le nôtre.* Toutes ces romances ont été popularisées par le Québécois Fernand Gignac, souvent comparé à Tino Rossi pour la qualité de sa voix et pour avoir chanté une succession d'innombrables succès.

Fernand Gignac

Né le 23 mars 1934, à Montréal

En 1934, Alphonse Gignac et Évangéline Garneau s'installent à Montréal avec leurs six enfants. C'est dans cette ville que naît Fernand, septième d'une famille de neuf enfants. À neuf ans, il remplace son frère André dans la chorale des Petits chanteurs de la paix. Un autre de ses frères l'amène également chanter *Marseille mes amours* entre deux combats de lutte.

Il étudie le chant, le piano et l'art dramatique. Puis, âgé de 14 ans, le jeune prodige décroche un contrat et débute sur la scène du cabaret Le Faisan doré. Il y reste neuf mois en compagnie de Jacques Normand, Charles Aznavour, Pierre Roche, Raymond Lévesque, Monique Leyrac, Jean Rafa. De grands noms de la chanson comme Charles Trenet, Mistinguett, Édith Piaf, les Compagnons de la chanson terminent leurs soirées dans cet établissement montréalais populaire. Ils encouragent fortement le jeune Fernand Gignac qui chante *Boléro, Maître Pierre* et *Frou-frou*. Bourvil lui fait d'ailleurs part de ce commentaire: «Il y a deux sons importants pour les patrons de boîtes de nuit: celui des applaudissements et celui de la caisse enregistreuse.»

Et des applaudissements, il y en aura tout au long de la carrière de Fernand Gignac, puisque de 1949 à 1962, il fait salle comble partout où il passe, notamment à Québec: Chez Émile, Chez Gérard et à La Porte Saint-Jean. Encore là, il travaille avec les grandes vedettes françaises: Mouloudji, Catherine Sauvage, Jacqueline François, Georges Guétary et d'autres.

En 1952, après des années de succès au cabaret, Fernand Gignac devient annonceur et disc jockey de radio à Ville-Marie où il s'installe avec son épouse, Mariette Gravel. Elle a 17 ans, lui en a 18. En 1954, il est engagé par la station de radio CHLP à Montréal. Il y restera quatre ans. En 1957, il enregistre son premier 78 tours avec *Je n'ai fait que passer,* qui devient le succès de l'année, et *L'amour en calypso.* D'autres tubes s'ajoutent ensuite à son répertoire: *Le tango des fauvettes, La berceuse de Jocelyn, Mon cœur est un violon, La Paloma, Seul ce soir.* À partir de 1960, il devient encore plus célèbre du fait qu'il est le chanteur attitré de l'émission de télévision *Le club des autographes* (SRC).

En 1961, il se rend en France, après avoir reçu le trophée du Grand Prix du disque des mains de Gilbert Bécaud et avoir enregistré *Bozo* de Félix Leclerc et *Donnez-moi des roses.* «Je vais enfin voir le pays de mes idoles et savoir de quoi je parle quand je chante *Sous les ponts de Paris* ou *Sur les quais du vieux Paris*», déclare-t-il.

En 1964, Fernand Gignac, dont les chansons *La montagne des amoureux* et *Le train des amoureux* sont aux premiers rangs du palmarès, obtient le titre de Monsieur Radio Télévision décerné par les lecteurs de l'hebdomadaire *Télé-Radiomonde* et il ouvre son propre cabaret à Laval.

Des années 60 aux années 80, on le voit et on l'entend partout. Il joue dans plusieurs téléséries et théâtres d'été et anime plusieurs émissions de variétés tant à la SRC qu'à Télé-Métropole. Ses albums se vendent comme des petits pains et il remplit la Place des Arts à plusieurs reprises. Dans les années 70 et 80, il multiplie les enregistrements d'albums dédiés à la chanson romantique, alors qu'en 1978, son album de Noël remporte un immense succès auprès du public.

Fernand Gignac n'est pas du genre à se vanter de ses bons coups ni à se plaindre de sa santé fragile. En 1999, à l'occasion de ses 65 ans et ses 50 ans de carrière, on le fête entre ses tours de chant au Casino de Montréal où il chante toujours *J'avais vingt ans, Frou-frou* et *Le temps qu'il nous reste.* Ses enfants sont là pour l'entourer de leur amour: Alain, François, Louis, Isabelle et Benoît, qui lui a dédié son livre : *Fernand Gignac mon père*. Pendant ce temps, Mariette, sa compagne de toujours, attend à la maison de Sainte-Adèle le retour de son mari qui lui fredonnera, en rentrant, le *Petit souper aux chandelles*.

À l'hiver 2002, Fernand Gignac a repris d'assaut la scène du Casino de Montréal avec ses musiciens. Le public ne se lasse pas de l'entendre. Son agenda est chargé de dates et d'endroits où il est attendu avec le même enthousiasme.

FROU-FROU

La femme porte quelquefois
La culotte dans son ménage
Le fait est constaté, je crois,
Dans les liens du mariage.
Mais, quand elle va pédalant
En culotte comme un zouave,
La chose me semble plus grave
Et je me dis en la voyant:

Refrain
Frou frou, Frou frou
Par son jupon la femme
Frou frou, Frou frou
De l'homme trouble l'âme
Frou frou, Frou frou
Certainement la femme
Séduit surtout
Par son gentil frou frou!

La femme ayant l'air d'un garçon
Ne fut jamais très attrayante,
C'est le frou frou de son jupon
Qui la rend surtout excitante!...
Lorsque l'homme entend ce frou frou,
C'est étonnant tout ce qu'il ose.
Soudain il voit la vie en rose...
Il s'électrise, il devient fou!

Refrain

En culotte, me direz-vous,
On est bien mieux à bicyclette.
Mais moi je dis que sans frou frou
Une femme n'est pas complète!
Lorsqu'on la voit retrousser,
Son cotillon vous ensorcelle,
Son frou frou, c'est comme un bruit d'aile
Qui passe et vient vous caresser!

Refrain

LA PALOMA
1899

Paroles et musique : Sebastian Yradier

INTERPRÈTES

Arno, Pierret Beauchamp, Reda Caire, André Dassary, Fernand Gignac, Mireille Mathieu, Tino Rossi, Soulacroix, Ninon Vallin, Albert Viau, Ray Ventura

HISTOIRE

La Paloma, chanson traditionnelle espagnole, était la chanson préférée de Tino Rossi, qui l'a enregistrée en 1962. Son auteur, Sebastian Yradier, a confié l'adaptation des paroles à D. Tagliafico et les arrangements musicaux à Ed Thuillier. *La Paloma* a sûrement été l'une des mélodies le plus souvent enregistrée par différents orchestres et interprètes, tout comme elle a aussi été adaptée par le plus grand nombre de paroliers français.

C'est le chanteur Soulacroix qui, en 1904, grave le premier disque de *La Paloma.* Trente ans plus tard, Ninon Vallin, cantatrice et professeur de chant, l'enregistre à son tour et l'apprend à deux de ses jeunes élèves doués, qui deviendront tous deux des chanteurs de charme, soit Jean Lumière (*Un amour comme le nôtre, Le chaland qui passe, La Petite Église*) et Georges Guétary (*Robin des bois, La route fleurie*). Tout comme un autre chanteur de charme, André Dassary, ils la conserveront à leur tour de chant.

Sur des paroles de Pierre Delanoë et la musique de L. Tenco, c'est Mireille Mathieu qui fait connaître cette chanson au monde entier.

Elle l'enregistre en 1972, chez Barclay, sous le nom de *La Paloma adieu* avec son refrain particulier « La Paloma adieu, adieu c'est toi que j'aime/Ma vie s'en va mais n'aie pas trop de peine/Oh mon amour adieu ! »

Puis, en 1997, le chanteur belge Arno enregistre *La Paloma*. En 2001, de passage aux FrancoFolies de Montréal et en tournée au Québec, il en surprend plus d'un en interprétant également *Le bon Dieu* de Jacques Brel, une version qui s'inscrit dans la tradition rock, mais aussi *Comme à Ostende* de Léo Ferré.

Au Québec, Pierret Beauchamp reprend à son tour cette mélodie immortelle, sous le titre de *Jamais La Paloma*, laquelle figure parmi ses premiers succès en compagnie de *Fleur de Tyrol* et *Le grillon*. Plus tard, elle accède au palmarès avec *Tu te reconnaîtras* de Leny Escudero et *Quatre soleils*, le premier disque d'or de Nana Mouskouri.

La version française qui suit de *La Paloma*, parfois appelée *La colombe*, est sans doute celle que la plupart des gens ont apprise chez eux, sur les bancs d'école ou dans les salles paroissiales et que des chorales ont chantée à maintes reprises. Évoquer une chanson, une époque, c'est à la fois un retour aux sources et une façon de ne pas perdre ses traditions.

Mireille Mathieu

Née le 22 juillet 1947, à Avignon, France

La gloire de Mireille Mathieu est un fait acquis pour tout le monde. Il faut s'incliner devant son ascension fulgurante et son statut de vedette depuis plus de 35 ans. Au cours des dernières années, elle a chanté avec le Chœur de l'Armée Rouge au Palais des Sports de Paris, à Moscou et à Saint-Pétersbourg. Puis notre héroïne s'est produite en Corée, en Chine et aux États-Unis pour revenir en force à l'Olympia, temple de la renommée.

Surnommée Mimi, Mireille est l'aînée d'une famille de 13 enfants. Sa mère, Marcelle, est d'origine flamande et son père, Roger, est tailleur de pierre d'un côté comme de l'autre du célèbre pont d'Avignon, si souvent chanté par Jean Sablon. À l'âge de 13 ans, l'aînée du clan Mathieu entre à l'usine pour aider sa famille et sur les lieux mêmes de son travail, elle chante sans arrêt les refrains de Tino Rossi, de Charles Trenet et d'Édith Piaf.

En juin 1964, dans sa ville natale, Mireille Mathieu remporte le premier prix au programme *On chante dans mon quartier.* Après cet exploit relaté à la une du journal *Le Provençal,* en 1965, on l'invite à Paris pour participer au concours de Télé-Dimanche, organisé en hommage à Édith Piaf. Elle en sort gagnante, devançant Georgette Lemaire. Cette date du 21 novembre 1965 est donc des plus importante, puisqu'elle triomphe au *Jeu de la chance* devant 18 millions de téléspectateurs français.

L'imprésario Johnny Stark la découvre alors, la présente à Eddie Barclay, et tous deux lui font signer d'alléchants contrats. La cendrillon entre en studio pour enregistrer *C'est ton nom* et *Mon credo,* chanson fétiche qu'elle enregistrera plus tard en allemand, en anglais, en espagnol et en italien. Tous ces enregistrements deviennent des succès.

Puis, Mireille Mathieu part en tournée avec France Gall et Hugues Aufray et, en septembre 1966, elle est à l'Olympia pour faire l'ouverture du spectacle de Dione Warwick et de Sacha Distel.

En 1966, la voilà en route vers Montréal. Elle est l'invitée d'honneur au Festival de la chanson populaire, organisé par CJMS au Centre Paul-Sauvé. Elle reviendra dans la métropole lors de l'Expo 67. À New York, elle chante *Mon credo* et *Hymne à l'amour* au Ed Sullivan Show. Et les Américains ont l'occasion de la revoir dans les grandes émissions télévisées de Johnny Carson, Merv Griffin et Andy Williams.

De retour à Paris, Bruno Coquatrix la présente en vedette à l'Olympia et de nouvelles chansons voient le jour et s'inscrivent dans son répertoire: *Qu'elle est belle, Paris brûle-t-il?, J'ai gardé l'accent, La dernière valse, Une histoire d'amour.* Avec un nouveau disque, Mireille Mathieu entreprend une tournée où, en deux mois, elle visite 60 villes dans 16 pays différents dont la Pologne, le Mexique, l'Iran et la Grande-Bretagne.

Pendant 15 ans, Mireille Mathieu sillonne les cinq continents, de Tokyo à l'URSS, en passant par la Chine et l'Europe tout entière. Juste à Montréal, de 1969 à 1982, elle se produit 15 fois dans la grande salle Wilfrid-Pelletier de la Place des Arts. Elle y donne 60 représentations à guichets fermés. Et il en est ainsi dans toutes les villes du Québec.

En juillet 1971, en Grèce, plus de 60 000 personnes applaudissent Mireille Mathieu et Johnny Hallyday, les invités d'honneur de la 4e Olympiade de la chanson. Le Québécois Claude Steben et le Français Herbert Léonard sont lauréats de ce concours universel groupant à Athènes les représentants de 41 pays. C'est par la suite que Mireille Mathieu enregistrera *Acropolis Adieu* et qu'elle participera à de grandes émissions télévisées réalisées par Maurice Dubois, de Radio-Canada.

En 1973, Mireille Mathieu entre de nouveau en studio pour enregistrer des chansons en duo avec Placido Domingo, Barbra Streisand et Paul Anka. Frank Sinatra lui fait cadeau de *The World We Knew,* chanson dont Charles Aznavour fera une adaptation. En 1983, l'étoile mondiale est invitée au *Festival de la chanson religieuse* à Saint-Pierre-de-Rome. C'est après l'avoir entendue chanter *Santa Maria de la mer, Mille Colombes* (Eddy Marnay), *Un enfant viendra,* que le Souverain Pontife Jean-Paul II lui dira: «Vous êtes la chanteuse de l'amour et de la paix.» C'est d'ailleurs bien à l'écart des médias que la généreuse Mireille s'efforce de soulager les souffrances des enfants malades, hospitalisés ou handicapés. Sa chanson *Un million d'enfants,* composée par Robert Gauthier, démontre bien ce qu'elle ressent pour l'enfance en détresse.

En 1986, pour marquer ses 20 ans de carrière, la grande ambassadrice de la chanson française fait une entrée fracassante au Palais des Congrès, à Paris. Elle reprend ses grands succès: *La Paloma Adieu, Une femme amoureuse, Mille fois bravo.* En 1988, elle chante devant une foule immense à l'occasion des jeux Olympiques qui ont lieu en Corée du Sud. Après le décès de son mentor, Johnny Stark, survenu en 1989, Mireille Mathieu réapparaît entourée d'une nouvelle équipe, cette fois pour rendre hommage à la grande Piaf, sur scène et sur disque. Et un autre album, *Vous lui direz,* voit le jour en 1995.

Le président Jacques Chirac a rendu un hommage bien mérité à Mireille Mathieu en la nommant Chevalier de la Légion d'honneur. Lorsqu'on passe en revue tout le chemin parcouru par cette artiste, on est obligé de reconnaître qu'elle a réussi l'impossible et atteint «l'inaccessible étoile» immortalisée par Jacques Brel. Dans son livre autobiographique, *Oui je crois,* publié chez Robert Laffont en 1987, la petite Provençale ouvre un volet sur son jardin secret pour parler de ses amours, de sa famille, de sa foi et de sa dévotion à la Sainte

Vierge, fêtée avec ses proches tous les 15 août. « Chacun son destin, dit-elle, je trouve le mien exceptionnel et, tous les jours, je remercie Dieu et le public de m'avoir donné tant de bonheur. »

Mireille Mathieu chante et écrit avec autant de facilité et d'émotion : « J'ai le bonheur de faire un métier dont je rêvais depuis toujours. D'avoir vu arriver le miracle que j'espérais. La réussite que je voulais. Où est le sacrifice? Je voulais chanter pour le monde entier, je le fais. Je voulais donner aux miens ce qu'ils n'avaient pas : ils l'ont. Certes, nous n'avons pas évité les deuils, mais qui y échappe? Nous sommes comme tout le monde… »

En même temps qu'elle lançait un nouvel album, à l'automne 2002, elle entreprenait une longue tournée francophone, après un démarrage en force à l'Olympia de Paris.

LA PALOMA

Le jour où quittant la terre
Pour l'océan,
Je dis: priez Dieu, priez
Dieu pour votre enfant!
Avant de nous mettre en route,
Je crus revoir
Nina qui pleurait, sans doute
De désespoir!
Nina, si je succombe
Et qu'un beau soir
Une blanche colombe
Vienne te voir,
Ouvre-lui ta fenêtre
Car ce sera
Mon âme qui peut-être
Te reviendra.

Refrain
Oh! les gais matelots,
Qui chantent sur les flots,
Quant au large la brise
Surprise
Ne trouve plus d'échos! (bis)

Nina, lorsque sur la grève
Tout près de moi,
J'aurai, mais non plus en rêve,
Ma mère et toi,
Alors, adieu le navire
Qui bien souvent

M'a vu pleurer ou sourire
Selon le vent.
Nina, demain c'est fête,
Car me voici.
Que le curé s'apprête,
L'alcade aussi.
Demain, les belles filles,
On dansera,
La perle des Antilles
M'épousera.

Refrain

Enfin nous touchons la terre,
Mon Dieu merci!
Déjà j'aperçois ma mère.
Mais seule ici?
Pourquoi sa voix incertaine
Ne répond pas!
Sa main en tremblant m'entraîne
Plus loin, là-bas.
Ah! je vois une tombe!
Nina, dis-moi,
Cette blanche Colombe
C'est toi, c'est toi!
Eh! matelot qui rêve,
Debout, poltron!
Le premier quart s'achève
Merci, Patron!

Refrain

ÇA DANSE ET ÇA CHANTE

1900-1909

QUAND L'AMOUR MEURT
Paulette Darty, 1871-1939

À LA VILLETTE / À LA BASTOCHE
Aristide Bruant, 1851-1925

VIENS POUPOULE / LA PAIMPOLAISE
Mayol, 1872-1941

LA DERNIÈRE GAVOTTE / ÇA N'VAUT PAS L'AMOUR
Esther Lekain, 1870-1948

LE PETIT RIGOLO / LE CŒUR DE MA MIE
Anna Thibaud, 1891-1936

LE CŒUR DE NINON
Henri Dickson, 1872-1938

LE TROU DE MON QUAI / AH ! LES PETITS POIS
Dranem (Armand Ménard), 1869-1935

VA DANSER / CHAMP DE RAVIOT
Gaston Couté, 1880-1911

LE RÊVE PASSE
Jean Bérard, 1851-1925

LETTRE À NINI / LES GOÉLANDS
Lucien Boyer, 1876-1948

La petite église (Paul Delmet), Heure exquise (Henri Defreyn), Valse brune (Villard), La légende des flots bleus (Dolbret), La valse chaloupée (Mistinguett), Ah ! Si vous voulez d'l'amour (Adeline Lanthenay), La petite Tonkinoise (Polin et Joséphine Baker), À la Martinique (Harry Fragson)

NINI-PEAU-D'CHIEN

1904

Paroles et musique : Aristide Bruant

INTERPRÈTES

Aristide Bruant, Clairette, André Dassary, Jack Lantier, Lina Margy, Germaine Montero, Monique Morelli, Marc Ogeret, Patachou, Colette Renard

HISTOIRE

Le célèbre chansonnier Aristide Bruant est né à Courtenay en 1851 et mort à Paris en 1925. *Nini-peau-d'chien* est sans doute sa composition la plus connue et la plus répandue. Il l'a enregistrée à la Société des auteurs, compositeurs et éditeurs de musique (SACEM) en 1904, et créée au Little Palace, un pitoyable café-concert. Il l'a ensuite reprise à la Scala, où gravitent Yvette Guilbert, Mayol, Paulette Darty. Vingt ans plus tard, Aristide Bruant la publie dans la troisième édition de ses chansons de quartiers, un document intitulé *Dans la rue* (1889, 1re édition).

Avec l'avènement du disque, la popularité des œuvres d'Aristide Bruant prend une nouvelle ampleur aux alentours de 1930. Ces enregistrements ramènent les auditeurs à la belle époque du Chat-Noir, son cabaret de prédilection, devenu le Mirliton, et du Lapin à Gill, autrefois appelé Cabaret des assassins. Ils permettent aux nostalgiques de toute la francophonie de reprendre la chanson *Nini-Peau-d'chien,* reine des trottoirs clandestins de Montmartre, haut lieu de la chanson française et de chantonner aussi les gais refrains de Bruant : *À la Villette, À Batignolles, À Montparnasse, À Saint-Lazare*. Il est le chantre des faubourgs, des «apaches» ou malfrats et de ces filles délurées, les «gigolettes», tout comme il est le précurseur du poète et romancier Carco (1886-1958) et de l'écrivain français Mac Orlan (1882-1970).

En son temps, Aristide Bruant a toujours gardé la tenue vestimentaire popularisée par les affiches du peintre Toulouse-Lautrec: cape et hautes bottes, habit de velours noir, foulard et chemise rouge, chapeau à large bord. Le chansonnier fait ainsi bonne figure avec son air martial, sa carrure solide, sa chevelure abondante et noire rejetée en arrière et son œil pénétrant. Que ce soit en France ou en tournée à l'étranger, lorsqu'il monte sur une chaise ou sur une table pour chanter et «engueuler» ses invités, le public ravi est à la fois sous le choc et sous le charme.

En 1895, il quitte les scènes des cabarets. Riche et célèbre, Aristide Bruant achète alors le Concert de l'Époque où il se produit avec sa femme, Mathilde Tarquini d'Or. Il se présente également comme député socialiste dans le quartier Belleville-Saint-Fargeau. Défait, il se tourne vers la littérature et écrit seize romans et six pièces de théâtre. La mort de son fils fauché à la guerre, en 1917, l'atteint profondément.

En 1924, quelques mois à peine avant sa mort, il accepte de faire un dernier tour de piste sur les planches de l'Empire (1924-1944), un tout nouveau music-hall parisien qui vient juste d'ouvrir ses portes avenue de Wagram. Sa disparition donnera lieu à un déferlement d'articles et de récits biographiques sur sa vie exaltante, articles et récits signés tant par des auteurs de la classe ouvrière que par des ducs, des bourgeois, des intellectuels et des magnats de la finance.

Nini-Peau-d'chien a été enregistrée une cinquantaine de fois par un nombre important d'artistes disparus comme André Dassary et Lina Margy, créatrice de *Voulez-vous danser, grand-mère?*

CLAIRETTE

Née Claire Oddera, le 3 avril 1919, à Marseille

Clairette passe toute son enfance à Marseille avec ses parents, Rose Fennuci et Charles Oddera, roi de la pétanque, et ses deux sœurs, Rosette et Danielle. Pendant la Seconde Guerre mondiale, elle est contrainte de rester en Suisse, où elle chante avec Pierre Dudan, ce qui ne l'empêche pas de joindre les rangs de la Résistance. Une fois la guerre terminée, elle entreprend une tournée à travers la France et l'Europe avec son idole, Reda Caire, dans la revue *De Montmartre à la Cannebière.*

En janvier 1949, dès son arrivée à Montréal, Clairette fait connaître *Nini-Peau-d'chien* au public, lors de ses premiers spectacles au Théâtre Champlain, où elle chante aux côtés de Georges Guétary. En agissant ainsi, elle ne tient donc pas du tout compte d'un conseil que Reda Caire lui a donné dans le cadre d'une audition pour le radioroman *La pension bonne humeur.* Ce dernier lui a en effet déconseillé d'interpréter cette chanson et lui a plutôt suggéré de chanter à la place *Ma banlieue*. Par contre, dès 1930, Fernandel, avec qui elle tournera plus tard dans le film de Marcel Pagnol *La fille du puisatier* (1939), ne doute pas un seul instant qu'elle en devienne l'interprète par excellence. Précisons pour la petite histoire que c'est Fernandel qui lui a suggéré d'adopter le nom de scène de Clairette.

Pendant quelques années, elle se promène entre la France et le Québec et se produit dans tous les cabarets en vogue de l'époque. Au Faisan doré, boulevard Saint-Laurent, Pierre Roche et Charles Aznavour lui suggèrent de toujours garder *Nini-Peau-d'chien* à son répertoire. Au Bal Tabarin, à New York, pendant plusieurs mois, Clairette ouvre et termine son tour de chant avec cet air canaille. Il n'est donc pas étonnant qu'elle ait chanté plus de 3000 fois ce succès d'Aristide Bruant tout au long de sa carrière. Pendant 12 ans, chaque soir, le public le lui a réclamé dans l'une ou l'autre de ses boîtes à chansons.

Mais auparavant, Clairette décide de s'installer définitivement à Montréal où elle est la vedette du Café Saint-Jacques. Françoys Pilon, le patron des lieux, l'a vue à l'œuvre dans une de ses salles, Aux Trois-Castors, avec Jean Rafa, Juliette Huot, Juliette Béliveau, Jean Duceppe et Marcel Gamache. En 1957-1958, pendant 18 mois, elle anime la boîte à chansons située au deuxième étage de cet établissement. Puis en 1958, elle crée Le tour de chant, une école de formation à l'univers du music-hall. Enfin, le 1er mai 1959, elle ouvre sa fameuse Boîte à Clairette sur la rue de la Montagne à Montréal. De 1962 à 1972, Clairette permettra à Diane Dufresne, Robert Charlebois, Jean-Pierre Bérubé et bien d'autres, de débuter dans sa boîte, sans oublier sa petite sœur, Danielle Oddera. Quant à Brel et Montand, ils font un arrêt sur la rue de la Montagne à chacun de leurs passages à Montréal. De 1975 à 1978, elle est animatrice dans une nouvelle boîte à chansons, sur la rue Saint-Jacques. Ça n'est pas pour rien que ses protégés la surnomment la «mère supérieure».

Les Québécois se souviennent également de l'émission hebdomadaire télévisée de Clairette, *Un air d'accordéon,* diffusée à Télé-Métropole, en 1963, où elle reprend ses succès comme *Magali, Le voyage de noces, Tais-toi Marseille, La Joconde, En revenant de Piedmont, Les moines de Saint-Bernardin, La java bleue* et toujours *Nini-Peau-d'chien,* sans oublier *Une boîte à chansons,* signée Georges Dor.

Quant à la Clairette comédienne, elle joue aussi dans plusieurs téléromans dont *Au pied de la pente douce,* de Roger Lemelin, *Les Bergers* et *Le clan Beaulieu,* de Marcel Cabay. À Radio-Canada, elle excelle dans *Marius* de Marcel Pagnol. Elle y interprète Honorine, la mère de Fanny qui, elle, est jouée par Danielle Oddera. Marius est incarné par Robert Gadouas alors que le rôle de César est confié à Ovila Légaré.

Aujourd'hui, à 83 ans, Clairette se remémore ce passé toujours présent, ses quatorze voyages transatlantiques sur *Le Liberté* et ses huit autres sur *Le France*, son premier vol en avion en 1969, ses rencontres et sa correspondance avec son ami Jacques Brel.

À l'hôpital Sainte-Rita de Montréal-Nord, alors qu'elle était présidente d'honneur des bénévoles, Clairette est allée remonter le moral des malades. Son livre, *Comment meubler sa solitude avec la foi*, est une invitation à apprécier davantage cette grande dame à qui le Gouvernement du Québec a conféré le grade de Chevalier de l'Ordre national du Québec, en 2002, pour sa contribution de plus d'un demi-siècle au rapprochement de nos cultures et traditions. En 2001, Clairette redit en toute sincérité: «Ce pays du Québec, c'est moi qui l'ai choisi et je l'aime. On m'a acceptée avec mon accent provençal. Je n'ai jamais pensé que je pouvais le perdre. Tous les citoyens du monde ont un accent. Ce sont mes racines.»

NINI-PEAU-D'CHIEN

Quand elle était p'tite
Le soir elle allait
À Saint'-Marguerite
Où qu'a s'dessalait.
Maint'nant qu'elle est grande,
Ell'marche le soir
Avec ceux d'la bande
Du Richard-Lenoir

Refrain
À la Bastille
On aime bien
Nini-Peau-d'chien:
Elle est si bonne et si gentille!
On aime bien
Nini-Peau-d'chien,
À la Bastille

Elle a la peau douce,
Aux taches de son,
À l'odeur de rousse
Qui donne un frisson,
Et de sa prunelle,
Aux tons vert-de-gris,
L'amour étincelle
Dans ses yeux d'souris.

Refrain

Quand le soleil brille
Dans ses cheveux roux,
L'génie d'la Bastille
Lui fait les yeux doux,
Et quand à s'promène,
Du bout d'l'Arsenal
Tout l'quartier s'amène
Au coin du Canal.

Refrain

FASCINATION

1905

Paroles : Maurice de Féraudy

Musique : Fermo D. Marchetti (pseudonyme de Maurice Ravel)

INTERPRÈTES

Mathé Altéry, Claudette Auchu, Louis Bannet, Reda Caire, Christine Chartrand, André Claveau, Bing Crosby, Danielle Darrieux, Paulette Darty, André Dassary, Suzy Delair, Marlene Dietrich, Sacha Distel, Diane Dufresne, Odette Florelle, Jacqueline François, Michel Fugain, Roland Gerbeau, Fernand Gignac, Daniel Guichard, Nat King Cole, Robert L'Herbier, Pierre Lalonde, Jack Lantier, Michel Louvain, Jean Lumière, Léo Marjane, Dario Moreno, Nana Mouskouri, Mado Robin, Jen Roger, Tino Rossi, Germaine Sablon, Roger Sylvain, Sylvie Vartan

HISTOIRE

Lors de sa création en 1905, *Fascination* est reçue comme une chanson réaliste, une sorte de courrier du cœur digne de la tradition du café-concert en France. Après un siècle, elle est restée accrochée aux lèvres de tous les amants de la Belle Époque. C'est d'abord Paulette Darty (1871-1939) qui chante cette valse lente sur les scènes de l'Eldorado de Marseille et au music-hall parisien la Scala, cet établissement des plus cotés de Paris. En 1908, après avoir connu la renommée avec cette mélodie, mais aussi avec *Quand l'amour meurt* (1905) et *Amoureuse*, Paulette Darty quitte la scène. Non seulement, elle a créé un genre nouveau, la valse chantée, mais ces chansons lui valent le surnom de « Reine des valses lentes ».

Maurice de Féraudy, auteur et acteur de la Comédie française, a bien du flair lorsqu'il confie son texte à Fermo D. Marchetti, prestigieux violoniste et chef d'orchestre, qui compose alors une musique appropriée correspondant tout à fait à la tradition musicale du début du siècle.

Peu après l'enregistrement de Paulette Darty, les ténors Reda Caire et Jean Lumière, ainsi que les soprani Lina Dachary et Mathé Altéry (Pathé-Marconi) s'empressent d'ajouter *Fascination* à leur tour de chant.

En tout, une centaine d'interprètes de la francophonie ont enregistré *Fascination*. Parmi eux se trouvent nos meilleurs artistes. Avec cette valse lente, la tradition amoureuse chantée est vraiment un lien qui se tisse entre le passé, le présent et l'avenir.

Mathé Altéry

Née Marie-Thérèse Altare, en 1933, à Paris

Parmi les nombreux interprètes qui ont choisi d'enregistrer *Fascination*, Mathé Altéry est, sans contredit, celle qui occupe le premier rang, non seulement à cause de son charme et de sa virtuosité éblouissante, mais aussi pour son immense talent. Lorsque l'on regarde ses antécédents familiaux, il n'est pas vraiment étonnant qu'elle possède autant d'atouts, avec un père premier ténor à l'Opéra de Paris et une mère chanteuse à l'Opéra de Marseille.

Mathé Altéry fait ses débuts comme choriste au Chatelet et comme interprète de chansons pour enfants à Radio-Luxembourg. On lui demande de doubler la version française du dessin animé de Walt Disney, Peter Pan. Elle enregistre aussi quatre microsillons comprenant chacun 13 valses et mélodies de la Belle Époque, ce qui lui vaut de remporter le Prix de l'Académie Charles-Cros, en 1957, et le Grand Prix du disque, l'année suivante.

À l'ABC de Paris, Mathé Altéry crée l'opérette *Coquin de Printemps*. Comme la critique est élogieuse et unanime, on la réclame dans toute la francophonie pour interpréter, entre autres, les versions de *My Fair Lady* et de *La mélodie du bonheur* dont elle assure les doublages des bandes-son des films musicaux.

Au Québec, Mathé Altéry reçoit un accueil triomphal. Elle participe aux grandes émissions de télévision et donne plusieurs concerts, notamment à la Place des Arts, en 1969. La presse et le public la trouvent ravissante, élégante et raffinée.

Encore en 2001, quand elle participe à l'émission quotidienne télévisée *La chance aux chansons*, animée par Pascal Sevran, elle incarne toujours l'éternelle jeunesse. Précisons qu'en 2002, cette émission devenue hebdomadaire a changé de nom pour s'intituler: *Chanter la vie*.

Parmi ses plus beaux souvenirs de carrière, Mathé Altéry se plaît à évoquer cette date du 17 mars 1960, alors qu'elle crée l'opérette les *Trois Valses*, en compagnie de Guy Provost, Olivier Guimond et autres, dans l'enceinte de l'auditorium du collège Saint-Laurent, au Québec. Elle se souvient avoir ri de bon cœur, en voyant Olivier Guimond simuler un homme ivre, descendre le grand escalier et le remonter tout en laissant penser qu'il va trébucher en chemin.

En reprenant le rôle rendu célèbre par la grande Yvonne Printemps, secondé par Pierre Fresnay, Mathé Altéry a réussi à faire revivre les *Trois Valses* avec autant d'émotion et de bonheur.

FASCINATION

Je t'ai rencontré, simplement
Et tu n'as rien fait, pour chercher à me plaire
Je t'aime pourtant
D'un amour ardent
Dont rien, je le sens, ne pourra me défaire
Tu seras toujours, mon amant,
Et je crois à toi, comme au bonheur suprême
Je te fuis parfois
Mais je reviens, quand même
C'est plus fort que moi
Je t'aime

Lorsque je souffre, il me faut tes yeux
Profonds et joyeux
Afin que j'y meure
Et j'ai besoin pour revivre, amour
De t'avoir un jour
Moins qu'un jour, une heure

De me bercer un peu dans, tes bras
Quand mon cœur est las
Quand parfois je pleure
Ah! crois-le bien, mon chéri, mon aimé, mon roi
Je n'ai de bonheur qu'avec toi

Tu seras toujours mon amant
Et je crois à toi, comme au bonheur suprême
Je te fuis parfois
Mais je reviens, quand même
C'est plus fort que moi
Je t'aime

BERCEUSE AUX ÉTOILES

1906

Paroles : H. Dorsay et Fernand Disle

Musique : Jules Vercolier

INTERPRÈTES

Margot Campbell, Georges Coulombe, Danielle Darrieux, Berthe Delny, Joanyd, Jean Lapointe, Aimé Major, Marjal, Francis Marty, Rose Rey-Dutil

HISTOIRE

En fouillant dans les dictionnaires et les anthologies de la chanson française et en consultant des spécialistes en la matière, on trouve le nom des auteurs de cette chanson inoubliable, H. Dorsay et Fernand Disle, et celui du compositeur musical, Jules Vercolier. Mais ces documents ne comportent aucune information sur leur vie ou leurs œuvres. Pour sa part, la *Berceuse aux étoiles,* créée en 1906, figure bel et bien dans des cahiers de chansons, mais on n'y fait aucunement mention de ses créateurs. La Société de droit de reproduction des auteurs, compositeurs et éditeurs (SODRAC) donne le crédit des paroles à Henri David et Fernand Gentôt. Impossible d'en savoir davantage. L'énigme relative à la création de cette chanson reste donc entière.

Il n'en demeure pas moins que de 1910 à 1960, plusieurs chanteurs enregistrent la *Berceuse aux étoiles* et lui font franchir les frontières de la France. Dans les années 30, Marjal la fait connaître sur disque et au caf'conc'. En 1964, c'est toutefois Danielle Darrieux qui hisse cette berceuse au plus haut sommet. Née à Bordeaux en 1917, cette grande interprète connaît depuis longtemps une carrière étincelante au théâtre et au cinéma. Mais elle marque aussi des chansons comme *La complainte des infidèles,* reprise par Mouloudji, *Va, mon ami va, La ballade irlandaise,* un succès partagé avec Bourvil. À Broadway, en 1969, Danielle Darrieux chante la *Berceuse aux étoiles* et triomphe dans une comédie musicale consacrée à Coco Chanel.

Au Québec, cette chanson immortelle entrera dans la mémoire collective grâce aux enregistrements de Margot Campbell, Aimé Major, Rose Rey-Dutil, Jean Lapointe et Georges Coulombe. Durant sa longue carrière, ce puissant ténor a toujours répondu à la demande de ses admirateurs qui lui réclamaient son interprétation de la *Berceuse aux étoiles.*

Mais il arrive que les auteurs s'effacent, ce qui semble être le cas pour cette chanson, qui illustre à merveille ce que décrit Charles Trenet dans *L'âme des poètes*: «Après que les poètes ont disparu, leurs chansons courent encore dans les rues...»

Georges Coulombe

Né le 26 mai 1935, à Notre-Dame-de-la-Doré,
au Saguenay–Lac-Saint-Jean

Georges Coulombe vient d'une famille de 13 enfants. Lorsqu'il est encore un petit garçon, son père, Raoul, garde-chasse et employé forestier, l'amène dans les chantiers et lui fait entonner *La légende des flots bleus, La chanson des blés d'or, Le credo du paysan, Un Canadien errant* et *Berceuse aux étoiles*. Sa mère, Simonne Lemieux, est davantage portée sur les airs d'opéra et les chants sacrés. À l'école, Georges interprète *La berceuse de Jocelyn*, les *Ave Maria* de Schubert et de Gounod. Au séminaire, il reçoit en cadeau tous les enregistrements du célèbre Beniamino Gigli. L'étudiant les apprend par cœur et les chante en italien, en s'accompagnant lui-même au piano. Et les filles de se pâmer devant ce nouveau séducteur.

Tout en poursuivant ses études philosophiques à Québec, Georges Coulombe chante dans les églises et les clubs sociaux. Il participe à des concours de jeunes talents et à des concerts où il rafle tous les premiers prix. Le public est en extase lorsqu'il interprète *Le rêve passe, Le cœur de Ninon, Le temps des cerises, l'Heure exquise*, de Franz Lehar ou *Le rossignol de mes amours*, de Francis Lopez. Il se rend aussi à La Porte Saint-Jean, au Palais Montcalm ou au Capitol pour y entendre Georges Guétary chanter *Robin des bois* et *Bambino*, et André Dassary chanter *Ramuntcho*. Georges Coulombe s'émerveille devant ces chanteurs à voix qui pourraient se consacrer uniquement à l'opérette.

En juin 1955, sa rencontre avec le grand chef d'orchestre Wilfrid Pelletier est déterminante. Le maître le convainc de s'établir à Montréal et d'entrer au Conservatoire. Dix ans plus tard, le réputé ténor Raoul Jobin le fait chanter dans divers opéras à Marseille, Bordeaux et Paris. Tout de suite après ses concerts, ce surdoué se faufile au cabaret et découvre un autre monde, celui de la chanson populaire avec Francis Lemarque, Guy Béart, Nicole Croisille, Michel Legrand et Charles Aznavour.

Étant devenu lauréat de l'Académie de musique avec grande distinction, Georges Coulombe met rapidement un terme à son contrat qui l'oblige à vivre en permanence aux États-Unis et en Europe, à l'instar de Léopold Simoneau, André Turp et Jacques Gérard. C'est chez lui, au Québec, qu'il veut vivre et gagner sa vie. On le traite d'enfant gâté et de contestataire. Ce à quoi il répond: «Je veux montrer aux miens, ce que j'ai appris de mes professeurs de chant, Mori, Narici, Richard Verreau, mais aussi ce que j'ai découvert au cabaret et au music-hall. J'éprouve un si grand plaisir à interpréter Leclerc, Ferland ou Brel, que ce soit à la Place des Arts, à la télévision chez Réal Giguère, au Buffet Bertrand, de Tracy, à l'Auberge du Vieux-Saint-Gabriel ou à La Portugaise.»

Changer de style musical, cela n'est pas pour effrayer Georges Coulombe qui peut chanter tous les airs d'opéra de *Carmen* ou de *Manon*, tout en défendant avec ardeur la belle chanson française. Il le prouve d'ailleurs fort bien sur son album *La renaissance de Georges Coulombe* en interprétant *Pourquoi fermer ton cœur, Emporte-moi* et *Cent mille chansons*, soit des créations d'Eddy Marnay et un succès de Frida Boccara.

Après des centaines de spectacles dans les églises et les salles paroissiales, Georges Coulombe est en vedette à Expo 67 et également à Terre des Hommes, lors des Jeux olympiques de 1976. Pendant six ans, il se produit également à La Flûte enchantée du pavillon de la France ou au Festin des Gouverneurs de l'île Sainte-Hélène. Il est heureux de présenter ses collègues Claude Corbeil, Odette Beaupré, Louis Langelier et Louise Le Cavalier, qui sera sa compagne pendant six ans.

Depuis 1995, Georges Coulombe se consacre à la gestion de ses immeubles résidentiels à Montréal et à sa propriété dans les Laurentides. Sans le crier sur les toits, il apporte son aide financière à bien des gens en difficulté et les accompagne souvent jusqu'à leur fin dernière. Partout où il passe, que ce soit dans la parenté ou chez les amis, le généreux chanteur libertaire fredonne avec la même ardeur *O sole mio*, *Berceuse aux étoiles*, mais aussi *La ballade des gens heureux*, de Gérard Lenorman, *La maladie d'amour*, de Michel Sardou, *Les gens de mon pays*, de Gilles Vigneault. « Pour moi, dit-il, la vie sera toujours une partie de plaisir, une belle histoire d'amour. Ce qui compte avant tout, c'est la santé et le bonheur de ses semblables. J'ai encore le goût de faire un dernier tour de piste. »

Répondant à l'invitation de l'association Arts, culture et sociétés de Repentigny, Georges Coulombe est revenu sur scène, en décembre 2001, pour chanter des mélodies d'hier à aujourd'hui. Et sa roue continue de tourner.

Tout au long de sa carrière, Georges Coulombe a su prouver que le chant classique et la chanson populaire peuvent coexister harmonieusement, en s'adressant aussi bien à l'esprit qu'au cœur. Le pianiste André Asselin écrit à propos de son ami Georges tout ce qui fait la particularité de cet artiste : « En s'écartant des sentiers battus, ignorant la gloire souvent trompeuse, il représente un cas unique dans nos annales musicales. »

BERCEUSE AUX ÉTOILES

La nuit, pauvres orphelins
Que faites-vous dans la brume
Lorsque les blonds chérubins
Dorment dans leur lit de plume?
Les petits ont répondu:
Nous n'avons pas de fortune
Notre berceau fut vendu,
Notre maman, c'est la lune!

Refrain
Pendant que les heureux,
Les riches et les grands
Reposent dans la soie
Ou dans les fines toiles!
Nous autres les parias
Nous autres les errants
Nous écoutons chanter
La Berceuse aux étoiles!

Dites pauvres amoureux
En cette nuit de décembre
Seriez-vous pas plus heureux
Près du feu dans une chambre?
Les amants ont répondu:
Qui donc paierait l'hôtelière!
Le seul lit qui nous est dû
Est fait de mousse et de lierre.

Refrain

Dites, pauvres matelots
Courageux pêcheurs d'Islande
Regrettez-vous vos lits clos
Tout là-bas sur la mer grande?
Les marins ont répondu:
Avant que l'eau nous submerge,
Aucun lit ne nous est dû,
L'océan est notre auberge!

Refrain

Dites les guetteurs du soir
Soldats, douaniers, garde-côtes,
Qui sans crainte et sans espoir,
Veillez sur les mauvais hôtes!
Pour dissiper votre ennui,
Bercer l'esprit qui s'isole,
Qu'entendez-vous dans la nuit?
C'est une voix qui console.

Refrain

ON RIT, ON PLEURE, ON CHANTE

1910-1919

AH ! C'QU'ON S'AIMAIT / REVIENS
Harry Fragson, 1869-1913

MA GROSSE JULIE / AUX TUILLERIES
Polin, 1863-1927

LA FEMME AUX BIJOUX
Dona, 1871-1957

LA CAISSIÈRE DU GRAND CAFÉ
Eloi Ouvrard, 1855-1938

AVEC BIDASSE
Bach, 1882-1953

L'ASSOMMOIR
Georgel, 1888-1949

ROSALIE / LA PAIMPOLAISE
Théodore Botrel, 1868-1925

JE SAIS QUE VOUS ÊTES JOLIE
Yvonne Printemps, 1894-1977

L'HIRONDELLE DU FAUBOURG
Eugénie Buffet, 1866-1934

ILS ONT LES MAINS BLANCHES
Montéhus, 1872-1952

Rue Saint-Vincent (Aristide Bruant), Malgré tes serments (Mercadier), Le plus joli rêve (Carmen Villez), Cousine (Mayol), Quand l'amour meurt (Dickson), Femmes que vous êtes jolies (Vorelli), Rêve de valse, rêve d'un jour (Alice Bonheur), Le train fatal (Bérard)

REVIENS

1910

Paroles : Harry Fragson
Musique : Henri Christiné

INTERPRÈTES

Mathé Altéry, Reda Caire, André Dassary, Suzy Delair, Harry Fragson, Jack Lantier, Christiane Legrand, Jean Lumière, Jeannette MacDonald, Guy Marchand, Lina Margy, Léo Marjane, Dario Moreno, Mouloudji, Patachou, Hector Pellerin, Jen Roger, Tino Rossi, Jean Sablon, Ray Ventura, Ray Charles, Johnny Desmond

HISTOIRE

Grâce à son refrain populaire, facile à retenir, *Reviens* est l'une des chansons françaises qui a été la plus enregistrée. Mais la naissance de cette mélodie en 1910 est entourée de mystère. Harry Fragson et Henri Christiné en sont les auteur et compositeur. Certains prétendent qu'Auguste Bosc aurait vendu pour une bouchée de pain les ébauches du texte de *Reviens* à Christiné, qui l'aurait transformée et déposée à la SACEM pour en obtenir des droits d'auteur.

Une chose est certaine, Harry Fragson, né en Angleterre en 1869, est le premier à avoir créé *Reviens* à l'Alhambra en 1910. Dès son arrivée en France en 1891, il devient vite une tête d'affiche au café-concert et au music-hall, en s'accompagnant au piano et en interprétant des chansons comiques et des valses sentimentales. Mais en 1913, un soir de violente dispute avec son père, il est abattu par celui-ci d'un coup de revolver. Son père refusait d'être placé dans une maison de retraite.

Quant à Henri Christiné, né à Genève en 1867 et décédé à Paris en 1941, on lui doit de grands succès comme *La légende des flots bleus* (1907) et *La petite Tonkinoise* (1906), sur une musique de Vincent Scotto, dont l'inoubliable Joséphine Baker (1906-1975) a été la plus fidèle interprète. En plus de composer la musique pour des opérettes célèbres, *Phi-Phi, Dédé, Madame* et *J'adore ça,* Christiné a également écrit la musique de dizaines de chansons interprétées par Maurice Chevalier dont *Valentine* et *Dans la vie faut pas s'en faire.*

En 1931, la grande Damia donne un lustre nouveau à *Reviens* dans le film *Tu m'oublieras.* Durant cette décennie, une douzaine d'interprètes enregistrent cette chanson, notamment Ray Ventura, Jeanette MacDonald et Tino Rossi. Trente ans plus tard, Jean Sablon la chante toujours en français et en anglais. Jusqu'à ce jour, près d'une centaine d'artistes ont enregistré *Reviens.* C'est le cas de Mathé Altéry, Mouloudji et bien d'autres.

Au Québec, Hector Pellerin a été le premier à la chanter en 1918. Elle est reprise par Jen Roger en 1954. Le violoniste Louis Bannet et l'organiste Serge Fontane l'ont également ajoutée à leurs albums.

Si *Reviens* a été chantée par des artistes au sommet de leur gloire, elle a été également interprétée par des débutants qui croyaient que cette chanson leur porterait chance. En effet, en l'insérant dans leurs tours de chant ou sur leurs disques, ils savaient que le public apprécierait ce « classique » indémodable. Pour marquer ses 55 ans de vie artistique et son 75e anniversaire de naissance, Jen Roger a bien fait de reprendre ce refrain nostalgique.

Jen Roger

Né Jean-Roger Marcotte, le 24 juin 1927, à Montréal

Ses parents, unis pour la vie, chantent en duo les refrains à la mode, *Reviens, Malgré tes serments, Ah! c'qu'on s'aimait*. Sa mère, Julie Cimon, véritable cordon bleu, publie *Les secrets de la cuisine* et entre dans la chorale des Chanteurs de Montréal. Son père, Roméo Marcotte, est un héros pour ses fils Roger et André et sa fille Jeannine. Après avoir été employé dans les usines Angus, il achète une épicerie-boucherie. Toute la famille apporte sa contribution au commerce.

Après avoir suivi des cours de diction et d'accordéon et étudié au collège du Mont Saint-Louis, le jeune Roger gagne bien sa vie comme décorateur et étalagiste. Mais il a bien d'autres idées en tête. Sous le pseudonyme de Johnny Rogers, il débute comme interprète au Commodore, à Saint-Sulpice, et à l'hôtel St-James à Montréal.

De 1949 à 1954, le populaire chanteur, en demande dans tous les cabarets, devient le maître de cérémonie des deux principaux établissements montréalais où l'on présente les vedettes du Québec: le Mocambo et la Casa Loma. Il y reviendra constamment au cours de sa longue carrière qui le mènera au Château Madrid de New York ainsi qu'au Casino Royal de Washington. Sa présence est également très remarquée dans les émissions de la CBC à Toronto, *Danny Vaugh Swan* et *Juliette Show*.

En 1953, il enregistre ses premières chansons, sous le nom de Jen Roger et obtient son statut de vedette du disque, de la télévision et de la radio à CKAC et à CKVL. La chanson *Toi ma richesse* se vend à 75 000 exemplaires. Jen Roger continue sur sa lancée en enregistrant en français des succès américains. Parmi ses 200 chansons enregistrées sur 78 tours, 33 tours ou 45 tours figurent *Twist contre twist,* qu'il chante avec Denise Filiatrault,

Buena Fortuna, Fascination, Hymne à l'amour, Sur ma vie, Un jour tu verras et *N'oublie jamais.*

Jen Roger est le seul Québécois à se produire au Théâtre Séville à Montréal où les stars américaines se succèdent. Avec son titre de Monsieur MC remporté en octobre 1953, Jen Roger attire les foules partout où il passe. À Québec, aux cabarets Chez Gérard et à La Porte Saint-Jean, il présente les vedettes françaises de passage dans la Capitale: Lucienne Boyer, Léo Marjane, Gloria Lasso, Georges Guétary.

Dès 1954, à La Casa Loma, il fait la promotion des artistes québécois, une entreprise qu'il poursuivra dans son émission de radio à CKAC: *Le palmarès de la chanson.* En 1957, il ouvre son propre cabaret Le Ami-Ami Lounge, puis, en 1958, sa chanson *Le miracle de Sainte-Anne* grimpe au palmarès et se vend à plus de 500 000 exemplaires. C'est le plus grand succès de sa carrière.

Côté sentimental, plusieurs fois, les médias annoncent ses fiançailles platoniques avec la chanteuse Germaine Dugas, Françoise Bastien et d'autres jolies femmes devenues ses grandes amies. En 1960, Jen Roger s'envole pour la France où il enregistre un microsillon et tâte le pouls du public français, mais il ne peut y séjourner longtemps, au risque d'annuler ses contrats au Québec.

Au début des années 60, il remporte de nombreux succès sur disques. Il est maître de cérémonie au El Mocambo et au El Paso et il anime également des émissions à CFTM (1961 et 1965), à CKVL et présente un spectacle à la Place des Arts à Montréal et au Palais Montcalm de Québec.

Après l'obtention en mai 1967 du prix Orange décerné par *TV Hebdo* à l'artiste le plus aimable de l'année, Jen Roger devient Monsieur Radio-Télévision au Gala des Artistes de 1967, alors que

Michèle Richard devient son pendant féminin. Les deux vedettes de l'heure remplissent le Forum de Montréal et le Palais Montcalm de Québec. Mais c'est la télévision qui s'accapare ses talents. En 1970-1971, il anime l'émission *Les découvertes de Jen Roger* à Québec. Plus tard, en 1976, Télé-Métropole lui confie l'émission *Cabaret*, ainsi qu'une participation régulière à l'émission *À la bonne heure* en compagnie d'Yves Corbeil.

Alors que les Québécois désertent les cabarets, Jen Roger accepte un engagement au Motel Suez de Miami en 1977. Il décide alors de s'installer en Floride et d'y ouvrir son propre commerce. Pendant cinq ans, il est le cicérone bénévole de bien des touristes qu'il conseille avec une grande générosité.

De retour au Québec en 1982, Jen Roger enregistre un nouveau microsillon et réapparaît sur la scène et à la télévision. Il reprend avec la même fougue ses succès d'antan: *Les lavandières du Portugal, Un peu d'amour, Oh! mon papa, Granada, Toi ma richesse,* grand Prix du disque canadien en 1956. Puis, en 1984, pour remettre les pendules à l'heure, Jen Roger publie son autobiographie: *Show Time pour le meilleur et pour le pire*. Il n'hésite pas à parler, sans fausse pudeur, de ses problèmes d'impôt, de ses amours cachés, de sa vie intime. Fini le temps des grosses maisons et du tape-à-l'œil. Il s'installe modestement au Chez nous des artistes et reprend la route des chansons.

En 1996, la carrière de Jen Roger va pour le mieux, il part en tournée avec Les Crooners et entre une fois de plus en studio pour produire un excellent album: *Sur ma vie (Les succès d'hier, la voix d'aujourd'hui)*. On y retrouve, entre autres, *Le miracle de Sainte-Anne, Le déserteur, La madone* et *L'amour est entré dans mon cœur*. En 1998, le Théâtre des Variétés est rempli à craquer d'admirateurs heureux de le trouver en grande forme. Après 55 ans de carrière artistique et un âge respectable de 75 ans, Jen Roger demeure en 2002, une légende du spectacle québécois à qui on demande toujours de chanter *Soir d'Espagne, Maman* et *Reviens.*

Il serait superflu de relever tout ce qu'on a dit et écrit sur Jen Roger au fil des ans. À la suite de l'immense succès remporté par le *Miracle de Sainte-Anne,* un long texte élogieux fut publié dans *Les annales de Sainte-Anne-de-Beaupré.* Au Musée juste pour rire, il a sa place à l'intérieur de l'exposition *Je vous entends chanter,* en hommage à la période animée des cabarets. Quel imitateur n'a pas été tenté de reproduire la voix unique de celui qui continue de se produire sur les scènes québécoises.

REVIENS

J'ai retrouvé la chambrette d'amour
Témoin de notre folie,
Où tu venais m'apporter chaque jour
Ton baiser, ta grâce jolie.
Et chaque objet semblait me murmurer:
Pourquoi reviens-tu sans elle?
Si ton amie un jour fut infidèle,
Il fallait lui pardonner!
Dans mon cœur tout ému des souvenirs anciens
Une voix murmura: Reviens!

Refrain
Reviens, veux-tu?
Ton absence a brisé ma vie.
Aucune femme, vois-tu,
N'a jamais pris ta place en mon cœur, amie.
Reviens, veux-tu?
Car ma souffrance est infinie,
Je veux retrouver tout mon bonheur perdu!
Reviens, reviens, veux-tu?

J'ai retrouvé le bouquet de deux sous,
Petit bouquet de violettes,
Que tu portais au dernier rendez-vous...
J'ai pleuré devant ces fleurettes!
Pauvre bouquet fané depuis longtemps,
Tu rappelles tant de choses...
Ton doux parfum dans la chambre bien close
Nous apportait le printemps!
Le bouquet s'est flétri, mais mon cœur se souvient
Et tout bas il te dit: Reviens...

Refrain

J'ai retrouvé le billet tout froissé
Qui m'annonçait la rupture,
Et ce billet que ta main a tracé
A rouvert la vieille blessure!
Je le tenais entre mes doigts crispés
Hésitant à le détruire…
Puis brusquement, craignant de le relire,
Dans le feu je l'ai jeté!
J'ai détruit le passé, il ne reste plus rien,
Tout mon cœur te chante: Reviens!

Refrain

FERME TES JOLIS YEUX

1913

Paroles : Virgile Thomas et René de Buxeuil
Musique : René de Buxeuil

INTERPRÈTES

Marcel Amont, François Brunet, Dany Dauberson, Annie Flore, Fred Gouin, Junka, Jack Lantier, Quatuor Morency, Chantal Pary, Berthe Sylva, Albert Viau

HISTOIRE

On peut dire de la berceuse *Ferme tes jolis yeux* qu'elle a fait tout un parcours depuis le jour où Junka la lance au caf'conc' l'Eldorado, en 1913. Elle sera en effet reprise par plusieurs chanteurs français. Dany Dauberson (1922-1979), à la voix d'or et au regard troublant, l'enregistre en 1950. Pour sa part, Annie Flore (1920-1985) la chante à l'ABC, à l'Alhambra et au Moulin-Rouge avant de l'enregistrer à son tour en 1957. Six ans plus tard, c'est à Marcel Amont de faire grimper cette superbe mélodie sans âge dans les palmarès.

On doit le succès de *Ferme tes jolis yeux* au compositeur-interprète René de Buxeuil (1881-1959), de son vrai nom Jean-Baptiste Chevrier. C'est avec l'aide de Virgile Thomas qu'il écrit les paroles de ce succès inoubliable. Malgré le fait qu'il soit atteint de cécité depuis l'âge de 12 ans, René de Buxeuil (1881-1959), doté d'une solide formation musicale, composera jusqu'à 5000 mélodies tout au long de sa vie. Quant à son handicap, il ne l'empêche nullement de se produire dans tous les cabarets montmartrois et caf'conc' du quartier. On le situe dans la tradition des « compositeurs des faubourgs ». En

1917, c'est lui qui écrit pour Georgel la plus célèbre chanson mélodramatique de l'époque: *L'Assommoir*. Il est aussi l'auteur de *Zaza*, écrite en 1923 et reprise à la fin des années 60 par la chanteuse fantaisiste Georgette Plana.

Le baryton québécois Albert Viau (1910–2001) est très heureux d'enregistrer *Ferme tes jolis yeux* reste un jour de grand bonheur. Il interprétera ensuite cette chanson des centaines de fois à l'émission *Le réveil rural* à Radio-Canada, et aussi avec l'ensemble des Grenadiers impériaux, incluant David Rochette, François Brunet et Paul-Émile Corbeil. Ces pionniers des années 30 et 40 seront d'ailleurs applaudis sur les plus grandes scènes du monde, incluant le Metropolitan Opera et le Radio City Music Hall de New York. Leurs enregistrements de chansons françaises en ont presque fait des idoles.

Marcel Amont

Né Jean-Pierre Marimont, le 1er avril 1929,
à Bordeaux, en France

Aiguilleur à la Société nationale des chemins de fer dans un quartier ouvrier de Bordeaux, le père de Marcel Amont aurait bien voulu que son fils devienne notaire. Sa destinée sera toute autre. En 1950, après avoir suivi des cours au Conservatoire d'art dramatique de sa ville pour devenir comédien, l'élégant jeune homme se rend à Paris. Il aborde l'opérette, la comédie musicale et le tour de chant au cabaret, à l'Échanson, à l'Échelle de Jacob ou encore au Vieux Colombier. Après six années de cabaret, ce fantaisiste aux multiples talents ne passe pas inaperçu au théâtre de l'Alhambra. La compagnie de disques Polydor lui fait alors signer un contrat important en 1956.

La même année, Marcel Amont gravit plusieurs échelons et chante en première partie du spectacle d'Édith Piaf à l'Olympia. Il y revient en vedette deux ans plus tard, puis se produira à plusieurs reprises à l'Olympia tout au long de sa carrière. En 1962, le charmeur à l'œil pétillant de gaieté triomphe à Bobino 100 soirs d'affilée. On lui réclame à grands cris *Bleu, blanc, blond* (1960), son premier succès, *Escamillo, Le jazz et la java, La bagatelle* et *Un Mexicain* de Jacques Plante et Charles Aznavour. Avec une chanson d'époque comme *Ferme tes jolis yeux,* Marcel Amont fait rire et pleurer les spectateurs qui voient en lui un heureux mélange de tendresse, d'humour et de nostalgie.

En 1970, à l'Olympia, au cours d'une entrevue donnée juste avant son spectacle intitulé *Amont-Tour,* le chanteur parle de son passage à La Page Blanche de Québec, de sa rencontre avec Gilles Vigneault, de ses prochains concerts à Montréal. En ce qui a trait à sa toute récente maladie, le chanteur confie alors: «Pour garder toute mon énergie, le docteur m'a imposé, dans ma loge, une cure d'oxygénothérapie. Avant chaque répétition ou entrée sur scène, je me repose une demi-heure sous une mini tente à oxygène, le visage enfoui dans un masque de plexiglas.»

Malgré la vague du yé-yé, Marcel Amont est acclamé dans toute la francophonie et même au Japon. Il ajoute à son vaste répertoire de nouveaux titres de Brassens, Moustaki, Ricet Barrier, Souchon, Delanoé. Mais il ne peut s'empêcher d'interpréter à chaque fois *Dans le cœur de ma blonde, La jaguar, La chanson du grillon* et *Le rapide blanc,* un succès d'Oscar Thiffault et d'Aglaé, qu'il prend un malin plaisir à chanter avec l'accent québécois.

En plus d'être l'auteur d'une quarantaine de chansons et d'avoir quelques films à son crédit dont *La mariée est trop belle* (1956), *Conduite à gauche* (1961), *Les Maîtres du soleil* (1984), Marcel Amont a pris le temps de rencontrer quelque 120 compositeurs, musiciens, chanteurs parmi les plus célèbres, tels que Vincent Scotto, Mireille, Georges Brassens, Henri Salvador et Charles Trenet. Il veut savoir comment vient le succès, à quoi il tient. Son livre, *Une chanson. Qu'y a-t-il à l'intérieur d'une chanson?* publié en 1994 aux Éditions du Seuil est unique en son genre. Il constitue une mine d'or de confidences surprenantes et d'anecdotes savoureuses.

En 2000, une compilation de tous les grands succès de Marcel Amont est disponible dans les rayons des magasins (étiquette Arcade). On y découvre qu'il a enregistré des disques en sept langues, mais aussi de vieux refrains que le temps avait éventés, comme *Ferme tes jolis yeux.*

Malgré toute cette carrière admirable, ce saltimbanque continue de vivre sa vie familiale, de s'arrêter dans les vignobles bordelais et dans ses ports d'attache de la belle Provence. Ses proches, son fils et sa grande fille, Katia, n'en sont que plus heureux.

FERME TES JOLIS YEUX

Dans son petit lit blanc et rose
Suzette jase en souriant
Elle babille mille choses
À sa douce et chère maman
Mais, chut, il faut dormir bien vite
Nous avons assez bavardé
Faites dodo chère petite
Car petit père va gronder
Et tout en berçant la gamine
La mère lui chante câline:

Refrain
Ferme tes jolis yeux
Car les heures sont brèves
Au pays merveilleux
Au beau pays du rêve
Ferme tes jolis yeux
Car tout n'est que mensonge
Le bonheur n'est qu'un songe
Ferme tes jolis yeux

Dans sa chambre de jeune fille
Suzette devant son miroir
À l'heure où l'étoile scintille
Vient se contempler chaque soir,
Elle admire sa gorge ronde,
Son corps souple comme un roseau,
Et dans sa tête vagabonde,
Naissent mille désirs nouveaux
Laisse là tes folles idées
Gentille petite poupée.

Refrain

Enfin c'est le bonheur suprême,
L'instant cher et tant désiré,
Avec le fiancé qu'elle aime
Suzon vient de se marier
Et le soir dans la chambre close
Quand sonne l'heure du berger
Elle laisse, pudique et rose,
S'effeuiller la fleur d'oranger
Puis elle écoute avec tendresse
Son époux chanter plein d'ivresse:

Refrain

QUAND MADELON

1914

Paroles : Louis Bousquet
Musique : Camille Robert

INTERPRÈTES

Bach, Luc Barney, Alain Charrié, Annie Flore, Polin, Line Renaud, Roger Pierre et Marc Thibault, Georges Thill, Ninon Vallin, Sylvie Vartan

HISTOIRE

Le 23 avril 1914, le comique troupier Bach n'obtient pas un bien grand succès lorsque, pour la première fois, il chante *Quand Madelon* sur la scène du café-concert l'Eldorado. Quand la chanson est reprise par son camarade Polin, cette fois au music-hall de la Scala, ça n'est pas une grande réussite non plus. On considère cette chanson comme une simple chanson à boire.

C'est sur le champ de bataille, en pleine Première Guerre mondiale, que cette chanson de Louis Bousquet (1870-1941), également auteur de *La caissière du Grand Café,* prend ses gallons. Grâce à Bach, elle est adoptée comme une sorte de symbole musical pour les combattants, une nouvelle Marseillaise ! Une partie de ce succès revient au général Joffre qui a eu la bonne idée d'organiser des tournées d'artistes sur le front.

Quand Madelon ne tarde pas à devenir une légende vivante. Tout de suite après l'armistice du 11 novembre 1918, le music-hall s'empare de la mélodie. Elle devient alors *La Madelon de la Victoire,* soit une nouvelle version signée Lucien Boyer, sur une musique de Claude

Borel-Clerc. Créée par Rose Amy dans «la Grande Revue» du Casino de Paris, elle est ensuite reprise par Maurice Chevalier en 1919. Et en 1944, pendant la Deuxième Guerre mondiale, on lui rajoute une autre strophe qui glorifie le général De Gaulle.

En 1955, Jean Boyer, le fils de l'auteur, compositeur et interprète, Lucien Boyer, réalise et tourne le film *La Madelon* dans les ruines du petit village de Tremblay-lès-Gonesse qui a flambé en 1914. Line Renaud, qui personnifie l'héroïne du film, obtient le Prix du prestige français pour son rôle et son interprétation de *Quand Madelon* sur disque. Malheureusement, le bonheur de Line Renaud est assombri par la mort de son père qui survient juste après la sortie du film dans toutes les villes de France. Au même moment, on l'invite à reprendre sa carrière de chanteuse. Malgré son chagrin, elle continue de chanter *Étoile des neiges, Ma cabane au Canada* et *Ma petite folie.*

Après l'immense succès obtenu par Line Renaud avec son interprétation de *Quand Madelon,* bien peu d'interprètes se risquent à l'enregistrer. Ninon Vallée le fait en 1937, Georges Thill en 1939, Roger Pierre et Jean-Marc Thibault en 1964 et un dénommé Alain Charrié en 1993. On se contente de la chanter sur scène avec le public qui la reprend en chœur. Et ça n'est pas sans nostalgie qu'en 1960, Charles Trenet chante: «Qu'est devenue la Madelon? (...) la Madelon jolie / Des années seize / A-t-elle toujours les yeux / Étonnée d'être si bleus / la taille à l'aise... »

Line Renaud

Née Jacqueline Enté, le 2 juillet 1928, à Armentières, en France

Issue d'une famille modeste du nord de la France, Jacqueline Enté participe à tous les radios-crochets (soit des concours radiophoniques) de sa région. Sa mère est sténodactylo et son père camionneur dans une usine de textile. À 11 ans, dans le café que tient sa grand-mère, elle chante les succès de Léo Marjane et d'Édith Piaf, sous le nom de Jacqueline Roy. Puis elle se rend à Paris et rencontre, après la Libération, le compositeur, musicien et imprésario, Lou Gasté. C'est le coup de foudre. Ils se marient le 18 décembre 1950, et dès lors, Lou Gasté lui écrit des chansons sur mesure.

En 1946, âgée de 18 ans, la petite Jacqueline est engagée dans le film *La foire aux enchères* de Pierre Chenal, aux côtés d'Eric Von Stroheim et de Madeleine Sologne. Elle joue le rôle d'une chanteuse de cabaret et interprète *Tant que tu m'aimeras,* du prolifique auteur et compositeur Paul Misraki (1908-1998). On la voit ensuite jouer des rôles dans une douzaine de films. La même année, la radio de Paris l'engage pour une série de 20 émissions: elle y restera pendant 20 ans.

En 1947, Lou Gasté offre à son épouse la chanson *Ma cabane au Canada,* ce qui vaut à Line Renaud (son nouveau nom) de remporter le Grand Prix de l'Académie Charles-Cros. Les tubes *Étoile des neiges, Pam poudé,* le *Chien dans la vitrine* et les spectacles en Europe s'enchaînent. À la fin des années 40 et au début des années 50, ses apparitions au music-hall de l'ABC, à Bobino (1948), au Théâtre de l'Étoile avec Yves Montand, et au Moulin-Rouge (1955) lui permettent d'asseoir sa notoriété et de partir en tournée en Europe et en Afrique.

En 1955, elle interprète le rôle de Madelon dans le film de Jean Boyer. Puis elle accumule les succès jusqu'en 1959, tant sur scène que sur disque, en France et à l'étranger. Avec *Ma petite folie,* vendue à plus de 500 000 exemplaires, elle établit un véritable record de ventes. Par la suite, elle enregistre ses chansons en huit langues, dont le flamand, le japonais et l'arabe ! En 1954, elle triomphe en Angleterre, puis se tourne vers les États-Unis où elle est invitée au célèbre show télévisé de Bob Hope et, plus tard, à celui d'Ed Sullivan. Elle y séjourne ensuite à maintes reprises. Après un triomphe au Moulin-Rouge en 1957, Line Renaud se produit à Québec au populaire cabaret Chez Gérard et à Montréal, au spacieux Faisan Bleu. Elle réalise aussi une nouvelle tournée de 35 spectacles au Canada. De retour en France, elle tourne *L'Increvable,* de Jean Boyer, avec Darry Cowl.

Durant les années 60, malgré la vague yé-yé, Line Renaud assoit sa carrière internationale. Meneuse de revues au Casino de Paris durant quatre ans (où Joséphine Baker lui a appris à descendre le grand escalier) ainsi qu'à Las Vegas, elle revient au théâtre et au cinéma, notamment dans *Ma femme me quitte, Paris chante toujours, La route du bonheur* avec, entre autres, Félix Leclerc, Luis Mariano, Lucienne Delyle.

De retour en France, Line Renaud remonte sur la scène du Casino de Paris et repart pour Las Vegas en 1968. Elle produit des spectacles en Floride. En 1973, la meneuse de revue entreprend une longue tournée en France avec son propre spectacle, puis reprend l'affiche au Casino pendant quatre ans. Durant les années 80, elle franchit sans arrêt l'Atlantique dans les deux sens, participant à de nombreuses émissions de télévision aux États-Unis et en France.

En 1985, Line Renaud se lance à fond dans la lutte contre le nouveau fléau mondial, en devenant présidente de l'Association des artistes contre le Sida. Elle organise des événements télévisés pour recueillir des fonds, afin d'aider à la recherche pour combattre cette terrible maladie.

Après avoir joué dans *Folle Amanda* aux États-Unis, en 1986, Line Renaud rentre en France pour tourner avec Michel Galabru, dans le film de Roger Coggio, une adaptation du *Mariage de Figaro*. Sa vie professionnelle ne s'arrête pas là. On la voit régulièrement au cinéma, au théâtre et dans des téléséries.

Pour ses 40 ans de carrière, Line Renaud publie *Les brumes d'où je viens* et Michel Drucker lui consacre les deux heures de son émission télévisée *Champs Élysées*. Pour sa part, Michel Jasmin la fait venir spécialement de Paris pour sa grande émission de télévision *Variétés Michel Jasmin*, à Radio-Québec.

Line Renaud ne s'arrête jamais. Elle est la vedette du Festival de la chanson au Japon en 1989 et retourne dans ce pays à deux reprises, notamment comme coprésidente du Festival du film japonais à Yokohama. Elle chante dans des salles archi-combles et à la télévision nipponne.

Au début de 1995, son mari, Lou Gasté, décède au domicile du couple de Rueil-Malmaison, laissant à la postérité un millier de chansons interprétées par son épouse et des centaines d'interprètes dans le monde. En 1999, Line Renaud publie un autre livre, *Maman,* où elle ne cache pas l'amour profond qu'elle a toujours eu pour sa mère, décédée à l'âge de 94 ans. Line s'investit dans le travail pour oublier sa peine. Pour une carrière aussi remplie, elle méritait bien de recevoir la Légion d'honneur.

QUAND MADELON

Pour le repos, le plaisir du militaire,
Il est là-bas à deux pas de la forêt
Une maison aux murs tout couverts de lierre
«Aux Tourlourous» c'est le nom du cabaret.
La servante est jeune et gentille,
Légère comme un papillon.
Comme son vin son œil pétille,
Nous l'appelons la Madelon
Nous en rêvons la nuit, nous y pensons le jour,
Ce n'est que Madelon mais pour nous c'est l'amour

Refrain
Quand Madelon vient nous servir à boire
Sous la tonnelle on frôle son jupon
Et chacun lui raconte une histoire
Une histoire à sa façon
La Madelon pour nous n'est pas sévère
Quand on lui prend la taille ou le menton
Elle rit, c'est tout le mal qu'elle sait faire
Madelon, Madelon, Madelon!

Nous avons tous au pays une payse
Qui nous attend et que l'on épousera
Mais elle est loin, bien trop loin pour qu'on lui dise
Ce qu'on fera quand la classe rentrera
En comptant les jours on soupire
Et quand le temps nous semble long
Tout ce qu'on ne peut pas lui dire
On va le dire à Madelon
On l'embrasse dans les coins. Elle dit «veux-tu finir...»
On s'figure que c'est l'autre, ça nous fait bien plaisir.

Refrain

Un caporal en képi de fantaisie
S'en fut trouver Madelon un beau matin
Et, fou d'amour, lui dit qu'elle était jolie
Et qu'il venait pour lui demander sa main
La Madelon, pas bête, en somme,
Lui répondit en souriant :
Et pourquoi prendrais-je un seul homme
Quand j'aime tout un régiment ?
Tes amis vont venir. Tu n'auras pas ma main
J'en ai bien trop besoin pour leur verser du vin

Refrain

SERENATA

1919

Paroles : Alfredo Sylvestri
Adaptation : Pierre d'Amor
Musique : Enrico Toselli

INTERPRÈTES

Mathé Altéry, Guy Berri, André Dassary, Georges Guétary, Robert Jysor, Jack Lantier, Mouloudji, Orsa, Hector Pellerin, Tino Rossi, Fabienne Thibeault, Ninon Vallin, Alain Vanzo, Louis Viannenc

HISTOIRE

Il suffit de fredonner les premiers mots du refrain *Viens, le soir descend...* pour que *Serenata* soit immédiatement reprise en chœur. Avec le temps, cette mélodie italienne qui a vu le jour en 1919 et s'est vue attribuer plusieurs noms, est devenue la *Sérénade de Toselli*.

Cette chanson met en scène deux auteurs dont les œuvres sont rarissimes : Enrico Toselli qui compose la musique de *Serenata* sur des paroles d'Alfredo Sylvestri. Pierre d'Amor signe son adaptation française. Et c'est Georges Guétary qui l'enregistrera à Montréal, sur des arrangements de Michel Colombier. Elle devient alors *Merci monsieur Toselli.* Sur ce microsillon de Georges Guétary (Jupiter), on retrouve 12 titres dont *Je reviens chez nous* (Jean-Pierre Ferland), *Marguerite est repartie* (Stéphane Venne), quatre chansons d'Henri Salvador et *Cet anneau d'or,* une chanson dont le succès fait boule de neige en France, mais surtout au Québec.

Quelque cinquante interprètes ont enregistré *Serenata*. En 1920, les premiers d'entre eux sont Louis Viannenc, Orsa et Robert Jysor. Dix ans plus tard, Guy Berri (1904-1982), tête d'affiche de l'Alhambra et du célèbre cabaret Le Fiacre, l'enregistre pour donner suite à son succès *Derrière les volets*. Après Ninon Vallin, c'est à Tino Rossi d'en faire un succès en 1938. De nouveau, cette chanson porte un autre titre : *Célèbre Serenata*. En 1960, Mathé Altéry et André Dassary contribuent eux aussi à embellir cette chanson.

Après 1970, *Serenata* est chantée par Mouloudji (1922-1994) et Jack Lantier. Un nouveau venu, Alain Vanzo, l'enregistre à son tour en 1993. De ses multiples interprètes, Georges Guétary reste le plus célèbre, et cette chanson qui tient bien la route n'a pas fini de donner du bonheur à de nombreuses autres générations.

Georges Guétary

Né Lambros Worloou, le 8 février 1915,
à Alexandrie, en Égypte

Une carrière internationale à couper le souffle et qui s'étale sur 50 ans, tel est le bilan sommaire de la vie de Lambros Worloou, qui a su surmonter tous les obstacles pour réussir sous le nom de Georges Guétary. Entouré de ses neuf frères et sœurs, il passe son adolescence en Égypte, dans la ville d'Alexandrie. Avec ses copains et copines, le jeune Lambros mène la vie typique d'un adolescent, une vie divisée entre le lycée et la plage. Sportif, il remporte également des championnats d'athlétisme et de natation. Son père travaille chez un marchand de coton et, le soir venu, chante des airs tirés du folklore grec tout en buvant un petit coup au bistrot d'à côté.

En 1933, l'oncle Tasso Janapoulo, célèbre violoniste, donne un concert à Alexandrie et convainc son neveu de le suivre en France. Ce dernier consacre dès lors ces premières années parisiennes à sa formation artistique. La grande cantatrice Ninon Vallin lui apprend le solfège et les vocalises. Il suit des cours de piano et d'harmonie chez Thibaud-Cortot ainsi que des cours de comédie chez René Simon. Il suit également des cours de danse à Pigalle, mais il fait aussi l'apprentissage de mélodies classiques (Schubert, Brahms, Fauré, etc.) avec son oncle Tasso. C'est pourquoi, en 1937, lorsqu'il auditionne au music-hall de l'Empire pour intégrer l'orchestre de Jo Bouillon, le soir même, il remplace le chanteur d'orchestre attitré, qui est malade, et change son nom pour celui de Georges Lambros.

Suite à une de ses apparitions à l'Alhambra, Mistinguett le remarque et lui offre un engagement dans la revue du Casino de Paris. Pendant l'année 1938, Georges Lambros devient donc le cavalier de la Miss dans le cadre de la revue *Ça c'est Paris,* dans laquelle il faut également noter la présence de Reda Caire et de Jean Gabin. En juillet 1938, il participe au spectacle du Mogador, *La Féerie de Paris,* puis il part en tournée, d'abord avec Mistinguett, ensuite avec Marie Dubas, créatrice de *Mon légionnaire,* de *Doux Caboulot* et de la *Prière de la Charlotte.*

Au début de la Deuxième Guerre mondiale, il se retrouve à Toulouse et travaille alors comme serveur dans un restaurant. Lorsque l'accordéoniste Fred Gardoni lui offre de s'associer avec lui et lui demande de changer de nom, Georges Lambros décide de s'appeler Georges Guétary, du nom d'un village basque. C'est à cette époque qu'il s'identifie également à *La chanson de Marinette, Venez, venez dans mon rancho, Si vous voulez savoir, Paris c'est une blonde.* Dans la lancée, Georges Guétary réalise son premier disque, *L'homme de nulle part,* accompagné par l'orchestre de Raymond Legrand. Puis il est engagé avec Pierre Doris dans l'opérette *Toi c'est moi.* En 1943, Pathé lui fait enregistrer plusieurs chansons, dont *La valse des regrets.*

Après la Libération, Georges Guétary se produit sur toutes les grandes scènes de music-hall, donne ses premiers tours de chant en tant que grande vedette et le voilà à l'ABC et à l'Alhambra (1946), à l'Européen, au Théâtre de l'Étoile, sans oublier le Théâtre des Nouveautés où il tient un rôle dans l'opérette *La course à l'amour.* Francis Lopez lui fournit également son grand succès radiophonique : *Robin des bois.* Le cinéma s'empare également très rapidement de lui et il tourne dans 13 films, dont *Une nuit aux Balérares,* en 1957. Partout où il passe, il chante à guichets fermés.

Au Caire et à Athènes, c'est l'euphorie. Après un long séjour à Londres, il rentre à Paris pour tenir un rôle de premier plan dans *Les aventures de Casanova,* avec 16 partenaires, toutes plus affriolantes les unes que les autres.

En entrevue, Georges Guétary se rappelle de cette date du 21 janvier 1949 comme d'une journée mémorable, alors qu'il fait ses débuts à Montréal, au cinéma Champlain, en compagnie de sa grande amie Clairette, qu'il retrouvera ensuite au Capitol de Québec. Pour lui, c'est le début d'une belle histoire d'amour avec les Québécois qui ont fait de lui leur idole. Par la suite, il reviendra 35 fois dans son nouveau port d'attache, que ce soit à La Porte Saint-Jean, dès 1958, à la Place des Arts et à Terre des Hommes, le 23 août 1971, ou au Théâtre des Variétés de Gilles Latulippe. Dans toutes les salles et cabarets du Québec, il chante *Une p'tite canadienne* (Raymond Lévesque) et *Je reviens chez nous* (Jean-Pierre Ferland). On lui réclame sans cesse *Bambino, Mamie, Boléro, Monsieur Carnaval, Le p'tit bal du samedi soir* et *Cet anneau d'or* qui atteindra les 350 000 exemplaires vendus.

De retour à Paris, en 1950, il remporte le Prix de la meilleure interprétation française d'opérette à Broadway. On parle encore de son rôle dans *Un américain à Paris,* avec Gene Kelly et Leslie Caron, un film qui remporte neuf Oscars en 1951. Georges Guétary est partout. Au cinéma, mais aussi au théâtre du Chatelet où il joue dans l'opérette *Don Carlos* et, pendant quatre ans, à l'ABC, dans *La route fleurie,* avec Annie Cordy et Bourvil. Toute la francophonie chante *Bergerette, Je suis un bohémien, C'est l'amour.*

C'est lors d'une émission à Radio-Luxembourg, *La Kermesse aux chansons,* que Georges Guétary rencontre la réalisatrice Janine Guyon, qui devient son épouse en 1954 et avec qui il aura deux enfants : François et Hélène. Le couple connaît un bonheur durable à l'écart des médias. Janine aime bien ses deux résidences. Dans celle de Saint-Cloud, elle est voisine de Félix Marten (1919-1992), chanteur et acteur au cinéma, au théâtre et à la télévision. Quant à la résidence de Cannes, son mari a fait construire, juste à côté de leur propre maison, une jolie maisonnette destinée sa mère (décédée à l'âge de 87 ans). Dans son autobiographie, publiée aux Éditions Héritage en 1978, Georges Guétary raconte que, pendant la crise de 1929, sa mère fabriquait des chapeaux la nuit et les vendait de porte en porte le jour.

Vers la fin de sa vie, Georges Guétary accepte encore de participer à l'émission de télévision *La chance aux chansons,* de Pascal Sevran. Il ne veut pas qu'on l'oublie et s'efforce de paraître aussi svelte, élégant et radieux que lorsqu'il était jeune. En janvier 1996, pour marquer ses 50 ans de carrière, il remonte sur scène à Bobino. Il chante alors *Ma vie est un voyage,* une chanson de son ami Jo Moutet, et *Merci monsieur Toselli*. Il s'éteint l'année suivante, le 13 septembre, à la clinique de Mougins dans les Alpes-Maritimes. Avec une telle carrière, il est impossible d'oublier un aussi grand monument de la chanson française.

SERENATA

Viens, le soir descend
Et l'heure est charmeuse,
Viens, toi si frileuse,
La nuit déjà comme un manteau s'étend.

Viens, tout est si doux,
Si plein de promesses!
On sent la caresse
Des mots d'amour qu'on écoute à genoux.

Un sourire en tes grands yeux
Me révèle un coin des cieux,
Reviens apaiser
Mon cœur battant à se briser
Je t'aime à jamais, sans crainte des regrets.

Que le bonheur berce infiniment,
Par son fol enchantement,
Le cher émoi de ton cœur aimant
Le jour agonise
L'heure est exquise,
Enivrons-nous d'amour toujours, toujours!

ON CHANTE À LA FOLIE

1920-1929

MON HOMME / LA JAVA / J'AI DEUX AMOURS
Mistinguett, 1873-1956

SUR LES BORDS DE LA RIVIERA
Fréhel, 1891-1951

MADAME ARTHUR / LA POCHARDE
Yvette Guilbert, 1867-1944

RIQUITA / NUIT DE CHINE
Georgette Plana, 1918-

À PETITS PAS / CONSTANTINOPLE
Alibert, 1869-1951

LA RUE DE LA JOIE / DIS-MOI / LES GOÉLANDS
Damia, 1892-1978

DANS LA VIE FAUT PAS S'EN FAIRE / VALENTINE
Maurice Chevalier, 1888-1972

POUÈT-POUÈT / LA TROMPETTE EN BOIS
Georges Milton, 1888-1970

DU GRIS
Berthe Sylva, 1885-1941

RAMONA / MARQUITTA
Saint-Granier, 1890-1976

Où est-il donc ? (Georgel), Derrière les volets (Guy Berri), La fille du bédoin (Raoul Moretti), Ça c'est Paris (Mistinguett), La butte rouge (Montéhus), La plus bath des javas (Georgius), Mon Paris (Alibert), Sous le pont des soupirs (Jean Lalonde), Pars (Yvonne George)

PARLEZ-MOI D'AMOUR

1925

Paroles et musique : Jean Lenoir

INTERPRÈTES

Isabelle Aubret, Jacqueline Boyer, Lucienne Boyer, CharlElie Couture, Dalida, Paulette Darty, Sacha Distel, Diane Dufresne, Pierre Dumont, Juliette Gréco, Richard Huet, Jack Lantier, Jean Lumière, Lina Margy, Marjal, Line Marlys, Mireille Mathieu, Lionel Parent, Patachou, Marie Denise Pelletier, Colette Renard, Tino Rossi, Monique Saintonge, Roger Sylvain, Sylvie Vartan

HISTOIRE

Dans ses mémoires, Lucienne Boyer raconte qu'elle a eu un véritable coup de foudre pour cette chanson de Jean Lenoir qui était restée enfouie dans les tiroirs de l'auteur. C'est en 1925 que le compositeur écrit les paroles et la musique de *Parlez-moi d'amour*. Créée au cabaret Les Borgia, dont Lucienne Boyer est la propriétaire, cette mélodie est ensuite enregistrée par cette dernière en 1930. Le soir où elle la chante sur scène, elle doit la reprendre trois fois de suite. Dans ses mémoires, elle écrit : « Je rêvais d'une chanson qui semblerait chantée non pas pour tous mais pour chacun. »

Cette chanson a tant de succès qu'en 1931, Arthème et Jean Fayard élaborent, tant pour la chanson que pour son interprète, ce qui deviendra un événement majeur dans le domaine de la chanson : le Grand Prix du disque. Lucienne Boyer est donc la première récipiendaire de ce concours honorifique, dont le jury se compose du compositeur Maurice Ravel, de la romancière Colette et du pianiste

Maurice Yvain (1891-1965). Celui-ci compose la musique de plusieurs films, opérettes et chansons pour Mistinguett (*Mon homme; La java*), Maurice Chevalier et autres vedettes de l'heure. *Parlez-moi d'amour* devient alors un des plus grands succès de la chanson en France, aux États-Unis, voire dans le monde entier.

Mais Jean Lenoir ne s'arrête pas là et réussit un autre exploit en 1946, avec une nouvelle composition, la célèbre valse *Voulez-vous danser grand-mère,* une chanson épisodiquement popularisée par Lina Margy, Jean Lumière, Édith Butler, Chantal Goya et Lisette Jambel. Ce spécialiste de la romance écrira également *Tout le long de Sebasto,* qui est enregistrée par Berthe Sylva.

L'interprétation de *Parlez-moi d'amour* par Juliette Gréco, sous l'étiquette Philips, contribue à conserver à ce classique un réel pouvoir de séduction et à consacrer son universalité. Patachou, ainsi que Tino Rossi et, plus récemment, CharlElie Couture maintiennent le cap et entretiennent la légende en reprenant à leur tour cette mélodie d'amour. Au Québec, quelques interprètes l'enregistrent également: Lionel Parent, en 1945, Monique Saintonge, Marie Denise Pelletier et Roger Sylvain, en 1999. Sur scène, des centaines d'artistes la chantent volontiers en comptant sur la complicité du public qui ne manque pas une occasion de chanter ce grand succès.

Lucienne Boyer

Née Micheline Boyer, en 1903, à Paris

Pendant la Première Guerre mondiale, la jeune Lucienne Boyer travaille en usine où elle tourne des obus. Après le conflit, s'adonnant à plusieurs métiers, elle est tour à tour modiste, mannequin et dactylo au Théâtre de l'Athénée. En 1919, elle a 16 ans et elle commence à chanter, entre autres, au cabaret Chez Fysher. Elle réussit à se faufiler dans les revues pour jouer la comédie et c'est ainsi que le producteur Lee Schubert la remarque au Concert Mayol et l'engage pour sept mois à Broadway. De retour à Paris en 1928, elle enregistre son premier disque, *Tu me demandes si je t'aime,* avec sa voix mystérieuse et câline et elle ouvre son premier cabaret Les Borgia.

Après avoir remporté le premier Grand Prix du disque, en 1931, avec *Parlez-moi d'amour,* Lucienne Boyer a le vent dans les voiles et sa carrière monte en flèche dans toute la francophonie. Elle triomphe aussitôt au music-hall de l'Empire et inscrit à son répertoire: *Le plus joli rêve, Si petite, J'ai rêvé de t'aimer, Ta main, Chez moi, Un amour comme le nôtre.* À cette époque, elle ouvre aussi de nouveaux cabarets: Chez les Clochards à Montparmasse et Chez Elle sur la Rive-droite.

En 1939, elle repart pour les États-Unis, accumule les succès au cabaret, mais refuse les propositions mirobolantes de la Paramount. Pour Lucienne Boyer, la scène, riche d'un vrai public présent dans la salle, passe avant le cinéma et la vie de star d'Hollywood.

À son retour à Paris, Lucienne Boyer épouse le chanteur Jacques Pills en 1939. De cette union naît Jacqueline, en 1941. Précisons pour la petite histoire que ce mariage ne durera qu'un temps puisque, après avoir été l'accompagnateur d'Édith Piaf, Jacques Pills épousera «la môme» en 1952.

En 1944, sitôt la guerre terminée, Lucienne Boyer entreprend de se produire au cabaret, souvent dans ses propres boîtes à Montparnasse et à Montmartre. La dame en bleu, telle qu'elle qu'on la désigne, est la reine de la nuit parisienne, et ce, bien avant Régine. Elle ajoute à son tour de chant *Que reste-il de nos amours,* de Charles Trenet, *De la Madeleine à l'Opéra,* de Georges Tabet, *Mon cœur est un violon* et, en 1953, *Mes mains,* de Pierre Delanoë et Gilbert Bécaud. En 1959, elle ouvre un autre cabaret à Montmartre, Chez Lucienne, où sa fille, Jacqueline, fait ses débuts. Lucienne Boyer est donc chez elle partout où elle passe. Mais elle accepte difficilement de se produire dans les grandes salles comme Bobino et l'Alhambra.

C'est en 1932 que Lucienne Boyer vient pour la première fois faire son tour de chant à Montréal, au Théâtre Stella. En 1951 et 1953, elle se produit également Chez Gérard, dans la capitale. Elle reviendra chanter au Théâtre des Variétés de Gilles Latulippe en 1970. Bruno Coquatrix la convainc de refaire l'Olympia de Paris en 1976. Elle y remporte un dernier triomphe! Sept ans plus tard, plus précisément le 6 décembre 1983, la maladie emporte pour toujours cette grande « chanteuse de charme ».

PARLEZ-MOI D'AMOUR

Refrain
Parlez-moi d'amour
Redites-moi des choses tendres
Votre beau discours
Mon cœur n'est pas las de l'entendre
Pourvu que toujours
Vous répétiez ces mots suprêmes
Je vous aime

Vous savez bien
Que dans le fond je n'en crois rien
Mais cependant je veux encore
Écouter ce mot que j'adore
Votre voix aux sons caressants
Qui le murmure en frémissant
Me berce de sa belle histoire
Et malgré moi je veux y croire

Refrain

Il est si doux
Mon cher trésor, d'être un peu fou
La vie est parfois trop amère
Si l'on ne croit pas aux chimères
Le chagrin est vite apaisé
Et se console d'un baiser
Du cœur on guérit la blessure
Par un serment qui le rassure

Refrain

LES ROSES BLANCHES

1925

Paroles : Charles-Louis Pothier

Musique : Léon Raiter

INTERPRÈTES

Jeanne d'Arc Charlebois, Berthe Delny, Lucienne Delyle, Céline Dion, Estelle Esse, Fernand Gignac, Michel Girouard, Fred Gouin, Jack Lantier, Jean Lumière, Nana Mouskouri, Hector Pellerin, Édith Piaf, Jen Roger, Berthe Sylva, Roger Sylvain, Tino Rossi, Terminus, Michèle Torr

HISTOIRE

Cinq millions de disques vendus à la sortie de la chanson *Les roses blanches,* dans les années 30, c'est là tout un exploit, que l'on peut comparer aujourd'hui au succès interplanétaire de certaines chansons de Céline Dion. La fraîcheur de ce classique de tous les âges lui a d'ailleurs permis de franchir le nouveau siècle. D'après les sondages des stations de radio et magazines populaires français, cette mélodie se classe parmi les dix plus grandes chansons du siècle dernier, tout comme *La mer* de Charles Trenet.

Lorsqu'il écrit ce texte dans les années 20, Charles-Louis Pothier est à mille lieux de se douter que cette triste histoire de type « chanson vécue » mettant en scène un enfant qui vole des fleurs pour sa maman qui se meurt à l'hôpital va toucher le cœur de générations de mères et du public en général. Pour sa part, Léon Raiter, compositeur de la musique, sera le premier musicien accordéoniste à jouer *Les roses blanches* durant les intermèdes à la Radio Tour-Eiffel.

C'est aussi Léon Raiter qui fait démarrer la carrière de Berthe Sylva (1886-1941), première vedette de la radio française. Dans les années 20 et 30, cette chanteuse française très aimée, surnommée «Cœur d'or», fait courir ses admirateurs et se spécialise dans la chanson sentimentale ou mélodramatique, joyeuse ou triste. Elle mourra en 1941, à l'âge de 55 ans. Après sa mort, il ne se passe pas une seule journée sans qu'on entende dans la rue ou sur les ondes son enregistrement, mais aussi celui de Berthe Delny. *Les roses blanches* tourne au même rythme que *L'hirondelle du printemps, On n'a pas tous les jours vingt ans* et *Rosalie est partie*.

Quarante-deux ans après sa création, en 1967, le groupe belge les Sunlights obtient un éclatant succès en proposant une version différente, plus moderne, de cette chanson.

Au Québec, Hector Pellerin est le premier à l'interpréter sur scène et sur disque. Viendront ensuite Jeanne d'Arc Charlebois, Fernand Gignac, Michel Girouard, Céline Dion et Roger Sylvain.

En 1980, sur la scène de l'Olympia et en tournée européenne, Michèle Torr remporte un véritable triomphe avec cette chanson qu'elle enregistre aussitôt pour la postérité. Et comment oublier ce moment privilégié du 14 janvier 1984, au Cirque Massila, alors qu'elle dédie *Les roses blanches* à Sœur Emmanuelle, lors d'un gala organisé par Europe 1 pour venir en aide aux Chiffonniers, un organisme dont la religieuse s'occupe.

Michèle Torr

Née Michèle Tort, le 7 avril 1947, à Pertuis (Vaucluse), en France

Michèle Torr a toujours rêvé d'être une vedette. À six ans, elle passe à un cheveu d'être renvoyée d'une institution religieuse parce qu'elle chante *Domino*. Les paroles sensuelles de cette chanson contrarient à ce point les religieuses qu'elles convoquent la mère de Michèle. Celle-ci devra user de beaucoup de persuasion pour que sa fille ne soit pas chassée de l'école.

Parmi les souvenirs d'enfance de Michèle, il en est un, entourant la chanson, qui se démarque: «Je me souviens d'une période où mon père faisait un stage à Paris, raconte-t-elle. Parfois nous n'avions plus d'argent, alors je persuadais ma mère de me conduire dans une brasserie de la Place d'Italie, où avait lieu un radio-crochet... Je me souviens, le premier prix était de 1000 anciens francs, j'avais 11 ans. Je l'ai souvent gagné... Cela nous permettait de manger quelques jours de plus...»

En 1963, Michèle Torr a 16 ans et elle remporte la palme dans le cadre d'un concours régional, ce qui l'amène à faire son premier enregistrement: *C'est dur d'avoir 16 ans*. Deux ans plus tard, sa mère meurt dans un accident de voiture. La jeune méridionale doit alors s'occuper de Brigitte, sa petite sœur, et réconforter son père, facteur dans le petit village de Courthéson, dans le sud-est de la France. C'est depuis cette époque qu'elle porte autour du cou, accroché à une chaînette, l'alliance de sa maman disparue.

En 1965, Michèle Torr monte sur la scène de l'Olympia, à Paris, et part en tournée avec Claude François. Le succès lui sourit rapidement avec *Dans mes bras oublie ta peine, On se quitte, C'est dur d'avoir 16 ans*. Au Québec, elle est l'invitée de la station CJMS en janvier 1967. Michèle Torr se produit également au Centre Paul-Sauvé, à

Montréal, et au Séminaire de Joliette, avec le groupe de l'heure, Les Sultans, mais aussi avec Gilles Brown, Daniel Guérard et bien d'autres.

Sous les apparences de belle croqueuse, avec ses longs cheveux blonds et son visage de porcelaine, Michèle Torr a une conscience sociale aiguë. À 20 ans, elle est la maman d'une petite fille. Elle poursuit sa carrière avec des chansons comme *La Pologne* (mon ami de Varsovie), *Je m'appelle Michèle, Le ghetto, Jezébel, Entrée des artistes, Ave Maria* de Gounod.

En 1978, *Emmène-moi danser ce soir* se vend à trois millions d'exemplaires. Michèle Torr chante avec ferveur et d'une voix puissante son enfance, son pays et l'amour éternel. On ne compte plus ses spectacles, pas plus que ses ventes de disques, de cassettes et d'albums.

Malgré une rupture avec Jean Vidal, son directeur artistique qui est également son époux et le père de ses deux enfants, Romain et Émilie, la chanteuse yé-yé des années 60 devient une vedette populaire aussi bien chez elle qu'à l'étranger. En 1995, Michèle Torr montre une nouvelle facette de son talent en enregistrant un album de musique country, *À nos beaux jours*. Mais le public boude cet album tout en restant cependant fidèle à ses autres succès comme *Toute la ville en parle, Marseillais, J'en appelle à la tendresse… à l'amour s'il nous en reste* de Didier Barbelivien, sans oublier *Les roses blanches*.

Au début des années 2000, en très peu de temps, Michèle Torr est durement éprouvée. Le 25 juillet 2001, son ex-mari meurt, foudroyé par la maladie. Quelques mois plus tard, le 20 janvier 2002, elle a le malheur de perdre son père, Charles, qui vient d'être nommé citoyen d'honneur de Courtheson, à l'âge de 78 ans. Il va ainsi retrouver son épouse, Clémente, décédée en 1965. Par respect pour le grand homme de sa vie et par fidélité pour ses admirateurs,

Michèle Torr n'annule pas son concert du 26 janvier 2002 à Montélimar. Parions que cette courageuse artiste saura bien se remettre de ces deuils en continuant à chanter et à semer la joie autour d'elle.

Michèle Torr a travaillé sans répit pour en arriver à connaître une célébrité souvent passagère. En entrevue, elle déclare : « Je peux vous assurer qu'il faut être très courageux, ne pas trop rêver, car il y a de nombreux projets merveilleux qui s'écroulent… Il ne faut pas se laisser prendre à l'apparente facilité du métier vu de l'extérieur. Il ne faut pas penser non plus à la fortune. Il faut avoir la foi. Vivre pour ça, sans se laisser distraire. On entre dans la chanson comme on entre en religion… »

LES ROSES BLANCHES

C'était un gamin, un gosse de Paris,
Pour famille il n'avait qu'sa mère
Une pauvre fille aux grands yeux rougis,
Par les chagrins et la misère
Elle aimait les fleurs, les roses surtout,
Et le cher bambin tous les dimanches
Lui apportait de belles roses blanches,
Au lieu d'acheter des joujoux
La câlinant bien tendrement,
Il disait en les lui donnant:

« C'est aujourd'hui dimanche, tiens ma jolie maman
Voici des roses blanches, toi qui les aimes tant
Va quand je serai grand, j'achèterai au marchand
Toutes ses roses blanches, pour toi jolie maman »

Au printemps dernier, le destin brutal,
Vint frapper la blonde ouvrière
Elle tomba malade et pour l'hôpital,
Le gamin vit partir sa mère
Un matin d'avril parmi les promeneurs
N'ayant plus un sou dans sa poche
Sur un marché tout tremblant le pauvre mioche,
Furtivement vola des fleurs
La marchande l'ayant surpris,
En baissant la tête, il lui dit:

« C'est aujourd'hui dimanche et j'allais voir maman
J'ai pris ces roses blanches elle les aime tant
Sur son petit lit blanc, là-bas elle m'attend
J'ai pris ces roses blanches, pour ma jolie maman »

La marchande émue, doucement lui dit,
« Emporte-les je te les donne »
Elle l'embrassa et l'enfant partit,
Tout rayonnant qu'on le pardonne
Puis à l'hôpital il vint en courant,
Pour offrir les fleurs à sa mère
Mais en le voyant, une infirmière,
Tout bas lui dit « Tu n'as plus de maman »
Et le gamin s'agenouillant dit,
Devant le petit lit blanc :

« C'est aujourd'hui dimanche, tiens ma jolie maman
Voici des roses blanches, toi qui les aimais tant
Et quand tu t'en iras, au grand jardin là-bas
Toutes ces roses blanches, tu les emporteras »

TOUT LE MONDE CHANTE
1930-1939

COUCHÉS DANS LE FOIN / CE PETIT CHEMIN
Mireille, 1906-1996

MARINELLA / AMAPOLA / O CORSE ÎLE D'AMOUR
Tino Rossi, 1907-1983

SOMBREROS ET MANTILLES
Rina Ketty, 1911-1997

VOUS QUI PASSEZ SANS ME VOIR
Jean Sablon, 1906-1994

SUR LES QUAIS DU VIEUX PARIS
Lucienne Delyle, 1917-1962

LE CHALAND QUI PASSE / LE DOUX CABOULOT
Lys Gauty, 1908-1993

LA CHAPELLE AU CLAIR DE LUNE
Léo Marjane, 1918-

LE DOUX CABOULOT / MON LÉGIONNAIRE
Marie Dubas, 1894-1972

J'AI DEUX AMOURS / SUR DEUX NOTES
Joséphine Baker, 1906-1975

C'est vrai (Mistinguett), Ah ! vous dirais-je maman (Conrad Gauthier), Y'a d'la joie (Charles Trenet), Ça c'est passé un dimanche (Maurice Chevalier), Quand on se promène au bord de l'eau (Jean Gabin), Si tu reviens (Reda Caire), Escale (Suzy Solidor), Dans tous les cantons (Charles Marchand), C'est un mauvais garçon (Danielle Darrieux), Adieu Venise provençale et À petit pas (Alibert), Je t'ai donné mon cœur (Willy Thunis)

UN AMOUR COMME LE NÔTRE

1933

Paroles : Alex Farel

Musique : Borel-Clerc

INTERPRÈTES

Lucienne Boyer, France Castel, André Claveau, Jean Claveau, Noëlle Cordier, Pierre Dumont, Fernand Gignac, Richard Huet et Monique Rousseau, Jean Lumière, Albert Marier, Jen Roger, Jean Sablon et sa sœur, Germaine Sablon, Monique Saintonge, Roger Sylvain

HISTOIRE

On ne compte plus les compositions musicales de Borel-Clerc (1879–1959), dont le véritable nom est Charles Clerc, mais il a modifié son nom en prenant le patronyme de sa mère comme prénom. On lui doit de nombreux succès dont *Ma pomme* (Maurice Chevalier), *Monte là-dessus* (Mistinguett), *Ah! le petit vin blanc* (Lina Margy et Alys Robi), *Un amour comme le nôtre* (Lucienne Boyer) et bien d'autres interprétés par Félix Mayol (1872-1941), Tino Rossi (1907-1983) et Alibert (1889-1951). C'est aussi Borel-Clerc qui a l'idée d'écrire *La Madelon de la victoire,* aidé de Lucien Boyer (1876-1942). Cette chanson aura autant de succès que la première version de *Madelon,* créée par le comique troupier Bach pendant la guerre de 1914-1918.

Lorsque Borel-Clerc et le parolier Axel Farel écrivent *Un amour comme le nôtre,* cette chanson est destinée à Lucienne Boyer qui vient de faire un malheur avec *Parlez-moi d'amour.* Il lui faut donc un tube aussi puissant que le premier pour continuer son ascension vers la célébrité. Lors d'une rencontre amicale réunissant les deux auteurs et la grande dame de la chanson, cette dernière a en sa possession les deux derniers livres des prolifiques romanciers Paul Benoît et Paul Morand, dont il est justement question dans cette chanson maintenant connue dans maints pays de la francophonie.

Jean Sablon et sa sœur, Germaine Sablon, enregistrent cette mélodie en 1933, en même temps que Lucienne Boyer. Puis, au fil des ans, elle est reprise par plusieurs interprètes, notamment vers 1975 par Noëlle Cordier. Cette dernière chante aussi avec Alain Barrière *Tu t'en vas,* à la même époque où triomphent *Elle était si jolie* et *Ma vie.* Ouvrons ici une parenthèse pour signaler à quel point il est dommage que ce talentueux globe-trotter, établi pendant quelques années à Montréal, se soit pratiquement retiré de la scène!

Au Québec, quelques artistes enregistrent également *Un amour comme le nôtre*. Tout comme Monique Saintonge et Roger Sylvain, Michel Louvain la chante dans tous ses spectacles depuis plus de 40 ans. Quant au public, il n'a jamais cessé de reprendre ce refrain en chœur ainsi que ce couplet qui dit que les romans nous « emmènent en des pays lointains, sous des ciels bleus, de clairs rivages. »

Jean Sablon

Né le 25 mars 1906, à Nogent-sur-Marne, France

Qui n'a pas fredonné un jour *Sur les quais du vieux Paris, Rhum et Coca-Cola, Un amour comme le nôtre* ou tant d'autres rengaines interprétées par Jean Sablon?

Jean Sablon est issu d'une famille de musiciens. Son père, Charles, est compositeur et chef d'orchestre, ses frères André et Marcel sont musiciens et sa sœur, Germaine (1899-1985), mène une belle carrière de chanteuse.

Adolescent, Jean Sablon veut devenir comédien à tout prix. À 17 ans, il débute avec Jean Gabin aux Bouffes-Parisiens. L'écrivain Jean Cocteau, musicien à ses heures, le présente au cabaret Le Bœuf sur le toit, une pépinière d'artistes où le spectacle se passe aussi bien dans la salle que sur scène. On l'engage au théâtre Daunou où il joue dans des opérettes et des revues et, en 1930, au Casino de Paris avec Mistinguett.

C'est la « Miss » qui présente Jean Sablon au chanteur Jacques Pills, mais aussi à l'auteur Jean Nohain et Mireille (1906-1996), qui deviendra sa grande amie, mais aussi sa partenaire sur disque. En 1932, il enregistre un premier duo avec Mireille qui sera suivi d'autres enregistrements de plusieurs succès, tels *Ce petit chemin, Couchés dans le foin* et *Puisque vous partez en voyage,* une composition de Mireille reprise, en 2000, par Françoise Hardy et Jacques Dutronc.

La fraîcheur, le charme et le rythme de Jean Sablon marquent le renouveau de la chanson française. En 1933, il prend comme accompagnateurs trois musiciens de jazz, Django Reinhardt, André Ekyan et Alec Siniavine et découvre le monde du jazz. Ces choix influencent sans aucun doute son interprétation de *Je tire ma révérence* et *Vous qui passez sans me voir* (Charles Trenet et Johnny Hess) qui lui vaut le Grand Prix du disque. Mais son style est alors vertement critiqué, d'autant plus qu'au même moment, il lance la mode du micro à Bobino, une nouveauté qui lui vaut des critiques acerbes et injustifiées.

Mécontent, le chanteur traverse l'Atlantique, en compagnie de sa bonne amie Mireille pour se produire sur Broadway. En peu de temps, il y devient l'équivalent de Bing Crosby. Il voyage sans arrêt en Europe, au Brésil, où il se rend à plusieurs reprises, et dans toute l'Amérique. En 1939, Montréal lui rend hommage alors qu'il est acclamé au cinéma Loews dans le cadre de la grande émission de Radio-Canada *Chantons en chœur,* où défilent Lucille Dumont, Ovila Légaré, Jean Lalonde. En décembre 1961, après plus de 20 ans d'absence, c'est tout un événement de le revoir à Montréal, à la salle Bonaventure de l'hôtel Reine Élisabeth.

De retour à Paris en 1939, il fait son tour de chant à l'ABC de Paris, juste avant le début de la Deuxième Guerre mondiale. Il interprète alors une nouvelle version *swing* de *Sur le pont d'Avignon,* ainsi que *J'attendrai,* un succès qu'il partage avec Rina Ketty. Il est devenu le roi de la «romance jazz». Durant toute la durée du second conflit mondial, Jean Sablon continue de chanter aux États-Unis et ajoute à son répertoire *Symphonie, Sérénade sans espoir, Les feuilles mortes, Il ne faut pas briser un rêve.*

Après l'Occupation, Jean Sablon, de retour à Paris, reprend sa place auprès d'un public qui lui pardonne sa longue absence. À l'ABC, au Théâtre de l'Étoile et à l'Olympia, il atteint les plus hauts sommets avec quelques-unes de ses compositions, les chansons de son ami auteur, compositeur et interprète, Pierre Dudan, *Clopin-clopant, Mélancolie, Ciel de Paris,* mais aussi d'autres compositions de Charles Trenet, Raymond Lévesque et Charles Aznavour. Que de succès s'inscrivent alors au palmarès!

Au début des années 80, Jean Sablon fait ses adieux à la scène, en France, mais aussi au Lincoln Center de New York et au Copacabana de Rio. Par la suite, il accepte difficilement de faire acte de présence à la télévision ou à un gala. Il s'installe sur la Côte d'Azur. Dans le Midi de la France, il ne ressent ni solitude ni ennui. Il devient charpentier pour refaire sa vieille maison de Théoule et parcourt les bergeries de la Haute-Provence à la recherche de vieilles poutres. C'est dans cette région qu'il vivra tout le reste de sa vie jusqu'à son décès, à Cannes, en 1994.

Félix Leclerc a dit un jour au sujet de Jean Sablon: «Il nous a tous fait passer sur le pont d'Avignon. Il a été celui qui a donné de l'élégance et de la politesse à la chanson française. Il a apporté un rythme moderne, un style qui continue de faire école. C'est un gentilhomme d'une générosité remarquable et d'une grande modestie.» Dans son grenier, à Vaudreuil, Félix gardait d'ailleurs précieusement un disque d'avant-guerre enregistré par Jean Sablon accompagné par Django Reinhardt et Stéphane Grappelli.

Dans ses mémoires, Jean Sablon a écrit une phrase qui témoigne de la manière dont il a mené sa vie et sa carrière dans la chanson: «Une vie réussie, c'est des rêves de jeunesse réalisés à l'âge mûr.»

UN AMOUR COMME LE NÔTRE

Pourquoi lis-tu tant de romans?
Pierre Benoît ou Paul Morand?
Penses-tu trouver dans leurs livres
De qui rêver des nuits des jours
Quand le plus beau roman d'amour
Nous sommes en train de le vivre
N'avons-nous pas assez lutté
Pour vivre ensemble et nous aimer?
Ferme les yeux, recueille-toi...
Car tu sais aussi bien que moi

Refrain
Un amour comme le nôtre
Il n'en existe pas deux
Ce n'est pas celui des autres,
C'est quelque chose de mieux
Sans me parler
Je sais ce que tu veux me dire...
À mon regard
Tu vois tout ce que je désire...
Pourquoi demander aux autres
Un roman plus merveilleux?
Un amour comme le nôtre
Il n'en existe pas deux.

Je sais, les romans, c'est certain,
T'emmènent en des pays lointains
Sous des ciels bleus, de clairs rivages...
Oui, mais là-bas qu'y trouve-t-on?
Des rues, des taxis, des maisons...

Chérie, méfie-toi des mirages…
Tiens, regarde notre intérieur
Des livres, des chansons, des fleurs
Et mes deux bras pour te bercer…
Et mon cœur pour toujours t'aimer…

Refrain

ON N'A PAS TOUS LES JOURS 20 ANS

1934

Paroles : Charles-Louis Pothier
Musique : Léon Raiter

INTERPRÈTES

Édith Butler, Reda Caire, Lucienne Delyle, Stephen Faulkner, Jack Lantier, Tino Rossi, Monique Saintonge, Berthe Sylva, Lily Vincent

HISTOIRE

Après avoir fait chanter toute la France avec *Les roses blanches*, Berthe Sylva (1886-1941), gravit plusieurs autres échelons du succès en interprétant *On n'a pas tous les jours 20 ans*, dont les paroles sont de Charles-Louis Pothier. C'est en 1928 que l'accordéoniste Léon Raiter découvre cette jeune femme, alors débutante, au Caveau de la République. Et du moment où il la présente aux auditeurs de Radio Tour-Eiffel et de Radio-Toulouse, la réponse du public est instantanée. Riche de ces deux succès, Berthe Sylva reçoit plus de 20 000 lettres de ses admirateurs.

Il y a lieu de s'interroger longuement sur les raisons de l'énorme engouement du public pour ces deux mélodies, créées à presque 10 années d'intervalle. Quand les auteurs Charles-Louis Pothier et Léon Raiter composent *On n'a pas tous les jours 20 ans*, la France est en pleine période de crise économique. Mais si Berthe Sylva, de son vrai nom Francine Faquet, devient subito la coqueluche des ouvrières, des ménagères et ensuite de tous les Français, c'est qu'elle sait toucher les gens. « Berthe, écrit-on, c'était la voix amie, compatissante et sororale, qui sait et qui comprend. Sa chanson, c'était aussi une valse bien balancée, avec ses appuis rythmiques soulignés par l'accordéon.»

En 1935, la popularité de Berthe Sylva est si grande que les spectateurs enflammés arrachent les banquettes de l'Alcazar à Marseille, et enfoncent la porte de sa loge. C'est d'ailleurs dans cette ville qu'elle repose depuis 1951, au cimetière de Saint-Pierre. Son dernier amant, Fred Gouin, qui a vendu plus d'un million et demi de 78 tours, dont 200000 exemplaires du *Temps des cerises,* ne se consolera jamais de son départ et se retirera pour vivre dans l'ombre. Étrangement, son corps fut retrouvé en 1959 dans la fosse commune de la ville de Niort.

Durant sa carrière, Berthe Sylva a enregistré 255 faces de 78 tours et chanté sur scène et à la radio plus de 1000 romances et rengaines dont *L'hirondelle du faubourg, Cœur de voyou* et quelques titres de Vincent Scotto.

Au milieu du siècle dernier, Reda Caire, Tino Rossi et Lucienne Delyle reprennent *On n'a pas tous les jours 20 ans* et lui font traverser les frontières. Ce tube donne aussi naissance à d'autres refrains de même nature portant un nom semblable: *Quand on aime on a toujours 20 ans,* chanté par Andrex. S'il est vrai que les grands esprits se rencontrent, Jean-Pierre Ferland a aussi écrit une jolie ballade portant le même titre.

Que ce soit dans la rue, à l'usine, au cabaret, à la radio ou dans les salles paroissiales et au théâtre, qui n'a pas repris un jour cet air entraînant. Au Québec, depuis le jour où elle a été lauréate de *Découvertes 1965* à Télé-Métropole, Monique Saintonge a eu la bonne idée d'enregistrer cette chanson et de la conserver par la suite dans son répertoire.

Monique Saintonge

Née le 29 avril 1943, à Saint-Jérôme

Il en a fallu du temps avant de reconnaître le véritable talent d'auteur, compositeur et interprète de Monique Saintonge. Mais depuis quelques années, sa réputation a enfin traversé les frontières. En effet, elle a été acclamée à la salle Luis Mariano de l'hôtel Royal de Nice en octobre 1999 dans le cadre des rencontres se déroulant sous le thème *Les chansons d'antan*. Invitée à se produire en Europe, la Québécoise s'est rendu compte que sa chanson *Ma maison de pierre* était interprétée en Suisse par une quarantaine de chorales.

Adolescente, Monique Saintonge écrit ses premières compositions et débute comme chanteuse en remportant un concours d'amateurs à l'hôtel Lapointe, dans sa ville de Saint-Jérôme. Une fois installée à Montréal, dans les années 60, elle est choisie pour animer l'émission *La belle époque,* en compagnie de Serge Laprade, sur les ondes de Télé-Métropole. Dès lors, on l'associe à un style, celui des chansons d'autrefois, et ce, en dépit du fait qu'elle est dans la vingtaine. Mais cet étiquetage ne l'empêche pas d'enregistrer des disques et des cassettes avec des titres plus actuels.

Par la suite, Monique Saintonge va souvent jumeler sa voix avec celle de Serge Laprade, de Fernand Gignac, de Paul Davis, de Roberto Medile et de Michel Louvain. C'est d'ailleurs avec ce dernier qu'elle se joint à l'équipe de l'émission télévisée *De bonne humeur* pour interpréter *L'amour en héritage, Quand on s'aime bien tous les deux, N'oublie jamais, C'est un mauvais garçon,* ou encore, *On n'a pas tous les jours 20 ans,* des succès que l'on retrouve sur ses récents albums.

En plus de présenter des spectacles à bord de bateaux de croisières entre 1976 et 1994 et d'animer des défilés de mode et des soirées dansantes, elle signe les textes du téléroman *Épopée Rock*, diffusé sur le réseau TVA de 1984 à 1990. Monique Saintonge participe également à l'écriture de comédies musicales pour enfants et prête son concours à Gilles Latulippe pour écrire les chansons interprétées dans les revues du Théâtre des Variétés, où elle est régulièrement en vedette.

Cependant, de 1991 à 1994, Monique Saintonge traverse toute une série d'épreuves. Cette période est sans aucun doute la période la plus difficile de sa vie, alors qu'elle perd sa mère, sa sœur, une de ses belles-sœurs et aussi sa fille, Élyse, qui met fin à ses jours. Quel choc terrible ! Qui plus est, Monique Saintonge apprend qu'elle est atteinte d'un cancer du sein. Mais elle trouve le salut en publiant son autobiographie *Et les fleurs se sont fanées*, en 1996. La chanteuse éprouvée y parle de sa carrière, de sa vie mouvementée et de sa foi en Dieu et en l'avenir. Heureusement, son mari, Louis Bouffard, et sa fille, Caroline, sont là pour l'épauler.

Finalement, à l'issue de cette épreuve, Monique Saintonge reprend sa carrière en main. Elle renoue avec les tournées et se produit principalement dans les centres d'accueil, les clubs de l'âge d'or, les maisons de la culture ou les festivals au Québec et en Floride. Elle entrera aussi en studio pour enregistrer d'autres albums tels *Douceur de Noël*, *Sur mesure*, *Parmi mes souvenirs*, *Chantant dansant* et le plus récent, *Pour ceux qui m'aiment encore*, un album qui contient un amalgame de ses compositions et de chansons-souvenirs inoubliables.

Au cours de ses 35 années de carrière, Monique Saintonge a su gagner l'admiration d'un public qui lui est resté fidèle. Tout comme Pascal Sevran, Jack Lantier ou Mathé Altéry, en France, elle continue de défendre les couleurs de la belle chanson francophone dans le monde.

ON N'A PAS TOUS LES JOURS 20 ANS

L'atelier de couture est en fête,
On oublie l'ouvrage un instant,
Car c'est aujourd'hui qu'Marinette
Vient juste d'avoir ses vingt ans.
Trottins, petites mains et premières
Ont tous apporté des gâteaux
Et Marinette, offrant le porto,
Dit, joyeuse, en levant son verre :

Refrain
On n'a pas tous les jours vingt ans,
Ça nous arrive une fois seulement,
Ce jour-là passe hélas trop vite !
C'est pourquoi faut qu'on en profite.
Si le patron nous fait les gros yeux,
On dira :
« Faut bien rire un peu !
Tant pis si vous n'êtes pas content,
On n'a pas tous les jours vingt ans »

Le patron donne congé à ces petites
Et comme le printemps leur sourit,
À la campagne elles vont tout de suite
Chercher un beau petit coin fleuri.
Dans une auberge, en pleine verdure,
Elles déjeunent sur le bord de l'eau
Puis valsent au son d'un phono
En chantant pour marquer la mesure :

Refrain

On n'a pas tous les jours vingt ans,
Ça nous arrive une fois seulement,
C'est le plus beau jour de la vie.
Alors on peut faire des folies.
L'occasion il faut la saisir
Payons-nous un petit peu de plaisir,
Nous n'en ferons pas toujours autant,
On n'a pas tous les jours vingt ans!

Tous les amoureux de ces demoiselles
Sont venus le soir à leur tour,
Et l'on entend sous les tonnelles
Chanter quelques duos d'amour!
Passant par là… prêtant l'oreille,
Un bon vieux s'arrête en chemin…
À sa femme, en prenant sa main,
Lui dit:
«Souviens-toi ma bonne vieille.»

Refrain

On n'a pas tous les jours vingt ans,
Ça nous arrive une fois seulement,
Et quand vient l'heure de la vieillesse,
On apprécie mieux la jeunesse
De ce beau temps si vite passé
On n'en profite jamais assez…
Et plus tard on dit tristement:
«On n'a pas tous les jours vingt ans!»

LE PLUS BEAU TANGO DU MONDE
1935

Paroles: René Servil, Henri Alibert, Raymond Vincy
Musique: Vincent Scotto

INTERPRÈTES

Alibert, Andrex, Franck Fernandel, Jack Lantier, Paolo Noël, Tino Rossi, Roger Sylvain

HISTOIRE

Un de la Cannebière est sans aucun doute l'opérette marseillaise qui a été la plus jouée. Créée à Lyon en septembre 1935, au Théâtre des Célestins, elle est ensuite produite à Paris et dans les plus grands théâtres de France. Si on se rappelle de tous les airs de cette opérette, comme *Les Pescadous, Vous avez l'éclat de la rose, Un petit cabanon,* on en retient surtout *Le plus beau tango du monde,* une chanson créée par l'auteur et interprète Alibert (1889-1951).

Dans l'entre-deux-guerres, Henri Alibert, époux de la fille du prolifique compositeur Vincent Scotto, connaît des succès retentissants avec des chansons dites «marseillaises» comme *Adieu Venise provençale, Sur le plancher des vaches, Rosalie est partie*. Il est applaudi sur toutes les grandes scènes du music-hall parisien: l'Eldorado (1919), l'Empire (1934), la Scala. Si certains tenants de l'impérialisme culturel parisien lui reprochent souvent son accent trop marseillais, le public ne cessera jamais d'aimer sa façon d'être, de parler et de chanter.

En 1951, Tino Rossi relance cette chanson qu'il interprète dans le film musical *Au pays du soleil,* réalisé par Maurice de Canonge. Il continue également de la chanter sur scène et sur disque. Ainsi, après quelques générations, ce tango devient l'une des chansons fétiches de Tino Rossi et elle le restera jusqu'à la fin de sa carrière. Pour sa part, l'interprète fantaisiste Andrex a contribué, lui aussi, à la rendre encore plus célèbre.

En écrivant la musique de *Le plus beau tango du monde,* Vincent Scotto vise une fois de plus très juste pour le plus grand bonheur de ses protégés, Alibert et Tino Rossi, tout comme il l'a déjà fait ou le fera pour tous les grands noms de la chanson française: Joséphine Baker (*J'ai deux amours*), Maurice Chevalier (*Prosper*), André Dassary (*Ramuntcho*), Mistinguett (*La petite Tonkinoise*).

Le plus beau tango du monde et *Sous les ponts de Paris* restent les deux plus grands succès de Vincent Scotto. En plus d'avoir été abondamment chantées, ces mélodies ont été reprises maintes fois par tous les accordéonistes de la francophonie, comme Yvette Horner en France ou Didier Dumoutier au Québec, et fredonnées par le public qui aime danser et chanter en chœur sur ces airs.

Tino Rossi

Né Constantin Rossi le 29 avril 1907, à Ajaccio, en Corse

Originaire de l'Île de Beauté, en Corse, fils d'Eugénie Guglielmi et de Laurent Rossi, tailleur de son métier, Constantin est entouré de sept frères et sœurs. Très jeune, il chante l'*Ave Maria* de Gounod à l'église Saint-Roch et fait frissonner les fidèles paroissiens avec sa voix de velours. Laurent Rossi raffole du bel canto et c'est lui qui inculque à son fils l'amour de la musique et de compositeurs tels Verdi, Puccini et Rossini. Ensemble, ils vont à l'opéra d'Ajaccio, au Théâtre Saint-Gabriel.

Tino Rossi traverse ensuite la Méditerranée pour s'installer dans le sud de la France, à Aix-en-Provence. Alors qu'il participe à un concours d'amateurs, il remporte un énorme succès. Dès lors, remarqué et engagé par un imprésario, il entreprend une carrière de chanteur au caf'conc' d'Aix, puis se produit à l'Alcazar de Marseille. En 1925, la firme de disque Parlophone l'engage et il se rend à Paris. En 1933, il chante à l'ABC de Paris sans remporter un grand succès. Il est vraiment découvert au Casino de Paris en 1934, alors qu'il participe à la revue *Parade de France*, en tant que représentant de la Corse. Il change alors de maison de disques et opte pour Columbia et enregistre *Adieu Hawaï*. Cette chanson atteindra des ventes de 400 000 exemplaires, ce qui représente un chiffre énorme à cette époque.

Il joue aussi quelques rôles au cinéma. Dans le film *Marinella*, il fait connaître la chanson du même nom ainsi que *Tchi-tchi*. Il devient alors une célébrité tant en France qu'aux États-Unis. D'autres films sont des succès: *Au nom des guitares* (1936), *Naples aux baisers de feu* (1937), *Fièvre* (1941). En 1939, Tino Rossi monte sur la scène de l'Olympia. En dépit de la guerre, de son physique qui tend à s'arrondir, tout lui réussit et le succès couronne toutes ses entreprises.

Tino Rossi a une liaison avec Annie, violoniste au casino d'Ajaccio. Une fille, Pierrette, naîtra de cette union. L'homme à la voix divine a ensuite une aventure avec Mireille Balin. Il épousera finalement l'actrice Lilia Vetti le 14 juillet 1947, avec laquelle il aura un fils, Laurent, dix mois plus tard. La petite famille vivra alors paisiblement en Corse. En 1949, Tino Rossi est décoré chevalier de la Légion d'honneur, lors d'une cérémonie qui se déroule à Paris.

Dans les années 50 et 60, la venue de chanteurs tels Luis Mariano, André Claveau, Georges Guétary et le déferlement de la vague yé-yé n'entament aucunement sa popularité. Au contraire, Tino Rossi ne cesse d'enregistrer des chansons qui font le tour du monde: *Petit Papa Noël, Roses de Picardie, Le chaland qui passe, Plaisir d'amour, Fascination, Le Parrain, La chanson de Lara* et bien d'autres. De plus, il revient au cinéma et joue dans plusieurs opérettes en France, en Europe et en Amérique. En 1953, Sacha Guitry l'engage pour interpréter le rôle du gondolier de Louis XIV dans le film *Si Versailles m'était conté*. En 1955, au Théâtre du Châtelet, il est la vedette de *Méditerranée,* une opérette de Francis Lopez, qui gardera l'affiche pendant deux ans et sera présentée à guichets fermés.

Au Québec, en 1938, Tino Rossi est accueilli par 10000 personnes qui viennent l'acclamer à son arrivée à la gare Windsor, à Montréal, et applaudir son film *Marinella* présenté au Théâtre Saint-Denis. Entre 1938 et 1972, il revient à cinq reprises dans cet établissement. Tino Rossi donne aussi d'autres récitals au Plateau, au His Majesty's, à la Place des Nations de Terre des Hommes (15 juillet 1971), au Théâtre des Variétés (1974), à la Place des Arts (1978), ainsi que dans plusieurs grandes villes du Québec et du Canada, notamment à Ottawa, au Centre national des arts.

En France, Tino Rossi fera ses adieux à la scène à deux reprises: en 1976, sous le chapiteau du cirque Jean Richard, installé aux Tuileries, et au Casino de Paris lors d'une série de récitals ininterrompus, du 4 novembre 1982 au 2 janvier 1983. Il meurt le 26 septembre 1983, laissant le souvenir d'un chanteur exceptionnel qui a vendu plus de 350 millions de disques à travers le monde.

C'était il y a près de 20 ans. Mais si vous passez par Ajaccio, arrêtez-vous sur le boulevard Tino Rossi près du cours Napoléon, ou encore faites une prière dans la petite chapelle où il repose, au cimetière marin des Sanguinaires.

Tino Rossi a nommé son fils Laurent, comme son père. Celui-ci chante quand bon lui semble et aime bien écrire. En 1993, il a publié *Tino Rossi mon père* chez Flammarion, un livre qui comporte une biographie émouvante de ce grand homme.

Enfin, le samedi 16 juin 1990, à Ajaccio, devant l'Hôtel de ville de la Place Foch, les postes de la République française ont émis le timbre Tino Rossi, en offrant à ses admirateurs présents deux bouteilles d'un excellent vin à l'effigie du chanteur, véritable ambassadeur de sa Corse natale.

LE PLUS BEAU TANGO DU MONDE

Près de la grève, souvenez-vous
Des voix de rêve chantaient pour nous
Minute brève du cher passé
Pas encor'effacé

Refrain
Le plus beau
De tous les tangos du monde
C'est celui
Que j'ai dansé dans vos bras
J'ai connu
D'autres tangos à la ronde
Mais mon cœur
N'oubliera pas celui-là
Son souvenir me poursuit jour et nuit
Et partout je ne pense qu'à lui
Car il m'a fait connaître l'amour
Pour toujours.
Le plus beau
De tous les tangos du monde
C'est celui
Que j'ai dansé dans vos bras

Il est si tendre que nos deux corps
Rien qu'à l'entendre, tremblent encor'
Et sans attendre, pour nous griser
Venez…venez danser

Refrain

J'ATTENDRAI

1938

Paroles: Louis Potérat
Musique: Dino Olivieri

INTERPRÈTES

Claudette Auchu, André Claveau, les Compagnons de la chanson, Dalida, Claude François, Fernand Gignac, Rina Ketty, Jack Lantier, Michel Louvain, Paolo Noël, Tino Rossi, Jean Sablon, Roger Sylvain, Sylvie Vartan

HISTOIRE

La chanson j'attendrai est tirée d'une chanson italienne, intitulée *Tornerai*, écrite en 1937 par Nino Rastelli. Le compositeur Dino Olivieri s'est inspiré d'un air de *Madame Butterfly*, le célèbre opéra de Puccini, pour en faire la musique. Une première version française de Jacques Larue, *Soirs d'amour*, est tout d'abord lancée aux États-Unis par Jean Sablon.

Puis, en 1938, Louis Potérat (1901-1982), auteur et adaptateur de plus de 1500 titres, retouche en profondeur le texte de *Soirs d'amour*. Elle s'intitule dorénavant *J'attendrai* et sera connue dans le monde entier. Du côté musical, Jean Saston y ajoute son grain de sel. Tino Rossi enregistre aussitôt cette chanson, suivi par Jean Sablon, de retour au bercail après un séjour aux États-Unis. « Toute ma vie, écrit ce dernier dans son autobiographie, j'ai chanté *J'attendrai* dans le monde entier (...) j'ai même dû l'apprendre en japonais. Partout, elle est tenue pour une chanson typiquement française. » Pendant la Deuxième Guerre mondiale, la mélodie prend une connotation patriotique.

En 1967, Claude François (1939-1978), Clo-Clo pour ses fidèles admirateurs, a bien voulu relancer *J'attendrai.* Mais en 1980, reprenant ce succès mondial à la façon disco, Dalida ramènera cette chanson en haut du palmarès pendant plusieurs mois.

Sans le vouloir, Dalida n'est pas sans rappeler la chanteuse Rina Ketty (1911-1997), originaire de Turin, en Italie. Dans les années 30, lors de ses passages dans les music-halls parisiens, l'ABC, l'Alhambra et l'Olympia, cette dernière chante avec son accent particulier et un peu exotique *Sombreros et mantilles, Rien que pour mon cœur, Sérénade sans espoir, Montevideo* et, bien entendu, *J'attendrai.* À la Libération, si elle remporte encore quelques succès sur la scène de l'Alhambra (1945), son succès s'est un peu émoussé. Il semble que si Rina Ketty s'est ensuite exilée au Québec, de 1954 à 1965, c'est qu'elle était incapable de subir la forte compétition de Gloria Lasso, de Barcelone, arrivée à Paris en 1954, et de l'Égyptienne Dalida. Revenue en France en 1967, Rina Ketty a repris à son compte *J'attendrai,* qu'elle a présenté à l'Alcazar et au Don Camilio. Le public lui est resté fidèle. Elle est décédée à Cannes en 1997.

Dalida

Née Yolanda Gigliotti, le 17 janvier 1933, au Caire, en Égypte

Les parents de Yolanda et ses deux frères Bruno et Orlando, de descendance italienne, émigrent en Égypte. Son père, Pietro, est premier violon à l'Opéra du Caire. «Je serai une star, se plaît à affirmer Yolanda, et je viendrai en aide à ma famille. Ce ne sera plus long que je quitterai ma chaise de secrétaire à la société d'import-export.» Avec sa silhouette sculpturale à couper le souffle, elle gagne un premier concours de beauté à 15 ans. Six ans plus tard, elle se rend à Paris pour faire carrière au cinéma.

Mais c'est vers la chanson qu'elle s'oriente. Dès ses débuts comme chanteuse à Villa d'Esté et au Drap d'or, Yolanda Gigliotti, de son nom d'artiste, Dalida, est vite remarquée par deux grands producteurs de l'heure, Eddie Barclay et Lucien Morisse, directeur artistique de la station de radio Europe 1. Ce dernier, amoureux fou de sa protégée, finira par l'épouser le 8 avril 1961, pour divorcer dix mois après. Il se suicidera, tout comme le fera en 1967 le nouvel amour de Dalida, le chanteur Luigi Tenco, qui a vécu une idylle mouvementée avec cette femme au grand cœur. C'est à cette époque qu'Orlando, le frère de Dalida, commence à gérer ses affaires, une responsabilité qu'il assume encore aujourd'hui.

En 1956, la carrière de Dalida prend son essor lorsqu'elle interprète la version française de *Bambino,* de Jacques Larue. Elle passe à l'Olympia, d'abord en première partie de Charles Aznavour, puis de Gilbert Bécaud. En 1958, elle est vedette à Bobino et reçoit le Lion d'Or, en Allemagne, pour son interprétation de *Le jour où la pluie viendra*. L'année suivante, elle entame une série de galas au Théâtre de l'Étoile, avec Yves Montand.

Au début des années 60, elle est encore à la tête des palmarès avec *Gondolier* et *Les enfants du Pyrée*. En 1965, un sondage révèle qu'elle est la chanteuse préférée des Français. Tout au long des années 60 et 70, toutes ses chansons grimpent au palmarès.

À Montréal, elle enflamme les Québécois à la Comédie Canadienne, en 1962, et au Jardin des Étoiles de Terre des Hommes.

Un jour, en 1968, Dalida annonce qu'elle part seule en voyage en Italie. Mais au lieu de prendre l'avion, elle saute dans un taxi et s'enregistre sous un faux nom à l'hôtel Prince-de-Galles, où son amoureux, Luigi Tenco, avait l'habitude de descendre. C'est là qu'une femme de chambre la trouve inanimée. Mais Dalida finit par renaître à la vie et remonte sur les planches de l'Olympia. Tous ses amis sont là pour la soutenir et lui remonter le moral: Johnny Hallyday, Yves Montand, Simone Signoret, Jacques Brel. Elle reprendra aussi du service au cinéma.

Dans les années qui suivent la mort de Luigi Tenco, Dalida entre dans une période mystique et entreprend un voyage en Inde. S'opère alors toute une métamorphose qui se reflète aussi bien dans son apparence physique et vestimentaire que dans ses chansons. On retrouve une Dalida blonde vêtue de blanc, et ses chansons sont plus graves et plus poétiques. En 1970, elle ajoute à son répertoire des textes plus ficelés de Charles Aznavour, Jacques Brel et Léo Ferré (*Avec le temps*). En 1974, elle chante *Gigi l'Amoroso,* puis, en 1975, *Il venait d'avoir 18 ans,* écrite par son confident, Pascal Sevran, qui signera sa biographie en 1976. La belle Dalida fait un malheur partout où elle passe.

Dans la lancée, elle enregistre un autre succès international, *Paroles, paroles*. Puis, à la suite de son gala à New York, dans la célèbre salle du Carnegie Hall, Dalida entreprend un nouveau virage. En 1980, âgée de 47 ans, elle se met au disco, adopte des robes à paillettes, répète des chorégraphies complexes et, le 19 avril 1980, c'est la consécration au Palais des Sports de Paris avec son spectacle *J'attendrai*. La chanteuse fait l'unanimité auprès du public et des critiques et excelle dans tous les styles, de la ballade au disco, en passant par le reggae. Elle se surpasse dans son enregistrement de *Quand on n'a que l'amour* de Jacques Brel.

En 1986, dans une sorte de contre-emploi, elle revient à ses premières amours, le cinéma, ce qui l'amène également à retourner dans sa ville natale, au Caire, en Égypte. Elle joue un rôle dans le film *Le Sixième jour,* de Youssef Chahine, un long métrage qui n'obtiendra pas le succès espéré. À cette même époque, la chanteuse d'origine portugaise, Linda de Suza fait la conquête des Français.

Découragée et se voyant vieillir, Dalida met fin à ses jours le 3 mai 1987, dans sa maison de Montmartre, à Paris. Elle écrit ce billet d'adieu: «La vie m'est insupportable. Pardonnez-moi.» Depuis sa disparition, plusieurs biographies lui ont été consacrées, ainsi que des compilations de disques. Orlando, son plus jeune frère, a écrit, en collaboration avec l'écrivain Catherine Rihort: *Mon frère, tu écriras mes Mémoires* (Plon). Mais au-delà des hommages et des clichés, Dalida laisse l'image d'une immense vedette de la chanson populaire et d'une femme au grand cœur. Elle a vendu 120 millions de disques partout à travers le monde et enregistré 900 chansons, dont 500 en français, 200 en italien et 200 autres dans différentes langues.

En 1995, un album «remixé» intitulé *Comme si j'étais là,* a réjoui ses admirateurs. À Montmartre, son buste orne une pierre qui porte son nom. En 1997, 10 ans après sa disparition, plusieurs manifestations ont eu lieu pour célébrer sa mémoire et son talent, entre autre l'inauguration d'une place Dalida dans le quartier de Montmartre où elle a vécu pendant plusieurs années. Enfin, en mai 2001, la France a émis une série de six timbres consacrés aux grandes vedettes de la chanson française aujourd'hui disparues. Il s'agit de Serge Gainsbourg, Léo Ferré, Claude François, Michel Berger, Barbara et, évidemment, Dalida.

J'ATTENDRAI

Refrain
J'attendrai...
Le jour et la nuit
J'attendrai toujours...
Ton retour
J'attendrai,
Car l'oiseau qui s'enfuit
Vient chercher l'oubli
Dans son nid
Le temps passe et court
En battant tristement
Dans mon cœur plus lourd!
Et pourtant
J'attendrai...
Ton retour!

Les fleurs pâlissent
Le feu s'éteint,
L'ombre se glisse
Dans le jardin,
L'horloge tisse
Des sons très las
Je crois entendre ton pas
Le vent m'apporte
Des bruits lointains
Guettant ma porte,
J'écoute en vain...
Hélas, plus rien ne vient...

Refrain

Reviens bien vite
Les jours sont froids
Et sans limites
Les nuits sans toi…
Quand on se quitte
On oublie tout
Mais revenir est si doux…
Si ma tristesse
Peut t'émouvoir
Avec tendresse
Reviens un soir…
Et dans tes bras
Tout renaîtra…

Refrain

LA JAVA BLEUE

1938

Paroles : Georges Koger et Noël Renard

Musique : Vincent Scotto

INTERPRÈTES

Patrick Bruel, Darcelys, Lucienne Delyle, Fréhel, Lina Margy, Monique Saintonge

HISTOIRE

Parmi les 4000 mélodies composées par Vincent Scotto (1876-1952), *La Java bleue* figure en haut de la liste de ses succès, tout près de *La petite Tonkinoise, Sous les ponts de Paris, Quand on s'aime bien tous les deux, Marinella*. Bien des interprètes sont redevables à ce grand compositeur marseillais.

Noël Renard et Georges Koger ont écrit les paroles de *La Java bleue*. Ce dernier est aussi l'auteur de tubes interprétés, entre autres, par Joséphine Baker (*J'ai deux amours*), Maurice Chevalier (*Prosper*) et Georges Ulmer (*Pigalle*).

C'est à partir de 1920, après la mazurka et la polka, que la java apparaît dans les bals populaires parisiens. Depuis, les accordéonistes français n'ont eu de cesse d'ajouter *La java bleue* à leur répertoire : Gus Viseur, Jo Privat, Yvette Horner, Aimable. Au Québec, Didier Dumoutier l'interprète en s'accompagnant à l'accordéon, alors que Monique Saintonge la reprend dans tous ses tours de chant.

La Java bleue a été créée par Fréhel (1891-1951), sur disque Columbia, pour le film *Une java* réalisé en 1938 par Claude Orval, juste avant le début de la Deuxième Guerre mondiale.

Après Fréhel, le chanteur marseillais Darcelys (1900-1973) reprend cette rengaine entraînante, tout comme Lucienne Delyle (1917-1962) et Lina Margy qui trimbaleront aussi ce refrain dans toute la francophonie, pour le plus grand plaisir des noceurs et des danseurs. À l'heure des nouvelles danses sociales collectives, où l'on ne se regarde plus dans les yeux et où on se touche si peu, *La java bleue* continue de faire chanter la parenté et les amateurs de chansons musettes.

Fréhel va attirer les auteurs comme le miel attire les abeilles. Dans le prolongement de Bruant auquel Fréhel réfère souvent dans ses chansons, les plus fabuleuses écritures poétiques animent ses couplets. C'est le cas, par exemple, de la *Chanson des fortifs*, de l'auteur et interprète montmartrois Maurice Vaucaire (1863-1918) et du compositeur Georges Van Parys (1902-1971) qui commence ainsi: «Les poètes en guenilles / Les rôdeurs et les filles / Les chansons d'Aristide Bruant.»

Fréhel

Née Marguerite Boulc'h, le 13 juillet 1891, à Paris

Marguerite est le premier bébé de Marie-Jeanne et d'Yves, qui ont à peine 18 ans lorsqu'elle vient au monde. Dès que la maman est remise de son accouchement à Paris, il faut retourner en train vers le petit port de pêche de Primel-Trégastel, en Bretagne, dans le Finistère, où Yves doit reprendre son travail à la Marine nationale. Mais le couple n'est pas apte à s'occuper d'un enfant et décide d'aller vivre à Paris… sans Marguerite.

La petite Marguerite passe donc ses premières années de vie en Bretagne avec sa grand-mère. Cette dernière est aux prises avec un problème d'alcool et elle en fait voir de toutes les couleurs à sa petite fille. Puis Marguerite retrouve ses parents qui travaillent dans une conciergerie, à Paris. Émerveillée par le mystère de la capitale illuminée, elle traîne dans les rues des faubourgs et chante pour quelques centimes de café en café. En 1906, âgée d'à peine 15 ans, Fréhel est enceinte. L'enfant, un garçon, délaissé par sa nourrice, mourra de faim. Puis Marguerite travaille dans une entreprise de produits de beauté. La chance lui sourit enfin quand elle livre un rénovateur facial à la célèbre courtisane Caroline Otéro, plus couramment appelée Belle Otéro. Celle-ci, impressionnée par la voix et le physique de Marguerite, va l'aider à débuter comme chanteuse professionnelle.

Sous le pseudonyme de la Môme Pervenche, Marguerite chante à la Brasserie de l'Univers les airs connus de Montéhus (1872-1952). En 1910, elle épouse Roberty, son professeur de chant et de diction. Il lui fait chanter *Sur les bords de la Riviera*. Le succès est immédiat. En 1908, elle se fait appeler Fréhel, nom du cap breton de la baie de Saint-Brieuc. On se l'arrache à la Pépinière, à l'Européen et à la Scala. La belle chanteuse, à la voix puissante et au tempérament fougueux, qui possède son hôtel particulier, des voitures et plusieurs domestiques, trouve l'amour auprès d'un jeune fantaisiste débutant: Maurice Chevalier. Mais il la quittera très vite lui préférant Mistinguett.

Après avoir été délaissée par Chevalier et tenté de mettre un terme à sa vie, Fréhel s'expatrie en Russie, à Saint-Petersbourg, où elle bénéficie des largesses de la duchesse Anastasia, tante du tsar. En 1916, elle se rend en Roumanie et se produit dans les cabarets à la mode de Bucarest et, plus tard, de Constantinople. Pour oublier Maurice Chevalier, l'amoureuse trompée sombre dans l'alcool, dans l'opium et la cocaïne.

Lorsqu'elle revient à Paris en 1923, Fréhel doit reprendre sa carrière à zéro et se produit à l'Olympia. En dépit des difficultés, elle réussit à reconquérir son public. De 1930 à 1949, elle fait du cinéma et excelle dans des rôles d'entraîneuse et de chanteuse déchue. On la retrouve dans une quinzaine de films, dont *Le Roman d'un tricheur* de Sacha Guitry (1936), *Une java* de Claude Orval ou *l'Homme traqué* de Robert Bibal. En 1940, en pleine Occupation, elle est en vedette au Théâtre Pigalle, à l'ABC, au Théâtre de l'Étoile, au Concert Pacra et à la Gaieté Montparnasse. On lui reprochera à tort ou à raison d'avoir chanté pendant cette période sombre.

Grand nom de la chanson populaire de la Belle Époque et de l'entre-deux guerres, Fréhel a connu une vie luxueuse et le grand amour avec Maurice Chevalier. On l'identifie toujours par ses interprétations uniques de *La Java bleue*(1938), de *Où sont mes amants,* ainsi que par les rôles qu'elle a joués auprès de Jean Gabin dans *Pépé le Moko,* en 1936, ou de *Maya,* en 1949.

En 1951, après avoir connu la pauvreté et la richesse, l'amour, la gloire et l'oubli, Fréhel est retrouvée sans vie, sans amis, dans une petite chambre d'hôtel de la rue Pigalle, un vendredi 13! Plus de 50 ans après sa mort, il y a heureusement des gens qui se souviennent encore de la belle interprète de *La Java bleue.*

LA JAVA BLEUE

Il est au bal musette
Un air rempli de douceur
Qui fait tourner les têtes
Qui fait chavirer les cœurs
Tandis qu'on glisse à petits pas
Serrant celle qu'on aime dans ses bras
Tout bas l'on dit dans un frisson
En écoutant jouer l'accordéon.

Refrain
C'est la java bleue
La java la plus belle
Celle qui ensorcelle
Et que l'on danse les yeux dans les yeux
Au rythme joyeux
Quand les corps se confondent
Comme elle au monde
Il n'y en a pas deux
C'est la java bleue

Chérie sous mon étreinte
Je veux te serrer plus fort
Pour mieux garder l'empreinte
Et la chaleur de ton corps
Que de promesses, que de serments
On se fait dans la folie d'un moment
Mais ses serments remplis d'amour
On sait qu'on ne les tiendra pas toujours.

Refrain

LIBRE OU PAS, ON CHANTE

1940-1949

BÉBERT / ERNEST / LA SAMBA BRÉSILIENNE
Andrex, 1907-1989

ROBIN DES BOIS / BERGERETTE
Georges Guétary, 1915-1997

SYMPHONIE / SEUL DANS LA NUIT
Jacques Pills, 1910-1970

RAMUNTCHO / DANS MON CŒUR
André Dassary, 1912-1987

MÉLANCOLIE
Pierre Dudan, 1916-1984

UN MONSIEUR ATTENDAIT
Georges Ulmer, 1919-1989

ATTENDS-MOI MON AMOUR
André Claveau, 1915-1996

L'HYMNE À L'AMOUR / L'ACCORDÉONISTE
Édith Piaf, 1915-1963

LE RAPIDE BLANC
Oscar Thiffault, 1912-1998

Dans les plaines du Far West, Le chant des partisans (Yves Montand), Insensiblement (Jean Sablon), Ma cabane au Canada (Line Renaud), Petit papa Noël (Tino Rossi), Douce France, La mer, Verlaine (Charles Trenet), Je croyais (Fernand Robidoux), Les raftmen (Jacques Labrecque), Mademoiselle de Paris (Jacqueline François), Chagrin d'amour (Reda Caire), Voulez-vous danser grand-mère (Lina Margy), La Seine (Jacqueline François), Trop jeune (Pière Sénécal)

QUE RESTE-T-IL DE NOS AMOURS

1942

Paroles et musique: Charles Trenet

INTERPRÈTES

Bevinda, Louis Bannet, Claude Blanchard, Lucienne Boyer, André Claveau, Rose Mary Cloony, les Compagnons de la chanson, Harry Connick, Dalida, Marlene Dietrich, Jacqueline François, Roland Gerbeau, Fernand Gignac, Nancy Holloway, Yolanda Lisi, Michel Louvain, Eddy Mitchell, Paolo Noël, Patachou, Colette Renard, Ginette Reno, Pierre Roche, Sylvie Vartan

HISTOIRE

Sous l'occupation allemande, en France, la chanson *Que reste-t-il de nos amours* a une tout autre résonance. Charles Trenet n'a pas encore pris l'habitude d'écrire des mélodies sentimentales et nostalgiques et de les chanter sur scène avec son petit chapeau rond rabattu en arrière et qui prend ainsi la forme d'une auréole.

Charles Trenet préfère de loin être le jeune homme blond aux cheveux fous et devenir l'idole d'une jeunesse endiablée qui l'acclame en héros. Voilà pourquoi il donne volontiers sa chanson à un ami, Roland Gerbeau, qui l'enregistre fin 1942 et obtient également le privilège d'en faire autant avec *La mer* et *Douce France*.

C'est l'époque des zazous qui se font remarquer par leurs costumes excentriques. Le vrai zazou est alors à l'avant-garde de la mode et des courants esthétiques. Bien des jeunes possèdent tout l'accoutrement de ces farfelus sympathiques qui idolâtrent le jazz américain, les films d'Hollywood et, curieusement, le nouveau rythme de Charles Trenet. On les voit partout, avec leurs vestons coupés, trop amples, et leurs pantalons trop étroits qui serrent les jambes et arrivent en bas des souliers vernis. Avec sa cravate étriquée et ses lunettes noires, le zazou fait la chasse aux donzelles en chantant *Boum* et *Y a d'là joie*.

En 1943, cédant à l'insistance de ses proches, Charles Trenet décide de reprendre *Que reste-t-il de nos amours*. Il est aussitôt imité par Lucienne Boyer qui propulsera cette chanson au sommet des palmarès. Il n'en faut pas plus pour que cette mélodie traverse les mers et aboutisse aux États-Unis sous le titre de *I Wish You Love*. Plus tard, *La mer* deviendra également un succès outre-mer, sous le titre de *Beyond The Sea*. On est déjà loin du premier 78 tours de Trenet chantant *Fleur Bleue* et *Je chante*.

En France, en 1968, le réalisateur François Truffaut rend hommage à *Que reste-t-il de nos amours* dans un de ses films, *Baisers volés*.

On mentionne partout que Charles Trenet a écrit seul les paroles et la musique de ce succès mondial. Mais il faut cependant rendre justice à son pianiste, Léo Chaudiac, qui a su harmoniser cette chanson qui témoigne, en somme, des premiers adieux de l'auteur à son adolescence.

En plus de Roland Gerbeau et de Lucienne Boyer, d'autres grands interprètes ont enregistré *Que reste-t-il de nos amours*: Marlene Dietrich, Patachou, Dalida. Au Québec, Fernand Gignac, Yolanda Lisi et Claude Blanchard ont propagé le culte de cette chanson. Ce dernier l'a d'ailleurs choisie pour thème d'ouverture de son émission télévisée de variétés à Télé-Métropole intitulée *Claude Blanchard* (1970-1974).

Charles Trenet

Né le 18 mai 1913 à Narbonne, en France

Charles Trenet est le fils de Marie-Louise Coussat et de Lucien Trenet, notaire et violoniste amateur. En 1920, le petit Charles et son frère aîné, Antoine, vivent difficilement la rupture de leurs parents. Alors qu'il est pensionnaire, Charles écrit ses premiers poèmes dans *Le coq catalan*. En 1928, il rejoint sa mère à Berlin et y fait des études artistiques. Puis, deux ans plus tard, il s'installe à Paris, dans le quartier de Montparnasse, où il devient peintre et décorateur de cinéma, signe des romans-feuilletons sous le pseudonyme de Jacques Grévin et commence à écrire ses premières chansons.

La rencontre de Charles Trenet avec le musicien Johnny Hess est déterminante, puisqu'elle le conduit définitivement vers la chanson. Jusqu'en 1936, le duo se produit au cabaret, crée et enregistre une quarantaine de 78 tours, avec des textes de Trenet sur des mélodies de Hess. Mais en 1936, Trenet est appelé pour faire son service militaire et les deux artistes cessent leur collaboration. Dès octobre 1937, Trenet décide de se lancer dans une carrière en solo. Il rencontre le producteur Jacques Canetti, se produit à l'ABC, signe un contrat chez Columbia et sort son premier disque : *Je chante* et *Fleur bleue*. Toujours en 1937, le déjà célèbre Maurice Chevalier fait connaître *Y'a de la joie* qu'il interprète au Casino de Paris.

Pendant la guerre et l'Occupation allemande, il continue d'écrire des chansons qui contribuent à remonter le moral des troupes et du public : *Le soleil et la lune, Le grand café, La polka du roi, Les oiseaux de Paris, Douce France, On danse à Paris* et *Que reste-t-il de nos amours,* qu'il reprend avec plaisir. À la même époque, il tourne dans quelques films : *La route enchantée* (1938), de Pierre Caron, *Romance de Paris,* de Jean Boyer, et *Adieu Léonard* (1943), de Pierre Prévert.

À la Libération, toutes les chansons de Charles Trenet, ainsi que *Boum*, Grand prix du disque en 1938, lui donnent toute une notoriété. Il se voit décerner le titre de «fou chantant». Il swingue sur une musique jazzée et rythmée, mais aussi sur des airs de tango, de polka ou de valse. En 1945, il s'envole pour les États-Unis, se produit à Broadway, à New York, puis à Los Angeles, où il fait la rencontre de Charlie Chaplin. En 1945, il écrit *La mer* et en 1951 *L'âme des poètes*, ses deux grands succès internationaux. Précisons que *La mer* sera plébiscitée en 1972 comme la chanson du siècle.

Un peu partout dans le monde on s'arrache «le fou chantant». Il visite une première fois le Québec au début des années 50 et, très vite, il devient l'enfant chéri du public, qui l'adopte à vie pour le *Voyage au Canada*, *Dans les pharmacies*, et *Dans les rues de Québec*, où il turlute comme la Bolduc.

En 1954, à Paris, il se produit au Théâtre de l'Étoile puis à l'Olympia avec de nouveaux succès tels que *Moi, j'aime le music-hall* et *Nationale 7*. Dans les années qui suivent, Trenet s'éclipse quelque peu et ses apparitions publiques se font plus rares.

Il reviendra en piste au milieu des années 60 et au début des années 70, en pleine vague yé-yé. Il fait Bobino en 1966. Puis, en 1970, à l'aube de la soixantaine, il obtient tout un succès avec *Il y avait*, suivi en 1971 d'un autre succès, *Fidèle*. Le tout se solde par un nouveau passage à l'Olympia.

En 1969, la Place des Arts de Montréal n'est pas assez grande pour contenir tous ses fans. Cet engouement sera de même nature près de 20 ans plus tard, en 1988.

En 1975, âgé de 62 ans, il tient à ce que sa mère soit présente pour ce qui sera l'un de ses premiers spectacles d'adieu à l'Olympia. Marie-

Louise s'éteindra 5 ans plus tard, à l'âge de 88 ans. Un dur coup pour Charles Trenet qui refuse alors de chanter. Puis, petit à petit, il accepte de faire quelques apparitions, sous l'impulsion, en 1983, de l'imprésario québécois Gilbert Rozon. Et Charles Trenet de repartir alors à la conquête de nouvelles scènes.

En 1984, lors du 450e anniversaire de la ville de Québec, Charles Trenet est la vedette d'un grandiose spectacle en plein air. Près de 10 ans plus tard, le 20 juillet 1993, au Forum de Montréal, il chante avec joie et fougue, tout comme il le fera l'année suivante lors de son spectacle au Palais des Congrès à Paris. Les Québécois le revoient également à la Place des Arts le 6 août 1996, dans le cadre des FrancoFolies.

À l'automne 1999, il est porté par la vague à la salle Playel à Paris. Mais en avril 2000, Charles Trenet est atteint d'un accident vasculaire cérébral. Il s'en ira au Royaume céleste le 18 mai de la même année, là où « Le soleil a rendez-vous avec la lune », situé juste à côté de son *Jardin extraordinaire* où l'on danse *Au bal de la nuit, La java du diable* et la *Polka du roi*.

QUE RESTE-T-IL DE NOS AMOURS

Ce soir le vent qui frappe à ma porte
Me parle des amours mortes
Devant le feu qui s'éteint
Ce soir c'est une chanson d'automne
Dans la maison qui frissonne
Et je pense aux jours lointains

Refrain
Que reste-t-il de nos amours
Que reste-t-il de ces beaux jours
Une photo, vieille photo
De ma jeunesse
Que reste-t-il des billets doux
Des mois d'avril, des rendez-vous
Un souvenir qui me poursuit
Sans cesse

Bonheur fané, cheveux au vent
Baisers volés, rêves mouvants
Que reste-t-il de tout cela
Dites-le-moi

Un petit village, un vieux clocher
Un paysage si bien caché
Et dans un nuage le cher visage
De mon passé

Les mots les mots tendres qu'on murmure
Les caresses les plus pures
Les serments au fond des bois

Les fleurs qu'on retrouve dans un livre
Dont le parfum vous enivre
Se sont envolés pourquoi?

Refrain

FLEUR DE PARIS

1944

Paroles : Maurice Vandair
Musique : Henri Bourtayre

INTERPRÈTES

Joséphine Baker, Maurice Chevalier, Jacques Hélian, Colette Renard, Sylvie Vartan

HISTOIRE

À la Libération, la chanson *Fleur de Paris* permet aux Français de retrouver l'honneur perdu et de cicatriser les blessures mortelles dont ils ont été affligés tout au long du conflit mondial. Les chanteurs reprennent la scène d'assaut, on se défoule, on chante et on danse dans les rues, au cabaret. C'est le 13 octobre 1944, qu'un nouvel orchestre dirigé par Jacques Hélian (1912-1986) fait sauter la baraque à la salle Iéna, alors que *Fleur de Paris* est l'indicatif qui a été composé spécialement pour identifier cet orchestre. La populaire rengaine est aussitôt reprise par Joséphine Baker et Maurice Chevalier qui abandonne la revue du music-hall et commence à se produire seul sur scène.

Comme cela a été le cas à la fin de la Grande Guerre, la chanson est alors au carrefour et au cœur de l'histoire de France et des pays comme le Canada qui ont vécu des heures tragiques pendant ce second conflit mondial. Au même titre qu'en 1918, la *Madelon de la Victoire*, créée par Maurice Chevalier au Casino de Paris et reprise par Rose Amy, remporte tous les succès, cette fois, à l'issue de la guerre de 1939-1945, *Fleur de Paris* se fait entendre partout dans les bals et fêtes. Elle est reprise par les harmonies militaires et par une quarantaine d'interprètes et orchestres.

C'est à l'auteur Maurice Vandair (1905-1982) que l'on doit d'avoir réussi à remonter le moral des Français avec les paroles de *Fleur de Paris*. On doit également à cet ingénieur devenu parolier plusieurs autres refrains chantés par Fréhel (*Tel qu'il est*), Tino Rossi (*Ma ritournelle*), Yves Montand (*Dans les plaines du Far West*), Luis Mariano (*La belle de Cadix*) et Maurice Chevalier (*La marche de Ménilmontant* et *Elle pleurait comme une Madeleine*). C'est aussi lui qui a signé les paroles de la chanson *Le chapeau à plumes*, un énorme succès de la chanteuse burlesque Lily Fayol, mais aussi de Jacques Normand, au Québec.

Quant à la musique de *Fleur de Paris*, elle est d'Henri Bourtayre, né à Biarritz en 1915, à qui l'on doit aussi les mélodies chantées par Tino Rossi dans tous ses films. Cet excellent pianiste a également écrit plusieurs tubes, entre autres, pour Elyane Célis, Luis Mariano, Yves Montand et monté de grandes revues musicales sur la Côte basque. Son fils, Jean-Pierre Bourtayre, suit ses traces et a composé, entre autres, pour Claude François (*Y'a le printemps qui chante*) et pour Hugues Aufray (*Adieu monsieur le professeur*).

Maurice Chevalier

Né le 12 septembre 1888, à Neuilly, en France

Joséphine Van der Bosche, flamande belge, a sans aucun doute marqué la vie mouvementée de son fils Maurice. Affectueusement surnommée La Louque, le « Grand Momo » l'a vénérée comme une déesse. Ses deux frères aînés, Paul et Charles, ont aussi souffert lorsque leur père Charles-Victor les a tous abandonnés.

Valentine, Ma Pomme, Fleur de Paris évoquent une longue route de chansons encore présentes dans la mémoire de plusieurs générations d'admirateurs de Maurice Chevalier.

En 1899, Maurice Chevalier n'a que 11 ans lorsqu'il fait ses premiers pas au café des Trois Lions du boulevard Ménilmontant et au Casino de Tourelles. Il imite les vedettes et les grands comiques de ce temps-là. En 1907, il remporte un certain succès à l'Alcazar de Marseille puis, l'année suivante, aux Folies-Bergère. Il tient aussi de petits rôles au cinéma et exerce tour à tour les métiers de menuisier, d'acrobate, d'électricien et de peintre en bâtiment, tout comme son père. Appelé au régiment en 1914, il est blessé et fait prisonnier, ce qui lui vaudra la Croix de Guerre.

En 1912, Mistinguett, reine du music-hall, devient sa partenaire tant sur scène que dans la vie. Il a 24 ans, elle en a 15 de plus que lui, et ce couple idéal durera 10 ans. Dans les années qui suivent la guerre, Chevalier cumule les succès aussi bien dans des revues au Casino de Paris que dans des opérettes aux Bouffes-Parisiens que dans la chanson : *La Madelon de la victoire* (1919), *Dans la vie faut pas s'en faire* (1921) et *Valentine* (1924). L'interprète en smoking et canotier, qui danse en faisant des pas de côté, ce « gosse de Paris » qui est aussi le « dandy de Ménilmuche », fait courir les foules.

En 1922, il entreprend son premier voyage aux États-Unis en compagnie de Mistinguett. Entre 1928 et 1935, il fera d'innombrables allers-retours entre Hollywood et la France pour tourner plusieurs films, participer à des comédies musicales et chanter ses multiples succès dont *Every Little Breeze* (Louise).

En 1926, Maurice Chevalier joue dans une opérette à Paris. Il y fait la connaissance d'une jolie danseuse, également chanteuse aux Bouffes-Parisiens, Yvonne Vallée. On les verra chanter en duo au Casino de Paris. Leur mariage dure 10 ans, jusqu'au jour où Marlene Dietrich prend sa place. Nita Raya sera celle qui consolera Momo de ses nombreuses ruptures ; elle restera à ses côtés pendant 10 ans.

De retour à Paris après plusieurs années d'absence, le public français lui réserve un accueil chaleureux et ses nouvelles chansons d'avant la seconde grande guerre sont, une fois de plus, très populaires : *Quand un vicomte* et *Prosper* (1935), *Ma Pomme* (1936), *Y a d'la joie* (1937) et *Ça fait d'excellents Français* (1939).

Après la Deuxième Guerre mondiale, il interprète *Fleur de Paris,* ce grand succès de la Libération, et décide d'orienter sa carrière autrement. Plutôt que la revue typique du Casino de Paris, il préfère désormais se produire seul en scène au Théâtre des Champs-Élysées, ce qu'il fera en 1948, 1954 et 1963.

Les tournées se succèdent dans le monde entier et partout il chante devant des salles pleines à craquer. Vêtu de son smoking, coiffé de son typique canotier et distribuant des clins d'œil racoleurs, il continue de séduire tous les publics avec son répertoire classique mais aussi avec *Place Pigalle* et *La Petite Tonkinoise.*

Il vient chanter pour la première fois à Québec en 1947, au Palais Montcalm. Il y reviendra pour se produire sur la scène du Capitol, en 1951 et 1956. En 1951, il triomphe au *His Majesty's* à Montréal et il est présent, avec son amie Patachou, pour fêter Félix Leclerc, invité d'honneur de la Chambre de commerce de Montréal. En 1967, à l'Expo-Autostade de la métropole, Maurice Chevalier attire 25 000 personnes venues célébrer ses 80 ans. Un an après, il chante à la Place des Arts.

Après 70 ans de carrière, c'est en 1968, au Théâtre des Champs-Élysées, que le légendaire Momo fait ses adieux à la scène. Sa compagne et héritière, Jany Michels et son fils, Jojo, qu'il chérit comme son propre enfant, sa protégée, Mireille Mathieu, ses proches, tous sont là pour l'applaudir. Il publie également le 10e tome de *Ma route et mes chansons,* dont la première édition date de 1946, un livre où il relate l'histoire de la chanson telle qu'il l'a vue s'écrire tout au long de sa carrière.

Le 1er janvier 1972, Maurice Chevalier s'éteint à l'âge de 84 ans. Celui qui disait que « la retraite c'est la mort » quitte pour l'au-delà son domaine, sa petite famille, deux pavillons, trois bungalows et sa maison de Marnes-la-Coquette, devenue un musée rempli de souvenirs et de refrains éternels.

FLEUR DE PARIS

Mon épicier l'avait gardée dans son comptoir
Le percepteur la conservait dans son tiroir
La fleur si belle de notre espoir
Le pharmacien la dorlotait dans un bocal
L'ex-caporal en parlait à l'ex-général
Car c'était elle, notre idéal.

Refrain 1
C'est une fleur de Paris
Du vieux Paris qui sourit
Car c'est la fleur du retour
Du retour des beaux jours
Pendant quatre ans dans nos cœurs
Elle a gardé ses couleurs
Bleu, blanc, rouge, avec l'espoir elle a fleuri,
Fleur de Paris

Le paysan la voyait fleurir dans ses champs
Le vieux curé l'adorait dans un ciel tout blanc
Fleur d'espérance
Fleur de bonheur
Tous ceux qui se sont battus pour nos libertés
Au petit jour devant leurs yeux l'ont vue briller
La fleur de France
Aux trois couleurs.

Refrain 2
C'est une fleur de chez nous
Elle a fleuri de partout
Car c'est la fleur du retour

Du retour des beaux jours
Pendant quatre ans dans nos cœurs
Elle a gardé ses couleurs
Bleu, blanc, rouge, elle était vraiment avant tout
Fleur de chez nous.

LA VIE EN ROSE

1945

Paroles : Édith Piaf

Musique : Louiguy

INTERPRÈTES

Louis Armstrong, Claudette Auchu, Isabelle Aubret, Joséphine Baker, Raquel Bitton, Hélène Cardinal, Marie Carmen, Bing Crosby, Dalida, Marlene Dietrich, Luce Dufault, Diane Dufresne, Roland Gerbeau, Fernand Gignac, Daniel Guichard, Guylaine Guy, Grace Jones, Patricia Kass, Joane Labelle, Branda Lee, Dean Martin, Marianne Michel, Yves Montand, Léo Munger, Patachou, Annie Peyton, Édith Piaf, Colette Renard, Jean Sablon, Monique Saintonge, Henri Salvador, Frank Sinatra, André Sylvain, Gilles Valiquette, Sylvie Vartan, Roch Voisine

HISTOIRE

Quand Édith Piaf se présente à la Société des auteurs, compositeurs et éditeurs de musique (SACEM) pour y déposer ses premières œuvres, elle est fort déçue d'apprendre qu'elle a échoué à l'examen d'entrée, à cause des faiblesses musicales de ces mêmes œuvres. Le pianiste et compositeur Louiguy (Louis Guiglielmi) remédie alors à la situation en acceptant de transcrire la musique de *La Vie en rose,* en 1945. Dans la lancée, il devient l'accompagnateur de la môme Piaf. Louiguy et l'auteur Henri Contet lui écriront également *Bravo pour le clown.*

On a raconté beaucoup d'histoires sur la naissance et la légende de *La Vie en rose*. Essayons d'y voir un peu plus clair. Alors que Marianne Michel et Édith Piaf fraternisent à une terrasse des Champs Élysées, Marianne demande à son amie de lui écrire une chanson pour l'aider à accéder au vedettariat. Sur le champ, à même le napperon qui recouvre leur table, Édith écrit alors les paroles et aussi la musique de cette mélodie qui s'intitule au départ *Choses de la vie.*

Devant le succès instantané obtenu par Marianne Michel avec *La Vie en rose,* tant au cabaret que sur disque, Édith Piaf décide de reprendre la chanson à son compte. C'est Roland Gerbeau qui prétend avoir été le premier à la chanter en public. Mais des dizaines d'interprètes suivent, à commencer par Jean Sablon, Henri Salvador et Yves Montand.

Avec le temps, *La Vie en rose* est également devenue un classique aux États-Unis, alors que Bing Crosby, Dean Martin et, plus tard, Grace Jones enregistrent une adaptation en anglais de cette mélodie. Du côté des Québécois, Diane Dufresne et Roch Voisine la chantent à leur tour, ainsi que d'autres interprètes: Fernand Gignac, Guylaine Guy, André Sylvain, Gilles Valiquette, Joane Labelle, Luce Dufault, Annie Peyton, Monique Saintonge.

La Vie en rose est une chanson qui a fait couler beaucoup d'encre et de salive. Si Henri Contet et Robert Chauvigny prétendent avoir participé à sa naissance, c'est à Édith Piaf que revient le mérite d'avoir créé cette chanson immortelle.

Pour sa part, le compositeur Marguerite Monnot (1903-1961) a bien regretté de ne pas en avoir signé la musique, à la place de Louiguy, prétendant à l'époque que *La Vie en rose* n'avait aucun avenir. Sur les paroles de Raymond Asso, elle écrira la musique de *Mon légionnaire,* créée par Marie Dubas, reprise par Édith Piaf et, plus tard, par Serge Gainsbourg. Une véritable amitié et une collaboration intense vont naître entre ces deux femmes, et les succès Monnot-Piaf se suivent sans arrêt: *Hymne à l'amour, La Goualante du pauvre Jean, C'est à Hambourg, Milord, Jour de fête.*

Édith Piaf

Née Édith Giovanna Gassion, le 19 décembre 1915, à Paris

Un sondage réalisé pour *Le Parisien* et la Cinquième chaîne française établit qu'Édith Piaf est la chanteuse du siècle. Elle arrive bien avant Céline Dion, Maria Callas, Barbara et Tina Turner. Près de 40 ans après sa mort, Piaf reste la préférée des francophones. Son enfance malheureuse, ses histoires avec ses hommes, le miracle de sa vue recouvrée à Lisieux, ses excès et ses maladies exploités par les médias font désormais partie du folklore.

Raconter la vie d'Édith Piaf en peu de mots est une mission impossible. Cette vie a été écrite 100 fois par ses amis, ses admirateurs, des critiques, par sa demi-sœur Denise Gassion, par les meilleurs biographes, Pierre Duclos et Georges Martin, Jean Noli, Monique Lange, Louis Valentin, Bernard Marchois, Stan Cuesta, Philippe Laframboise, et bien d'autres.

Le père d'Édith, Louis Alphonse Gassion, 33 ans, épouse la chanteuse Lina Marsa (Anita Maillard), âgée 16 ans. De cette union naît une fille, Édith, au 72, rue de Belleville à Paris. Nous sommes en 1915.

Plus tard, la fillette de 12 ans accompagne son père, acrobate de métier, et ils se produisent tous deux dans la rue et au cirque. Édith fait la quête après avoir chanté *La Marseillaise*. En 1929, Louis-Alphonse Gassion divorce et se remarie. De cette nouvelle union, Denise naît, deux ans plus tard. C'est elle qui écrira un livre rempli de photos d'Édith Piaf. En 1969, c'est à Simone Berteaut, surnommée Momone, de publier un ouvrage où elle se donne le beau rôle de confidente et de meilleure amie de Piaf.

Âgée de 17 ans, Édith Piaf rencontre Louis Dupont en 1932. De cette union naît Marcelle qui sera emportée par une méningite le

7 juillet 1935. Dès lors, la chanteuse plonge dans une vie jalonnée de fréquentations louches. Chanteuse de rue à Pigalle, elle évolue dans un milieu de souteneurs et de prostituées. Le destin lui sourit lorsque, en 1935, Louis Leplée, propriétaire d'un cabaret chic proche des Champs-Élysées l'entend chanter dans la rue. Il décide alors de l'engager sous le nom de «la môme Piaf» et l'amène chanter dans ses cabarets. Il sera assassiné le 6 avril 1936.

À la suite de cet épisode tragique, l'auteur Raymond Asso décide de prendre la carrière d'Édith Piaf en main. Il lui écrit quelques chansons, lui fait apprendre *Mon légionnaire,* la présente à Marguerite Monnot, compositeur et pianiste et la fait débuter à l'ABC en 1937. Quant à Jacques Canetti, alors directeur artistique de Radio-Cité, il lui fait enregistrer ses premières chansons: *L'étranger* et *Les mômes de la cloche,* de Vincent Scotto. La voilà lancée! Pendant les années de guerre, Piaf chante sur toutes les grandes scènes parisiennes (l'ABC, l'Européen, Bobino). Elle participe aussi à des galas au profit des prisonniers de guerre et, à deux reprises, elle va chanter à Berlin, pour les prisonniers français.

Après la Libération, en 1947, elle part en tournée aux États-Unis avec les Compagnons de la chanson. C'est à New York qu'elle rencontrera son grand amour, le boxeur Marcel Cerdan. En 1949, de retour à Paris, elle donne un seul récital à la salle Pleyel et, pour la première fois, elle chante *L'hymne à l'amour,* dont elle a écrit le texte, en hommage à Marcel Cerdan, mort la même année dans un accident d'avion.

En 1953, elle épouse Jacques Pills qui est aussi son accompagnateur. Puis elle repart en tournée aux États-Unis, en compagnie de Georges Moustaki, l'auteur de *Milord.* Puis à l'Olympia, en 1956, elle chante *Non, je ne regrette rien* et *Les amants d'un jour.*

Au Québec, partout où elle passe, Édith Piaf connaît la gloire, que ce soit au His Majesty's, au Monument National, au Bellevue Casino, aussi bien qu'au cabaret Sans-souci. Les Montréalais la vénèrent. Entre le 26 mai et le 4 juin 1955, elle enregistre un microsillon avec orchestre et chœur, sous la direction de Robert Chauvigny et ce, devant le public de La Porte Saint-Jean, à Québec. Il s'agit de 15 magnifiques chansons, telles *Sous le ciel de Paris, C'est à Hambourg, La Goualante du pauvre Jean, Heureuse, L'accordéoniste.*

On ne peut énumérer ici tous ceux et celles qui ont joué un rôle important dans la vie de Piaf, à tous les points de vue. Son grand amour reste sans contredit le boxeur Marcel Cerdan, décédé le 27 octobre 1949. Beaucoup plus tard, elle tente de le remplacer en épousant Théo Sarapo, le 9 octobre 1962, jour de relâche à l'Olympia, où elle fait ses derniers adieux à la scène. Édith Piaf reste sans conteste celle qui a su repérer mais aussi conseiller et lancer la carrière de bon nombre de jeunes artistes, entre autres, Yves Montand, les Compagnons de la chanson, Charles Aznavour, Georges Moustaki, Charles Dumont, et Claude Léveillée.

Pendant les dernières années de sa vie, la santé de Piaf ne cesse de se détériorer. Elle s'éteint le 11 octobre 1963. On ne pourra jamais l'oublier. François Dompierre s'est empressé d'écrire une chanson posthume intitulée *Comme un moineau.*

Maurice Chevalier a trouvé les mots très justes pour la décrire: «La môme Piaf – sortie de la rue pour devenir Édith Piaf – aura marqué son époque d'un talent qui ne ressemblait à aucun autre. De ses cendres sortiront de nouvelles voix populaires qu'elle aura inspirées et qui serviront la chanson, puisque la chanson – lorsqu'elle va au cœur des foules – est aussi éternelle que la vie après la vie.»

LA VIE EN ROSE

Des yeux qui font baisser les miens
Un rire qui se perd sur sa bouche
Voilà le portrait sans retouche
De l'homme auquel j'appartiens

Refrain
Quand il me prend dans ses bras,
Il me parle tout bas
Je vois la vie en rose,
Il me dit des mots d'amour
Des mots de tous les jours,
Et ça me fait quelque chose
Il est entré dans mon cœur,
Une part de bonheur
Dont je connais la cause,
C'est lui pour moi,
Moi pour lui dans la vie
Il me l'a dit, l'a juré
Pour la vie.
Et dès que je l'aperçois
Alors je sens en moi
Mon cœur qui bat.

Des nuits d'amour à plus finir
Un grand bonheur qui prend sa place
Des ennuis, des chagrins s'effacent
Heureux, heureux à en mourir*

Refrain

* Variante: Heureux, heureux pour mon plaisir

LES TROIS CLOCHES

1945

Paroles et musique: Jean Villard-Gilles

INTERPRÈTES

Tina Arena, Ray Charles, Les Classels, Marc Gabriel, Garso, Alain Morrisod et Sweet People, Édith Piaf et les Compagnons de la chanson, Ginette Reno

HISTOIRE

C'est Jean Villard-Gilles, père de la chanson suisse romande (1895-1982), qui a eu la bonne idée de raconter, en paroles et en musique, l'histoire touchante de Jean-François Nicot. *Les trois cloches* est née dans le cadre villageois et montagnard de la Suisse. En 1945, Jean Villard est le premier à la chanter dans son propre cabaret *Coup de soleil,* à Lausanne. Pendant quelques années, cet auteur forme le duo Gilles et Julien, puis il se joint à Édith Burger.

Plus tard, Jean Villard effectue une tournée en France avec Gilles Vigneault et François Béranger, deux artistes engagés socialement et politiquement. Il termine sa carrière d'interprète en se consacrant au théâtre et en écrivant des romans. Barbara lui doit également quelques beaux refrains.

Il n'a pas été facile pour Édith Piaf de convaincre les Compagnons de la chanson d'interpréter *Les trois cloches*. S'ils acceptent son idée, c'est seulement parce qu'elle leur promet de joindre sa voix à la leur. En 1947, à l'occasion de leur tournée aux États-Unis et au Québec, les Compagnons de la chanson font des *Trois cloches* une chanson aussi populaire que *La mer, Maître Pierre* et *La Vie en rose,* et son succès se répand aux quatre coins de l'Europe et des Amériques.

Jusqu'à la dissolution des Compagnons de la chanson, en 1983, le groupe chantera *Les trois cloches* dans tous ses spectacles. Il n'est donc pas surprenant que le public l'apprécie autant. Le chanteur américain Ray Charles l'enregistrera en anglais sous le titre *The Three Bells,* tout comme bien d'autres interprètes dans le monde. Aux États-Unis, le héros de la chanson, Jean-Fançois Nicot, devient Jimmy Brown. Plus récemment encore, en 2000, Tina Arena, vedette de la comédie musicale *Notre-Dame de Paris,* a remis cette chanson à l'ordre du jour dans un nouvel album.

Au Québec, *Les trois cloches* est le gros succès des Classels, reconnaissables à la blancheur de leur chevelure, de leurs instruments de musique et de leur tenue vestimentaire. Gilles Girard, soliste du groupe yé-yé le plus populaire des années 60, continue de faire carrière et de chanter ce tube international. Arrivé à la soixantaine, l'artiste surprend par son énergie débordante et son dynamisme.

Les Compagnons de la chanson

Groupe vocal crée en 1944, à Paris

À force de mimer et de raconter des histoires en public, les Compagnons de la chanson ont résisté à l'usure du temps et ont fait carrière dans le monde entier pendant plus de 40 ans. C'est tout à l'honneur des neuf fondateurs de cet ensemble: Guy Bourguignon, Jean Broussole, Jean-Pierre Calvet, Jo Frachon, Hubert Lancelot, Fred Mella, René Mella, Gérard Sabat et Jean-Louis Jaubert, le chef d'équipe. Pendant un certain temps, ce dernier est l'amoureux d'Édith Piaf, avant que celle-ci n'épouse Jacques Pills à New York, le 20 septembre 1952.

Au tout début de leur rencontre, le joyeux groupe des Compagnons de la musique se produit au Théâtre des armées, à Paris, pendant huit mois. En 1944, une fois démobilisés, ils font escale au Moulin-Rouge. C'est à ce moment qu'Édith Piaf les découvre. En 1947, elle les amène aux États-Unis pour une tournée de deux ans, où ils seront reçus dans les établissements les plus chics de New York, Washington, Chicago, Cleveland, Los Angeles et Las Vegas. Piaf les pousse à modifier leur répertoire folklorique à l'image de *Perrine était servante*. Avec leur nouveau nom de Compagnons de la chanson, les baladins s'imposent avec *Les trois cloches,* puis montent les échelons du palmarès avec *Le Galérien, Alors raconte, Gondolier, Un Mexicain* et *Mes jeunes années.*

Au Québec, les Compagnons de la chanson touchent les cordes sensibles du public qui, dès 1948, les acclame au Café de l'Est, à Montréal, tout comme Charles Trenet et Jacques Normand. Au Théâtre Gesù, dans la métropole, on les applaudit du 23 octobre au 19 novembre 1949. On y présente en même temps *La caverne des splendeurs* de Félix Leclerc, sous les auspices de la compagnie VLM (Vien, Leclerc, Mauffette) qui détient l'exclusivité de la troupe au Canada. L'année suivante, on les revoit au Théâtre des Compagnons de Saint-Laurent, avant leur séjour prolongé à l'ABC de Paris, où Félix Leclerc fait ses grands débuts, grâce au producteur Jacques Canetti. Par la suite, à maintes reprises, les Compagnons de la chanson reviendront à Montréal, pour chanter à la Comédie Canadienne et dans tout le Québec, notamment à La Porte Saint-Jean en 1961. En 1964, ils font une première tournée en URSS et en Afrique. Et cette ronde de spectacle se poursuivra ainsi année après année dans presque tous les pays du monde.

Deux nouveaux saltimbanques, le sourire aux lèvres et le diable au corps, feront partie du célèbre groupe pendant quelques années. À compter de septembre 1946, Paul Buissonneau s'intègre à la troupe. Il épousera la Québécoise Françoise Charbonneau. Jean Albert, le petit rouquin, se joint également aux Compagnons de la chanson.

Mais Jean Albert et Paul Buissonneau vont choisir de vivre au Québec. Ce dernier divorce après un court mariage et entreprend une carrière de metteur en scène et de comédien. Quant à Jean Albert, il est remplacé par Jean-Pierre Calvet au sein des Compagnons.

Au cours des années 50, les Compagnons donnent des concerts partout à travers le monde. En 1966, ils restent trois mois à l'affiche de Bobino et donnent quatre représentations à l'Olympia. Leurs chansons suivent les modes et certaines d'entre elles s'inspirent de rythmes latino-américains comme *Si tu vas à Rio*.

L'année 1983 marque la dissolution des Compagnons de la chanson. Ils font, à cette occasion, des adieux touchants à l'Olympia de Paris, où ils remplissent la salle pendant cinq semaines. Le soliste et ténor Fred Mella, marié à la belle comédienne québécoise Suzanne Avon, poursuit une carrière en solo. Son grand ami, Charles Aznavour, lui écrira *Les copains* et la musique de *L'Arc-en-ciel,* sur un long texte de Georges Brassens. Il produira aussi quatre excellents albums. En

1984, le Compagnon Jean Broussole est emporté par le cancer. Jean-Pierre Calvet le suit. Quant à Hubert Lancelot, il rédige et publie une autobiographie de la troupe en 1989, chez Aubier/Archimbaud.

Maurice Chevalier a eu raison d'écrire que les Compagnons de la chanson ont ennobli la mélodie populaire. Pour s'en convaincre, il n'y a qu'à les écouter chanter *Le prisonnier de la tour, Le marchand de bonheur, Aux marches du palais, Je reviens chez nous,* de Jean-Pierre Ferland et les succès d'Aznavour: *Sur ma vie, La mamma, Les comédiens.* En 1996, lors de la cérémonie des obsèques de François Mitterrand et conformément aux dernières volontés du défunt Président de la République, la mélodie de *L'enfant aux cymbales* a résonné dans l'église de Jarnac, une mélodie aussi troublante qu'émouvante à entendre dans ce contexte de deuil national.

LES TROIS CLOCHES

Village au fond de la vallée,
comme égaré, presqu'ignoré.
Voici qu'en la nuit étoilée
un nouveau-né nous est donné.
Jean-François Nicot il se nomme.
Il est joufflu, tendre et rosé.
À l'église, beau petit homme,
demain tu seras baptisé.

Une cloche sonne, sonne.
Sa voix, d'écho en écho,
dit au monde qui s'étonne :
« C'est pour Jean-François Nicot.
C'est pour accueillir une âme,
une fleur qui s'ouvre au jour,
à peine, à peine une flamme
encore faible qui réclame
protection, tendresse, amour. »

Village au fond de la vallée,
loin des chemins, loin des humains.
Voici qu'après dix-neuf années,
cœur en émoi, le Jean-François
prend pour femme la douce Élise,
blanche comme fleur de pommier.
Devant Dieu, dans la vieille église,
ce jour, ils se sont mariés.

Toutes les cloches sonnent, sonnent,
Leurs voix, d'écho en écho,

merveilleusement couronnent
la noce à François Nicot.
« Un seul cœur, une seule âme,
dit le prêtre, et, pour toujours,
soyez une pure flamme
qui s'élève et qui proclame
la grandeur de votre amour. »

Village au fond de la vallée.
Des jours, des nuits, le temps a fui.
Voici qu'en la nuit étoilée,
un cœur s'endort, François est mort,
car toute chair est comme l'herbe,
elle est comme la fleur des champs.
Épis, fruits mûrs, bouquets et gerbes,
hélas ! vont en se desséchant...

Une cloche sonne, sonne,
elle chante dans le vent.
Obsédante et monotone,
elle redit aux vivants :
« Ne tremblez pas, cœurs fidèles,
Dieu vous fera signe un jour.
Vous trouverez sous son aile
avec la vie éternelle
l'éternité de l'amour. »

HEUREUX COMME UN ROI

1946

Paroles et musique: Francis Lopez

INTERPRÈTES

Robert L'Herbier, Nita Raya

HISTOIRE

En 1940, le chanteur Québécois Robert L'Herbier ne veut pas uniquement chanter des airs folkloriques de *La Bonne Chanson* de l'abbé Gadbois dans ses émissions de radio. Il ne veut pas se contenter de reprendre les succès de Tino Rossi, de Jean Sablon et de Charles Trenet. Il décide donc de correspondre avec des éditeurs français pour leur demander de lui envoyer du matériel neuf, des chansons inédites. Cette initiative lui permet d'ajouter rapidement à son répertoire, *Tout le long des rues*. Quelques mois plus tard, Tino Rossi, en spectacle au théâtre Saint-Denis à Montréal, annonce qu'il interprétera cette chanson en primeur, ne sachant pas que Robert L'Herbier l'a déjà fait connaître au Québec.

Juste après la Deuxième Guerre mondiale, Robert L'Herbier reçoit les paroles et la musique de *Heureux comme un roi,* le tout signé Francis Lopez. Cette chanson est joyeuse, contrairement à celles qu'il a interprétées pendant le conflit de 1939 à 1945, entre autres *Le petit soldat, Sur les ailes de France, Ton petit kaki* et *Destin*. En apprenant que la paternité de cette nouvelle mélodie revient à Francis Lopez, dont il connaît le travail, il s'empresse de l'enregistrer chez RCA Victor et de l'interpréter à son émission quotidienne à Radio-Canada, *Les joyeux troubadours.* Son succès est phénoménal et pendant près d'une décennie *Heureux comme un roi* battra tous les records de vente de 78 tours.

Au Québec, aucun interprète n'a repris sur disque cette chanson qui fait partie de notre patrimoine culturel depuis 56 ans. En France, Nita Raya l'enregistre à la même époque que Robert L'Herbier, suivant ainsi les conseils de Maurice Chevalier. Cette chanteuse qui a fait ses débuts au Casino de Paris et aux Folies-Bergère, dansait le French Cancan dès l'âge de 15 ans, avec Viviane Romance.

Francis Lopez (1916-1995) a tout un flair en écrivant les paroles et la musique de *Heureux comme un roi.* Il a écrit d'innombrables mélodies, dont certaines ont contribué à la renommée de Georges Guétary *(Robin des Bois)*, de Tino Rossi *(Méditerranée)*, de Suzy Delair *(Avec son tralala)*, de Maria Candido *(Rossignol de mes amours)*.

Francis Lopez, d'origine basque, est surtout lié à Luis Mariano, qui jouera dans la plupart de ses grandes opérettes: *La belle de Cadix, Andalousie, Mexico, Vedettes impériales*. Il en a écrit 35 en 35 ans. En 1952, Annie Cordy, Georges Guétary et Bourvil ont connu un immense succès dans *La route fleurie*.

Francis Lopez, qui était dentiste, trouva le temps d'apprendre le piano seul et de composer des chansons qui ont fait le tour du monde. Il a fallu qu'un jour André Dassary le présente au chef d'orchestre Raymond Legrand qui reconnut son immense talent et enregistra quatre de ses compositions.

Invité par le maire Jean Drapeau à signer le livre d'or de la ville de Montréal, en 1984, le réputé Francis Lopez a vanté les mérites du Québécois Evan Joanness, qui pouvait remplacer Luis Mariano dans le cœur des francophones. Robert L'Herbier aura été le premier à prendre contact avec Lopez et à louer ses compatriotes.

Robert L'Herbier

Né Robert Samson, le 5 février 1921, à Lévis (Québec)

Dans la famille de Robert Samson, on s'intéresse beaucoup aux arts et à la petite histoire. Les ancêtres de sa mère, Irma Perron, excellente pianiste et chanteuse à ses heures, et ceux de son père, François-Xavier, employé des chemins de fer, viennent de La Rochelle et de la Normandie. Tout comme ses frères, Roger et Marcel, et sa sœur, Claire, le petit Robert admire son oncle Fernand Perron, surnommé «le merle rouge», qui fait carrière comme chanteur.

Tout en poursuivant des études classiques pour devenir avocat ou médecin, Robert Samson apprend le piano et le chant pendant une douzaine d'années. À 10 ans, il fait partie d'une chorale dans laquelle chante Léopold Simoneau, devenu l'un des plus grands ténors du monde. À la maison, on se plaît à faire tourner les 78 tours de Raoul Jobin, Lily Pons, Gigli. En 1940, à 19 ans, Robert trouve sa véritable vocation, choisit de changer de nom et fait ses débuts comme pianiste et chanteur à la radio de Québec et ensuite à la radio CHLT de Sherbrooke, où il est à la fois animateur, chanteur, pianiste et chef d'orchestre lors de spectacles en direct.

Pour la petite histoire, l'idée de s'appeler L'Herbier lui est venue le jour où il a reçu une lettre du cinéaste français Marcel L'Herbier, qui lui demandait de jouer dans un de ses films musicaux.

En 1942, après avoir été choisi parmi 120 concurrents, Robert devient le chanteur attitré de l'émission quotidienne *Les joyeux troubadours*, diffusée à Radio-Canada. Il y remplace Paul Charpentier, appelé à faire son service militaire. Pendant six ans, ce chanteur de charme interprète des centaines de chansons françaises: *La romance de Paris, Tango d'un soir, Douce France, Ramuntcho, Fascination, Lili Marlène, Heureux comme un roi*. Il interprète également ses propres compositions comme *Voudras-tu, Ouvre ton cœur, Dis-moi des mots d'amour.* Il enregistre *Rita* sous étiquette RCA Victor, une chanson qui deviendra son tout premier succès.

Le 3 juillet 1945, Robert L'Herbier épouse la chanteuse et accordéoniste Rolande Désormeaux, laquelle est à la veille de fêter son 19e anniversaire. Puis le couple romantique triomphe pendant deux mois au Théâtre National dans la revue *Mon homme* de Francis Carco et, par la suite, à l'Arcade dans *Mon seul amour* (1946).

À la radio de Radio-Canada, il anime *Fantaisie musicale* (1946) et, sur les ondes de CKVL, l'émission *Vive la gaieté* (1947). Avec Lucille Dumont, Robert anime également *Le Café-concert* Kraft, à CKAC (1948-1950). On l'entend souvent avec son épouse à Radio-Canada, à l'émission *Madame est servie*, de 1947 à 1950. Le couple lancera les premières chansons populaires au Québec.

Après avoir été élu à deux reprises (1946 et 1948) l'artiste le plus populaire au Canada français par l'hebdomadaire *Radiomonde* et suite au couronnement de Rolande Désormeaux comme Reine de la radio, en 1950, Robert L'Herbier ouvre un magasin de disques à Montréal avec le comédien Clément Latour. En 1949, il fonde également le magazine artistique *Radio 49* avec l'auteur, interprète et animateur de radio Fernand Robidoux. Pendant quatre ans, ils se serviront de ce magazine pour promouvoir la chanson québécoise. En 1955, au cabaret Chez Gérard à Québec, le public acclame Rolande et Robert.

De 1956 à 1961, Robert L'Herbier organise le Concours de la chanson canadienne sur les ondes de Radio-Canada, afin de contrer l'invasion des disques américains et de promouvoir la chanson québécoise. Plusieurs des chansons lauréates resteront populaires, comme *Le ciel se marie avec la mer*, de Jacques Blanchet et *Su'l'perron*, de Camille Andréa. Cette chanson a été interprétée respectivement par Lucille

Dumont et Dominique Michel. Dans le cadre de l'émission télévisée *Rolande et Robert* (SRC, 1954-1959), nombre d'auteurs et d'interprètes ayant participé à ce concours prestigieux défilent devant les caméras.

En 1961, Robert L'Herbier met fin à sa carrière de chanteur. Il entre alors à Télé-Métropole au poste de directeur adjoint de la programmation et il cumulera les plus hautes fonctions jusqu'à sa retraite, en 1987. Grâce à son expérience de la scène, à son amour du métier et des artistes qui le pratiquent, il a permis l'éclosion de nombreuses carrières. On lui doit de nombreuses émissions de variétés dans lesquelles la chanson francophone est à l'honneur.

Le décès prématuré de Rolande Désormeaux, emportée par le cancer en 1963, est un choc terrible pour Robert L'Herbier. Elle n'a alors que 36 ans et laisse dans le deuil deux fils : François (décédé le 2 décembre 2000, à 43 ans) et Benoît, lequel a publié en 1999, aux Éditions de l'Homme, une biographie de son père. On y apprend que le retraité encore très actif est fort loquace quand il parle de ses cinq petits-enfants et de sa fille Emmanuelle, elle aussi chanteuse, née le 14 septembre 1970, de son second mariage avec Gabrielle Roy.

Pour ne pas tourner la page, Robert L'Herbier agit comme représentant de grandes chaînes de télévision. Il garde contact avec le public en acceptant, à l'occasion, de donner des entrevues et en assistant aux spectacles de la relève et de ses amis d'hier et d'aujourd'hui. En présence des hauts dignitaires français, en juin 2000, il a reçu la médaille d'argent de La Renaissance française, pour son apport à la chanson française en Amérique. À 70 ans passés, il continue d'être « heureux comme un roi » dans son refuge de Laval.

HEUREUX COMME UN ROI

Heureux comme un roi
Heureux grâce à toi
Heureux mon amour
De t'avoir chaque nuit chaque jour

Le cœur plein de joie
Sans savoir pourquoi
Je vais comme les fous
Qui chantent un peu partout
Heureux comme un roi

Le matin je me réveille
J'ouvre vite mes rideaux
Je vois la vie qui s'éveille
Et je bondis sur mon piano

Je chante des ritournelles
Qui ne veulent rien dire du tout
Mais pour moi la vie est belle
Et tout le reste je m'en fous.

Heureux comme un roi
Heureux quand je vois
La dame du second
Qui prend un bain de soleil au balcon

La vie a du bon
Quand on est garçon
On change d'amour deux ou trois fois par mois
Heureux comme un roi

Heureux comme un roi
D'avoir devant moi
Des yeux merveilleux
Des yeux verts, des yeux noirs, des yeux bleus

Heureux, mademoiselle,
De vous voir si belle
Heureux tous les trois
Vous, mon piano et moi
Heureux comme des rois

LA BELLE DE CADIX

1946

Paroles : Raymond Vincy et Maurice Vandair
Musique : Francis Lopez

INTERPRÈTES

André Dassary, Georges Guétary, Rudy Hirigoyen, Evan Joanness, Luis Mariano

HISTOIRE

Au lendemain de la Seconde Guerre mondiale, la présentation de l'opérette *La Belle de Cadix* au Casino Montparnasse permet à cet établissement démodé et peu fréquenté du quartier populaire parisien de Montparnasse de reprendre vie. Luis Mariano, l'homme à la voix d'or et au sourire éternel, en fera connaître la chanson titre à la scène, au cinéma et à la radio, où elle jouera sans arrêt.

Après la Libération, dès le 19 décembre 1945 et pendant plus de deux ans, toutes les représentations de cette opérette au Casino se donnent à guichets fermés. Puis, en 1949, l'opérette est reprise au music-hall de l'Empire et présentée partout à travers la France. La partenaire de Luis Mariano est Lina Dachary, une beauté. *La Belle de Cadix* trouve ensuite refuge au Gaieté-Lyrique et au Chatelet.

Maurice Vandair et Raymond Vincy ont trouvé la meilleure oreille qui soit lorsqu'ils confient le texte de *La Belle de Cadix* à Francis Lopez (1916-1995), compositeur de nombreuses chansons et de 35 opérettes. On retrouve dans cette mélodie un heureux mélange de sentiments à la viennoise et de musique à la française.

Ce spectacle d'après-guerre grandiose va relancer la mode de l'opérette à Paris.

Les années 50 ne sont rien d'autre que la Belle époque des ténors populaires. Outre Luis Mariano, plusieurs chanteurs enregistreront *La Belle de Cadix*. Mentionnons Georges Guétary, André Dassary et Rudy Hirigoyen, venu à Montréal en 1953, aux Variétés lyriques, pour y jouer le rôle principal avec Thérèse Laporte. Depuis la mort de Luis Mariano, en 1970, cette opérette est présentée régulièrement dans toute la francophonie.

En 1984, quand Francis Lopez vient à Québec, il est émerveillé d'entendre le Québécois Evan Joanness (Gérard Martin) chanter admirablement bien tout le répertoire de Luis Mariano. Il lui écrit alors une opérette, *Carnaval aux Caraïbes,* qui est présentée à Paris. Lopez s'assure aussi que son nouveau protégé soit de nouveau la vedette de *La Belle de Cadix*. Malheureusement, Francis Lopez n'assistera pas à la comédie musicale réalisée par Evan Joanness, *Viva Mariano,* présentée au Théâtre Saint-Denis, à Montréal, en 1996. Un an avant, le Prince de l'opérette s'est envolé sur ses étoiles, à l'âge de 79 ans.

Luis Mariano

Né Mariano Eusabio Gonzales, le 12 août 1914, à Irun, en Espagne

Le mystère plane encore aujourd'hui sur l'année exacte de la naissance de ce ténor d'opérette qui deviendra une véritable idole. La publicité entourant la sortie et la diffusion de ses millions de disques, tout comme les programmes-souvenirs distribués lors de ses tournées et certaines biographies, sont autant de documents qui soutiennent qu'il est né en 1920, alors que d'autres documents avancent l'année 1914.

En 1936, quand la guerre civile éclate en Espagne, les parents de Luis Mariano et son unique sœur, Maria Luisa, se réfugient en France. Le fils a le talent pour devenir peintre et décorateur ou architecte. Son père est manufacturier, puis chauffeur de taxi à Bordeaux.

Luis Mariano étudie le chant classique et le violon au Conservatoire de Bordeaux, puis à Paris. En 1944, attiré par l'opérette et la chanson populaire, il fait ses débuts au Palais de Chaillot dans l'opéra *Don Pasquale*. Puis la gloire lui sourit à l'ABC et à l'Alhambra. Mais c'est au Casino Montparnasse, en 1945, qu'il joue le premier rôle dans *La Belle de Cadix*. Il est à noter qu'il en a dessiné lui-même les costumes et l'affiche. Il est dès lors adulé par un public principalement féminin. Sa rencontre avec Francis Lopez change donc le cours de sa vie alors qu'il devient le héros de deux très célèbres opérettes: *Le chanteur de Mexico* et *Violettes impériales*.

Outre l'opérette, Luis Mariano va aussi faire du cinéma et tourner dans une vingtaine de films. En 1946, il joue dans *Histoire de chanter* de Gilles Grangier, avec Carette et Noël Roquevert. C'est suite à ce tournage qu'il s'offre la Cadillac de ses rêves d'adolescent. Il interprète aussi *Cargaison clandestine* d'Alfred Rode, puis *Fandango,* en compagnie de Ludmilla Tcherina et de Jean Tissier, suivi de *Je n'aime que toi*. Il rencontre alors l'actrice Martine Carol et on ne parlera plus que de leur idylle, qui ne durera qu'une année.

Pour fuir les barrages policiers qui limitent l'ardeur de ses admirateurs inconditionnels, Luis Mariano s'achète une maison paisible, au Vezinet, afin de retrouver un peu de calme après la tempête. En 1952, il joue un rôle dans le film *Paris chante toujours,* où il partage l'affiche avec Georges Guétary, Édith Piaf, Yves Montand, Tino Rossi et Jean Sablon.

À l'instar de Tino Rossi et de Georges Guétary, Luis Mariano est une vedette à part entière au Québec. Ses nombreuses visites en sont la preuve. Dès ses premiers spectacles au *Her Majesty's,* en 1949, avec la troupe Music-Hall de Paris, mettant aussi en vedette les Sœurs Étienne, Luis Mariano déclenche des émeutes. Il reviendra une douzaine de fois à Montréal, surtout au Théâtre Saint-Denis, à la Place des Arts, mais aussi dans la capitale, au Palais Montcalm et au Capitol, en 1954 et en 1966, à la Porte Saint-Jean en 1958, et dans plusieurs grandes villes du Québec.

À chacun de ses retours en France, il donne des récitals ou se produit dans les grandes opérettes au Chatelet, au Gaieté-Lyrique ou ailleurs dans de grandes salles d'Europe. On l'acclame dans le *Chanteur de Mexico,* le *Cavalier du ciel,* le *Secret de Marco Polo,* le *Prince de Madrid,* la *Caravelle d'or.* De 1961 à 1965, en compagnie d'Annie Cordy, Luis Mariano sillonne les continents avec *Visa pour l'amour.*

En 1969, Luis Mariano séjourne plusieurs mois au Québec. Le producteur Eric Villon, mari de Claude Valade, produit deux disques du duo Mariano-Valade, qui chantent ensuite ensemble sur la scène du Casino Royal.

LA BELLE DE CADIX

La Belle de Cadix a des yeux de velours
La Belle de Cadix vous invite à l'amour
Les caballeros sont là
Si, dans la posada
On apprend qu'elle danse!
Et pour ses jolis yeux noirs
Les hidalgos le soir
Viennent tenter la chance!
Mais malgré son sourire et son air engageant
La Belle de Cadix ne veut pas d'un amant!
Chi-ca! Chi-ca! Chic! Ay! Ay! Ay!
Chi-ca! Chi-ca! Chic! Ay! Ay! Ay!
Chi-ca! Chi-ca! Chic! Ay! Ay! Ay!
Ne veut pas d'un amant!

La Belle de Cadix a des yeux langoureux
La Belle de Cadix a beaucoup d'amoureux
Juanito de Cristobal
Tuerait bien son rival
Un soir au clair de lune!
Et Pedro le matador
Pour l'aimer plus encor'
Donnerait sa fortune!
Mais malgré son sourire et son air engageant
La Belle de Cadix n'a jamais eu d'amant!
Chi-ca! Chi-ca! Chic! Ay! Ay! Ay!
Chi-ca! Chi-ca! Chic! Ay! Ay! Ay!
Chi-ca! Chi-ca! Chic! Ay! Ay! Ay!
N'a jamais eu d'amant!

La Belle de Cadix est partie un beau jour
La Belle de Cadix est partie sans retour!
Elle a dansé une nuit
Dans le monde et le bruit
Toutes les seguidillas!
Et puis dans le clair matin
Elle a pris le chemin
Qui mène à Santa Filla!
La Belle de Cadix n'a jamais eu d'amant!
La Belle de Cadix est entrée au couvent
Mais malgré son sourire et son air engageant
La Belle de Cadix ne veut pas d'un amant!
Chi-ca! Chi-ca! Chic! Ay! Ay! Ay!
Chi-ca! Chi-ca! Chic! Ay! Ay! Ay!
Chi-ca! Chi-ca! Chic! Ay! Ay! Ay!
Est entrée au couvent! Ah!

LE P'TIT BAL DU SAMEDI SOIR

1947

Paroles: Jean Dréjac

Musique: Charles Borel-Clerc, avec la collaboration de Jean Delettre

INTERPRÈTES

Didier Dumoutier, Ginette Garcia, Georges Guétary, Renaud

HISTOIRE

Un million de partitions musicales et un million et demi de 78 tours vendus en 1947 pour *Le p'tit bal du samedi soir,* c'est là tout un record. Est-ce cette popularité qui est à l'origine d'un procès opposant le parolier et interprète Jean Dréjac, né à Grenoble en 1921, au compositeur Borel-Clerc, deux créateurs à la feuille de route impressionnante et riche de succès inoubliables?

Pendant des décennies, des douzaines d'artistes ont chanté les œuvres de Jean Dréjac, qu'il s'agisse d'Yves Montand (*La chansonnette*) ou d'Annie Cordy (*Fleur de papillon*). En 1978, Jean Dréjac remonte sur la scène de Bobino, après une longue absence, durant laquelle il a cumulé plusieurs fonctions à la Société des auteurs, compositeurs et éditeurs de musique (SACEM) pour défendre les droits de la chanson française. Il est là pour présenter un album qui contient les grandes chansons dont il a écrit les paroles. À cette occasion le public ne se fait pas fait prier pour reprendre en chœur *Bleu blanc blond,* de Marcel Amont, *L'Homme à la moto,* une adaptation chantée par Édith Piaf et Marie Carmen, *Ah! le petit vin blanc,* interprétée par Lina Margy et Alys Robi au Québec, *Les Quais de la scène,* de Lucienne Delyle et *Sous le ciel de Paris,* le titre du film de Julien Duvivier.

Quant au compositeur Charles Borel-Clerc (1879–1959), dit Charles Clerc, il a mené une carrière ininterrompue. Il est à l'origine des grands succès des premières vedettes du siècle dernier: Mayol, Dranem, Bérard, Bach. Musicien dès plus prolifiques, aucun style ne lui résiste. Maurice Chevalier lui doit *Le Chapeau de Zozo, Ma pomme, Ah! si vous connaissiez ma poule, la Marche* de *Ménilmontant*. Borel-Clerc, qui a aussi un penchant pour la romance, a également composé pour Tino Rossi *Vous n'êtes pas venu dimanche* et pour Jean Lumière, *Faisons notre bonheur nous-mêmes*.

C'est Georges Guétary qui donnera son envol au *p'tit bal du samedi soir* en 1947, et cette chanson sera reprise avec bonheur par Renaud, 35 ans plus tard. Au Québec, l'excellent chanteur et accordéoniste Didier Dumoutier interprète cette chanson chaque fois qu'il a l'occasion de monter sur les planches.

RENAUD

Né Renaud Séchan, le 11 mai 1952, à Paris

En plus de conquérir le public européen au début des années 80, Renaud devient une véritable légende vivante. Les Québécois l'adoptent avec son langage imagé, sa mèche blonde, son foulard rouge et sa façon de s'exprimer en argot et en verlan, c'est-à-dire en inversant les syllabes de certains mots.

Renaud Séchan est issu d'une famille de six enfants (trois garçons et trois filles). Ses parents ont connu une enfance bien différente l'un l'autre. Son grand-père maternel, mineur dans le nord de la France, étant venu à Paris pour y travailler à l'usine, sa mère est donc d'origine ouvrière. Pour sa part, le père de Renaud évolue dans un tout autre milieu: il est professeur d'allemand, traducteur et auteur de romans policiers.

À 14 ans, Renaud milite dans le mouvement maoïste et s'insurge contre l'injustice sociale. Tout comme ses premières idoles, Bob Dylan, Joan Baez, Hugues Aufray, il peste contre la guerre du Viêt-nam, dénonce les armes nucléaires et occupe la Sorbonne, en 1968, avec les étudiants en révolte contre le «système». Ses premières chansons, *Crève salope!* et *Société tu m'auras pas,* en disent long sur son état d'esprit. Le rebelle chante dans les rues, aux terrasses des cafés, en s'accompagnant à la guitare ou à l'accordéon.

À partir de la seconde moitié des années 70, après l'enregistrement de ses premiers albums, en jeans et blouson noir, Renaud part en tournée pour faire connaître ses compositions: *Amoureux de Paname, Laisse béton, Hexagone, Ma gonzesse, Les blues de la Porte d'Orléans,* et plusieurs titres consacrés à ses amies: *Rita, Germaine, Mélusine.* Mais c'est de la chanson *Morgane de toi,* dédiée à sa fille, Lolita, dont il est le plus fier. Malgré le fait qu'il tienne mordicus à sa vie privée, Renaud parle souvent de son amour pour son épouse, Dominique.

À partir de 1980 et pendant une dizaine d'années, la poésie de Renaud, son militantisme, sa simplicité conquièrent toute la francophonie. Il raconte Paris, sa famille, ses copains, Coluche et les autres, le climat politique et le quotidien. On voit naître des chansons telles *Les charognards, Les aventures de Gérard Lambert, Dans mon H.L.M., Mon beauf', Dès que le vent soufflera* (devenu le titre d'un livre sur l'auteur, écrit par son ami, Régis Lefèvre).

En 1981, Renaud entreprend une sorte de retour aux sources alors qu'il enregistre des chansons inoubliables: *Rue Saint-Vincent, Lézart* (Aristide Bruant), *Le p'tit bal du samedi soir* (Jean Dréjac), ainsi que d'autres titres: *C'est un mauvais garçon, La java, La butte rouge*. En 1984, après s'être produit au Zénith trois semaines d'affilée et au Théâtre de la Ville, l'artiste engagé repart en tournée des deux côtés de l'Atlantique.

En 1985, dans sa chanson *Miss Maggie*, Renaud « écorche » au passage madame Thatcher, alors premier ministre de Grande-Bretagne, ce qui provoque un léger scandale franco-anglais. Mais tout cela sera vite oublié lors de la parution de son album *Putain d'camion* où il se révèle plein de tendresse dans *La mère à Titi, Me jette pas.*

Six ans plus tard, entouré de musiciens *folk* irlandais, il enregistre *Marchand d'cailloux*, un album qui sera récompensé par le Grand Prix de l'Académie Charles-Cros. Au début des années 90, le pamphlétaire Renaud signe également des chroniques politiques dans *Charlie Hebdo* et se rend en Bosnie. En 1993, on le retrouve au cinéma, où il interprète un rôle important, celui de Lantier, dans un film de Claude Berri, *Germinal*, tiré du roman d'Émile Zola.

À l'automne 1994, Renaud enregistre l'album *À la belle de mai,* qui comporte trois compositions de Julien Clerc et rend hommage à son maître à penser, Georges Brassens, avec *Renaud chante Brassens.* « Auteur avec plaisir, compositeur par nécessité, interprète par provocation » comme il se définit lui-même, il conserve tout son naturel, sa modestie et sa gentillesse, mais aussi sa méfiance à l'égard des médias.

Renaud se garde bien de nous inviter dans son jardin secret où il est difficile de pénétrer. Il ne prétend pas être un leader et se défend d'être moraliste quand il pourfend les détenteurs du pouvoir. Il continue de chanter en toute liberté ce qu'il connaît et qui l'inspire, sur des airs de java, de tango, de rock, de valse. Tout comme les enfants, il sait faire rire ou pleurer et ouvrir les portes du rêve.

Après s'être tenu loin des projecteurs et des journalistes pendant cinq ans, Renaud s'est raconté en mai 2002, lors d'un voyage à Toronto pour participer au tournage d'une comédie policière américaine en compagnie de ses amis Gérard Depardieu et Johnny Hallyday.

À Montréal, où il possède une maison dans l'arrondissement d'Outremont, Renaud parle de ses déboires, de ses chagrins d'amour, de sa nouvelle vie loin de l'alcool et du tabac. Il en a long à dire sur sa mauvaise performance au Spectrum, en janvier 2001, et sur les critiques horribles qu'on lui a infligées. Sans détours, Renaud avoue revenir de loin, après être allé au fond du trou noir, avec une plume asséchée et la mort dans l'âme.

Sur son nouvel album, *Boucan d'enfer,* Renaud prouve qu'il a retrouvé l'inspiration et son fil conducteur. Dans ses 14 nouvelles chansons, dont *Docteur Renaud, Mister Renard, Cœur perdu, L'entarté* et *Manhattan-Kaboul,* chanté en duo avec Axel Red, l'homme ressuscité démontre clairement qu'il a repris la route avec lucidité et en faisant appel à tout son courage.

Pour recouvrer la voix, Renaud a complètement arrêté de boire au moment d'entrer en studio, en décembre 2001. Sa fille adorée, Lolita, lui avait signifié qu'elle disparaîtrait complètement de sa vie s'il n'arrêtait pas de se détruire. « Ma femme et moi ne vivons plus sous le même toit, mais elle reste la femme de ma vie. Et puis, il y a l'amour de ma fille et les amis. Tout n'est pas noir. »

Même s'il se dit toujours pessimiste devant la bêtise humaine, Renaud a retrouvé sa fougue, sa guitare et repris contact avec ses nombreux admirateurs dans toute la francophonie.

LE P'TIT BAL DU SAMEDI SOIR

Dans le vieux faubourg,
tout chargé d'amour
près du pont de La Vilette,
un soir je flânais,
un refrain traînait,
un air de valse-musette.
Comme un vieux copain,
me prenant la main,
Il m'a dit: «viens!»
Pourquoi le cacher?
Ma foi j'ai marché
et j'ai trouvé...

Refrain
Le p'tit bal du sam'di soir
où le cœur plein d'espoir,
dansent les midinettes.
Pas de frais pour la toilette,
pour ça vous avez l'bonsoir.
Mais du bonheur plein les yeux
de tous les amoureux
ça m'a touché c'est bête,
je suis entré dans la fête
l'air digne et le cœur joyeux.

D'ailleurs il ne manquait rien,
y avait tout c'qui convient
des moules et du vin rouge.
Au troisième flacon ça bouge,
Au quatrième on est bien...
Alors, il vaut mieux s'asseoir,
le patron vient vous voir
et vous dit «c'est la mienne»

et c'est comme ça toutes les semaines.
Au p'tit bal du sam'di soir.

Vous l'avez d'viné,
j'y suis retourné,
maint'nant je connais tout l'monde.
Victor et Titi,
Fernand le tout p'tit
Nenesse et Mimi la blonde.
D'ailleurs de beaux yeux,
y'en a tant qu'on veut,
y vont par deux.
Et v'la qu'dans les coins,
on est aussi bien
qu'au « Tabarin ».

Refrain

Au p'tit bal du sam'di soir
où le cœur plein d'espoir,
dansent les midinettes.
Pas de frais pour la toilette,
pour ça vous avez l'bonsoir.
Mais du bonheur des aveux
car tous les amoureux
se montent un peu la tête.
Quand l'accordéon s'arrête,
ils vont s'asseoir deux par deux.

De temps en temps un garçon,
pousse une petite chanson,
ça fait rêver les filles.
Dans l'noir y a des yeux qui brillent
on croirait des p'tits lampions

Oui des lampions merveilleux
du carnaval joyeux
de la fête éternelle.
On serre un peu plus sa belle,
Au p'tit bal du sam'di soir.

Un dimanche matin,
avec Baptistin,
c'est le patron d'la guinguette.
On s'est attablé,
et nous avons joué
au ch'min d'fer en tête à tête.
Comme il perdait trop,
il a joué l'bistrot,
j'ai dit « banco! »
J'ai gagné, ma foi
et depuis trois mois,
il est à moi...

Refrain

Baptistin dans l'occasion,
n'avait plus d'situation
en perdant sa boutique.
Mais comme il m'est sympathique,
Alors j'l'ai pris comme garçon.
Et c'est lui qui sert à boire
aux amoureux dans l'noir
dans la barraque en planches.
Du sam'di jusqu'au dimanche,
Au p'tit bal du sam'di soir.

C'EST SI BON
1947

Paroles : André Hornez
Musique : Henri Betti

INTERPRÈTES

Marcel Amont, Louis Armstrong, Dorothée Berryman, Vic Damone, Suzy Delair, Johnny Desmond, Sacha Distel, Les Djinns, Danièle Dorice, Les Sœurs Étienne, Fernand Gignac, Georges Guétary, Dick Haymes, Jacques Hélian, Lucien Jeunesse, Danny Kaye, Ertha Kitt, Léo Marjane, Tony Martin, Eddy Mitchell, Yves Montand, Jacques Normand, Patachou, Frank Sinatra, Roger Sylvain

HISTOIRE

Plus de 54 ans après la création de ce succès, on se demande encore quel est le nom du premier interprète de *C'est si bon*. Le public n'en demande pas tant et retient les interprétations de son choix. En 1949, Yves Montand enregistre cette mélodie chez CBS, avec son sourire enjôleur et gouailleur et sa façon bien à lui de chanter un texte provocateur par la sensualité qui s'en dégage. Quant à Sacha Distel, il l'enregistre chez Pathé-Marconi l'année suivante.

Mais dans les années 50, lorsque la radio diffuse l'interprétation de Louis Armstrong de *C'est si bon* et de *La vie en rose*, d'Édith Piaf, les auditeurs restent sous le choc. Le trompettiste, qui est déjà une légende vivante du jazz partout à travers le monde, touche le cœur des Français de sa voix rocailleuse et voilée, celle de Satchmo.

Avant de traverser l'océan Atlantique, *C'est si bon* est interprétée par Suzy Delair, dans le cadre du festival de jazz de Nice, puis par les Sœurs Étienne. C'est d'ailleurs lors de cet événement musical que Louis Armstrong l'entend pour la première fois et qu'il décide de la ramener dans ses bagages aux États-Unis. Le chanteur Lucien Jeunesse revendique pour sa part de l'avoir chantée en premier lieu au Casino de Paris, en décembre 1948, au même moment où Jacques Hélian et son orchestre l'enregistrent.

Le compositeur Henri Betti, accompagnateur de Maurice Chevalier, aurait bien voulu faire carrière comme chanteur populaire. En fait, il n'a jamais tranché la question à savoir qui avait interprété *C'est si bon* pour la première fois. Il a bien d'autres chats à fouetter et des musiques à écrire pour Édith Piaf, Lily Fayol, sans oublier Yves Montand (*Le chapeau à plumes*) et les Compagnons de la chanson (*Maître Pierre*). Il en est de même pour l'excellent parolier André Hornez à qui l'on doit *Tant qu'il y aura des étoiles* (Tino Rossi) et *Avec son tralala* (Suzy Delair).

Du côté américain, *C'est si bon* est devenu un classique et plusieurs artistes après Louis Armstrong l'enregistrent, dont Ertha Kitt et Danny Kaye.

Quant à Marcel Amont, il a exporté *C'est si bon* dans toute la francophonie. Plus récemment, au Québec, Dorothée Berryman l'enregistre dans un album jazz qui remporte un franc succès auprès du public québécois depuis sa sortie en 2001. C'est certainement là un autre bon départ pour cette chanson!

Sacha Distel

Né Alexandre Sacha Distel, le 29 janvier 1933, à Paris

Léonine, le père de Sacha, est d'origine russe et exerce la profession d'ingénieur. Sa mère, Andrée, musicienne, est la sœur du chef d'orchestre Raymond Ventura. Celui-ci va fortement influencer et aider son neveu au charme slave et à l'allure donjuasnesque. À l'âge de 17 ans, à l'école de Henri Salvador, son professeur de guitare, Sacha devient un merveilleux guitariste de jazz.

En 1958, Sacha Distel atteint des sommets dans le domaine de la chanson avec *Scoubidou,* qu'il a composée avec son ami Maurice Tézé. Tout le monde reprend en chœur « des pommes, des poires et des scoubidous bidous ». Mais avant d'en arriver là, Sacha passe par la dure école du spectacle. À 20 ans, il est éditeur musical, directeur artistique, puis il accompagne Juliette Gréco et, plus tard, Jeanne Moreau, ce qui ne l'empêche pas de faire son service militaire.

En tournée aux États-Unis, Ed Sullivan le présente comme le « french lover » aux multiples talents. Sa première visite au Québec remonte à 1962, lors de La grande nuit qui se tient au Forum de Montréal, et qui a lieu en faveur de la Place des Arts, alors en construction. Entre 1965 et 1976, il reviendra cinq fois à la Place des Arts.

En 1962, Sacha Distel fait une tournée de 21 jours à La Porte Saint-Jean, à Québec, et à la Comédie Canadienne, à Montréal. *Oui, devant Dieu* est la chanson qui crée le plus de remous dans la salle. Cette année-là, il refait également surface au cinéma et tourne *Nous irons à Deauville* de Francis Rigaud. Deux ans plus tard, il décroche un autre rôle dans le film *La bonne soupe* de Robert Thomas. Il chante en Espagne et en Allemagne et remporte le Lion d'or de Radio-Luxembourg et bien d'autres honneurs. À la BBC de Londres, il joue en anglais dans une pièce de théâtre intitulée *Fallen Angels* (Les anges déchus). Sa partenaire, Joan Collins, lui donne la réplique.

Récipiendaire du Grand Prix de l'Académie Charles-Cros, en 1954, Sacha Distel est aussi un habitué de l'Olympia et des grandes salles de l'Hexagone. On lui confie l'animation de sa propre émission de variétés, le *Sacha Show*, à la télévision. En Grande-Bretagne, il devient et demeurera une grande star. Partout on l'identifie à sa série de tubes: *Oh! quelle nuit, Scandale dans la famille, Mon beau chapeau, Monsieur Cannibale, Personnalité, Le bateau blanc.*

Impossible de passer sous silence son histoire d'amour et ses «courtes» fiançailles avec Brigitte Bardot, un événement qui, selon certains, a lancé la carrière du chanteur. Dans *Les pendules à l'heure,* publié chez Carrère-Michel Lafon, il y raconte sa liaison avec sa «célèbre» fiancée qui venait de divorcer de Roger Vadim et de couper les ponts avec Jean-Louis Trintignant.

Sacha Distel a finalement épousé la championne de ski Francine Bréaud qui lui a donné deux fils: Laurent et Julien. Atteint d'un cancer, il a continué de chanter *La belle vie, Toute la pluie tombe sur moi* et *C'est si bon,* même pendant ses traitements de chimiothérapie. Le svelte et beau séducteur a vaincu le cancer et continue d'émerveiller ses proches et le public, qui lui est resté fidèle.

C'EST SI BON

Je ne sais pas s'il en est de plus blonde,
Mais de plus belle, il n'en est pas pour moi.
Elle est vraiment toute la joie du monde.
Ma vie commence dès que je la vois
Et je fais « Oh ! »,
Et je fais « Ah ! ».

C'est si bon
De partir n'importe ou,
Bras dessus, bras dessous,
En chantant des chansons.
C'est si bon
De se dir'des mots doux,
Des petits riens du tout
Mais qui en disent long.

En voyant notre mine ravie
Les passants, dans la rue, nous envient.
C'est si bon
De guetter dans ses yeux
Un espoir merveilleux
Qui donne le frisson.
C'est si bon,
Ces petit's sensations.
Ça vaut mieux qu'un million,
Tell'ment, tell'ment c'est bon.

Vous devinez quel bonheur est le nôtre,
Et si je l'aim' vous comprenez pourquoi.
Elle m'enivre et je n'en veux pas d'autres

Car elle est tout's les femmes à la fois.
Ell' me fait: «Oh!». Ell' me fait: «Ah!».

C'est si bon
De pouvoir l'embrasser
Et puis de r'commencer
À la moindre occasion.
C'est si bon
De jouer du piano
Tout le long de son dos
Tandis que nous dansons.

C'est inouï ce qu'elle a pour séduire,
Sans parler de c'que je n'peux pas dire.
C'est si bon,
Quand j'la tiens dans mes bras,
De me dir'que tout ça

C'est à moi pour de bon.
C'est si bon,
Et si nous nous aimons,
Cherchez pas la raison:
C'est parc'que c'est si bon,
C'est parce que c'est si bon,
C'est parce que c'est si bon.

LE P'TIT BONHEUR

1948

Paroles et musique : Félix Leclerc

INTERPRÈTES

Groovy Aardwark, Guy Béart, Raymond Berthiaume, Johanne Blouin, Claude Corbeil, Dalida, Didier Dumoutier, Francisco, Félix Leclerc, Jacqueline Lemay, Monique Leyrac, Michel Louvain, Luck Mervil, Joseph Rouleau, Fabienne Thibeault, Vic Vogel

HISTOIRE

Composée par Félix Leclerc en 1948, la chanson *Le p'tit bonheur,* a été créée pour la pièce de théâtre du même nom jouée au Centre des loisirs de Vaudreuil, le 23 octobre 1948. C'est dans ce coin de terre du Québec, où il a habité pendant 24 ans, que Félix Leclerc a entre autres composé *Bozo, Moi, mes souliers, L'Hymne au printemps, Le train du Nord, Prière bohémienne,* si chère à Raymond Devos.

La comédie où Félix Leclerc chante *Le p'tit bonheur* est reprise à Rigaud, au théâtre du Gesù, à Montréal et, par la suite, en France et en Suisse. Le 23 décembre 1950, sur la scène de l'ABC de Paris, Leclerc fait la première partie des Compagnons de la chanson et commence son tour de chant avec *Le p'tit bonheur,* qui touche le cœur des Français. On n'a encore jamais vu en spectacle un chanteur s'accompagnant seul à la guitare, le pied posé sur une chaise.

Le lendemain de la première du « Canadien » à l'ABC, les médias soulignent *que Le p'tit bonheur* est le prélude de l'an I de la nouvelle chanson québécoise. On parlera de moins en moins des Amérindiens et de la cabane au Canada. « Tel que vous me voyez, écrit Félix, sans plumes sur la tête et sans tomahawk à la ceinture, nous sommes là plus de cinq millions de descendance française. » Le Québec vient de naître en France.

En 1959, dans son livre *La chanson d'aujourd'hui,* Louis Baryon identifie les 10 plus belles chansons d'amour. On y retrouve en haut de la liste : *Les amants de Venise* (Édith Piaf), *Clopin-clopant* (Pierre Dudan), *Comme un petit coquelicot* (Mouloudji), *Sur ma vie* (Charles Aznavour) et *Le p'tit bonheur* de Félix Leclerc. Dans son anthologie publiée chez Albin Michel en 1997, Jeanne Moreau considère également *Le p'tit bonheur* comme l'une des plus belles chansons d'amour.

« Quand j'ai écrit *Le p'tit bonheur,* raconte Félix, j'étais pleinement heureux chez-moi, en face du lac des Deux-Montagnes, à Vaudreuil. Je venais d'acheter ma première voiture, une « bébé Austin », et de fonder VLM avec mon beau-frère Yves Vien et mon ami Guy Mauffette, afin de présenter mes pièces de théâtre et mes chansons. » On connaît la suite.

Félix Leclerc

Né le 2 août 1914, à La Tuque, au Québec

C'est le jour où la France déclare la guerre à l'Allemagne que Joseph Félix Eugène voit le jour. Fils de Fabiola Parrot et de Léonidas Leclerc, il est le sixième d'une famille de onze enfants. Le soir, à la maison ou au magasin général de son père, on chante *Au bois du rossignolet, À Saint-Malo beau port de mer, Il était un petit navire*. En 1933, la crise économique force Félix à mettre un terme à ses études et à revenir travailler sur la ferme.

Entre 1943 et 1946, après plusieurs années passées à la radio comme annonceur et animateur, Félix Leclerc publie chez Fides ses premiers livres: *Adagio* (1943), *Allegro* et *Andante*(1944) et *Pieds nus dans l'Aube* (1946). Il épouse Andrée Vien le 1er juillet 1942. De cette union naît Martin, à Outremont, le 13 juillet 1945. La famille déménage alors à Vaudreuil. Chez les Compagnons de Saint-Laurent et avec sa propre troupe, Félix Leclerc révèle aussi ses talents de comédien, de compositeur et d'interprète.

L'imprésario français Jacques Canetti va changer le cours de la vie de Félix Leclerc en l'amenant à Paris, en 1950. À 36 ans, il est en pleine possession de ses moyens. Selon Charles Trenet et Maurice Chevalier, il représente pour la chanson française un renouveau bénéfique, une bouffée d'air pur. D'autres suivront ses traces: Georges Brassens, Jacques Brel, Léo Ferré. On s'accorde aussi pour dire que Félix Leclerc a ouvert la voie à Jean-Pierre Ferland, à Pauline Julien, à Claude Léveillée, à Robert Charlebois et à Diane Dufresne. À la fin des années 90, Claude Corbeil et Marie Michèle Desrosiers vont enregistrer l'une des plus belles chansons de Félix: *Les perdrix*.

Félix Leclerc continue de se produire en Europe et au Québec, mais à son propre rythme. Il se produit au cabaret Chez Gérard, à

Québec en 1955 et 1957, à la Place des Arts en 1967, et à plusieurs reprises au Théâtre Le Patriote. À chaque apparition, il triomphe. On ne compte plus ses allers-retours en France, ni les prix et décorations qui lui sont décernés, par exemple le Prix de l'Académie Charles-Cros et la médaille de Chevalier de la Légion d'honneur, en 1986. Ses chansons s'imposent alors que son engagement politique vient raffermir les convictions des tenants d'un Québec souverain.

En 1968, quand le nouveau couple Gaétane Morin et Félix Leclerc s'installe en banlieue de Paris, la petite Nathalie vient au monde. Une fois de retour au Québec, la famille s'installe à l'Île d'Orléans, et s'agrandit en 1970 avec l'arrivée de Francis.

En 1976, le poète fait une longue tournée d'adieux en France et au Québec. Il interprète une dernière fois ses grands succès: *Le tour de l'île, Mon fils.*

Un peu plus de 10 ans plus tard, le 8 août 1988, à 8 heures, le cœur de Félix Leclerc flanche. À l'église du village, Johanne Blouin interprète *Mon cher Félix, c'est votre tour,* de Gilles Vigneault. Pour sa part, Yves Duteil composera une *Chanson pour Félix* et lui dédiera *La langue de chez nous.*

LE P'TIT BONHEUR

C'était un p'tit bonheur
Que j'avais ramassé
Il était tout en pleurs
Sur le bord d'un fossé
Quand il m'a vu passer
Il s'est mis à crier:
« Monsieur ramassez-moi
Chez vous amenez-moi

Mes frères m'ont oublié je suis tombé je suis malade
Si vous n'me cueillez point je vais mourir quelle ballade!
Je me ferai petit tendre et soumis je vous le jure
Monsieur je vous en prie délivrez-moi de ma torture »

J'ai pris le p'tit bonheur
L'ai mis sous mes haillons
J'ai dit: « Faut pas qu'y meure
Viens-t'en dans ma maison »
Alors le p'tit bonheur
A fait sa guérison
Sur le bord de mon cœur
Y avait une chanson

Mes jours mes nuits mes peines mes deuils mon mal,
tout fut oublié
Ma vie de désœuvré j'avais dégoût d'la r'commencer
Quand il pleuvait dehors ou qu'mes amis m'faisaient des peines
J'prenais mon p'tit bonheur et j'lui disais: « C'est toi ma reine »

Mon bonheur a fleuri
Il a fait des bourgeons
C'était le paradis
Ça s'voyait sur mon front
Or un matin joli
Que j'sifflais ce refrain
Mon bonheur est parti
Sans me donner la main

J'eus beau le supplier le cajoler lui faire des scènes
Lui montrer le grand trou qu'il me faisait au fond du cœur
Il s'en allait toujours la tête haute sans joie, sans haine
Comme s'il ne pouvait plus voir le soleil dans ma demeure

J'ai bien pensé mourir
De chagrin et d'ennui
J'avais cessé de rire
C'était toujours la nuit
Il me restait l'oubli
Il me restait l'mépris
Enfin que j'me suis dit:
Il me reste la vie

J'ai repris mon bâton mes deuils mes peines et mes guenilles
Et je bats la semelle dans des pays de malheureux
Aujourd'hui quand je vois une fontaine ou une fille
Je fais un grand détour ou bien je me ferme les yeux
Je fais un grand détour ou bien je me ferme les yeux.

LES NUITS DE MONTRÉAL
1949

Paroles : Jean Rafa
Musique : Émile Prud'homme

INTERPRÈTES

Andrex, Jacques Normand, Bianca Ortolano, Jean Rafa

HISTOIRE

Reportons-nous au 31 mai 1910. Un événement mondial se produit alors : la queue de la comète Halley frôle la Terre et risque de provoquer la fin du monde. C'est ce jour-là que naît Jean Rafa sur la butte Montmartre à Paris.

En 1937, désireux de voir l'Amérique, Jean Rafa (Jean Febbrari) s'engage comme garçon de table sur le paquebot *Le Bretagne*. À bord, dès que le capitaine découvre ses talents de chanteur et de comédien, il lui demande d'organiser des soirées de gala.

Jean Rafa s'installe à Montréal le 22 décembre 1948 et, le soir même, fait ses débuts au cinéma Bijou, sur les ondes de CKVL. À cette époque, il est à mille lieux de se douter qu'il deviendra le plus Québécois des Français. Le fantaisiste mène une brillante carrière d'animateur de radio, de meneur de revues et il est également un auteur prolifique. Chaque soir, sur la scène du cabaret Le Faisan doré, il se joint à Jacques Normand, Pierre Roche, Charles Aznavour, Monique Leyrac et autres artistes.

Le 3 janvier 1949, après une rude soirée au Faisan doré, Jean Rafa et son compagnon de scène, l'accordéoniste Émile Prud'homme, décident de prendre une bouchée à la Corso Pizzeria, située juste à côté du populaire cabaret. Jean montre alors à son ami un texte et lui demande ce qu'il pense de sa dernière composition. La réponse du musicien est immédiate. Sur un coin de nappe en papier qu'il déchire, Émile écrit une musique rythmée et donne le ton à cette chanson *Les nuits de Montréal,* que l'on chante toujours avec le même entrain plus de 50 ans après sa création.

Rosaire Archambault, du magasin du même nom, et les Éditions Paul Beusher acceptent d'éditer cette chanson et de donner une maigre avance de 40 $ aux deux auteurs qui sont alors sans le sou. Accompagné par l'orchestre d'Allan McIver, Jacques Normand entre en studio pour enregistrer *Les nuits de Montréal* en format 78 tours. De son côté, le chanteur Andrex (1907-1989) l'enregistre à Paris et l'ajoute à ses autres succès: *Bébert, Un p'tit coup de rouge* et *La samba brésilienne.*

Le 17 octobre 1949, le Faisan doré est plein à craquer. On y fête Jean Rafa qui revient de France avec son épouse Renée et ses enfants, Évelyne et Guy. Toute la nuit, on célèbre *Les nuits de Montréal.* Pierre Roche, Charles Aznavour, Jacques Normand, Gilles Pellerin sont chargés à bloc. Émile Prud'homme, Dédé Pastor et Billy Munro se déchaînent à l'accompagnement musical.

Jean Rafa est fier de présenter la relève: Fernand Gignac, Simone Lallier, Josette France, qui deviendra Aglaé et qui épousera Pierre Roche, et Aïda, la sœur de Charles Aznavour.

Avec sa joie de vivre, son esprit pétillant et ses chansons express, Jean Rafa a vite fait sa marque au Québec. Pour faire une chanson express, la recette est simple: le public lui lance des mots, fraise et chaise, amour et tambour, baloune et guidoune, jarretelle et bretelle, et il en fait aussitôt des rimes et une chanson «censurée».

À cette époque, Le Faisan doré est l'endroit préféré des vedettes qui viennent, après leurs spectacles, s'y détendre aux côtés de Jean Rafa, Jacques Normand, Clairette, Fernand Robidoux, Jacques Lorain et son épouse, Denise Filiatrault. On y retrouve à l'occasion Charles Trenet, Édith Piaf, Maurice Chevalier, Patachou, Muriel Millard, Paul Berval, Michel Noël et Bourvil (1917-1970), pour lequel Jean Rafa écrira *Pour sûr! Qu'est-ce que tu dis* et *Au printemps*. Il composera également *Du pep* avec Pierre Roche et Charles Aznavour et *En arrière, en avant*, le premier succès de Monique Leyrac.

Au Québec, Jean Rafa popularise aussi la pétanque et les courses en vélo. « C'est pas fini ! » devient son cri de ralliement. Dans tous les cabarets, que ce soit à La Porte Saint-Jean à Québec ou à la Casa Loma à Montréal, à la radio, au théâtre ou à la télévision, il est le roi de la fantaisie. De passage à l'hôtel Royal de La Tuque, il ajoute à son tour de chant une chanson appropriée à la région, *Le rapide blanc*, un succès d'Oscar Thiffault, qui sera aussi repris par Marcel Amont.

Comme le dit si bien le proverbe : « Rendons à César ce qui appartient à César. » Avant Pierre Dulude et Guy Mauffette, Jean Rafa a été le lien primordial entre son ami, l'imprésario Jacques Canetti, et Félix Leclerc, qui était heureux de se retrouver à ses côtés à Paris, en décembre 1950, au moment où démarre sa carrière française.

Humaniste, il a toujours été à l'écoute de ses semblables, prêt à dépanner ses camarades et à appuyer les bonnes œuvres. Jean Rafa est décédé le 22 octobre 1998, à l'âge de 88 ans. Ses amis, Roger Sylvain, Claude Valade, Pière Sénécal, Evan Joanness et Sylvie Paquette lui ont rendu un émouvant hommage en musique à la cathédrale Saint-Antoine de Longueuil, sa ville d'adoption. De Paris aux nuits de Montréal, l'extraordinaire parcours de Jean Rafa est parsemé d'heureux souvenirs et de beaucoup d'amitié.

Jacques Normand

Né Raymond Chouinard, le 15 avril 1922, à Québec

La famille Chouinard compte 20 enfants issus du mariage de la mère, Alberta Boisseau, et du père, Elzéar-Alexandre. Le jeune Raymond souffre de paralysie à la suite d'un malheureux accident. Après 18 mois de convalescence difficile dans la grande maison familiale du quartier Saint-Roch, il se voit obligé de mettre une croix sur son rêve : devenir avocat. Au début des années 40, le jeune homme brillant et cultivé entreprend alors une carrière d'animateur de radio. Et c'est ainsi que tout au long de sa vie, par son éloquence, son riche vocabulaire et son vaste répertoire, il réalise une spectaculaire carrière tout en menant tambour battant la bataille pour la survie de la langue française.

Lorsque l'écrivain et homme de théâtre Henry Deyglun l'entend chanter à *Ici l'on chante,* une émission de Radio-Canada présentée à Québec par René Lévesque (qui en est encore à ses débuts), il est impressionné par les talents de Jacques Normand, et il va faire en sorte d'orienter sa carrière vers le théâtre radiophonique. Une semaine plus tard, Jacques Normand se retrouve en effet dans les studios de la Société d'État, à Montréal, où il joue son premier rôle dans le radioroman *Vie de famille*. Il donne la réplique à Fred Barry, à Paul Guèvremont, à Jeanne Maubourg et à Lise Roy qui sera aussi sa partenaire dans *Jeunesse Dorée* (de Jean Desprez). Cette dernière deviendra son épouse en 1948. Cette interprète et comédienne très populaire au Québec sera élue Reine de la radio en 1949.

Après un passage remarqué au *Ed Sullivan Show* et un engagement au Bal Tabarin de New York où il interprète *Sur les quais du vieux Paris,* chanson créée par Lucienne Delyle, ainsi que les succès de Maurice Chevalier, de Charles Trenet et de Jean Sablon, le bouillant Jacques Normand devient l'animateur par excellence des boîtes de nuit montréalaises: au Faisan doré, de 1947 à 1950; au Saint-Germain-des-Prés, où il fait débuter Pauline Julien, Clémence DesRochers et Dominique Michel; au Continental, où il présente Félix Leclerc, Andrex, Adrien Adrius.

Aux Trois Castors, dans la métropole, partout au Québec, au Canada, puis au Japon et en Corée, il impose son style. Finis les shows bilingues! Avec Jacques Normand, la chanson francophone est à l'honneur. Il interprète les premières compositions de Pierre Roche et de Charles Aznavour: *En revenant de Québec, Retour, La barbe, Il faut de tout pour faire un monde, Simplette,* sans oublier *La mer* de Charles Trenet et *Les nuits de Montréal* de Jean Rafa et Émile Prud'-homme.

Dès 1946, Jacques Normand est la coqueluche de la nouvelle station de radio CKVL, à Verdun. Les foules le suivent au cinéma Bijou, où il anime en direct *Le fantôme au clavier,* avec Billy Munro et Gilles Pellerin. On le retrouve aussi au micro de *Vive la vie, La course aux trésors, La route enchantée* et *La Parade de la chansonnette française.* Il a le don d'ubiquité. En 1948, CKAC retient les services de Jacques Normand et de Lise Roy pour animer l'émission *Y a du soleil.* Le producteur Paul L'Anglais les amène à Hollywood où ils participent à une émission de Noël avec Bing Crosby, Gene Autry, George Burns et Lionel Barrymore.

En 1952, avec l'arrivée de la télévision, puis tout au long des années 50, Jacques Normand anime de grandes émissions de variétés: *Café des artistes, Porte ouverte, Music-Hall, Tête d'affiche, En habit du dimanche,* sans oublier *Les couche-tard* (1962-1969), avec son souffre-douleur et ami, Roger Baulu. Ses mots d'esprit et ses pointes d'arrogance en font l'enfant chéri du public, qui lui pardonne ses frasques et son penchant pour la divine bouteille.

En 1976, après quelques années de repos, Jacques Normand accepte de reprendre le collier à La Portugaise, situé en face de Dupuis frères. Il succède à Claude Valade et à Michel Louvain. Pendant quelques mois, Jacques Normand tente de dissimuler ses problèmes de santé. Son retour est attendu et la critique est élogieuse. Mais ses apparitions se font de plus en plus rares.

En 1995, un disque compact, le premier de la collection *Les refrains d'abord,* paraît sur le marché grâce à l'animatrice Monique Giroux qui anime une émission du même nom à la radio de Radio-Canada. Cet album comprend 22 succès populaires de Jacques Normand, dont *Bébert, C'est si bon, Ma blonde, Clémentine, Pervenche, Le chapeau à plumes.*

Même si Jacques Normand s'est raconté dans ses propres ouvrages, *Les nuits de Montréal* (1974) et *De Québec à Tizi-Ouzo* (1980), il faudrait bien d'autres livres et documents pour décrire tous les moments heureux et difficiles de cet homme talentueux et courageux. Dans le documentaire *L'enfant terrible* (1997), l'auteur et scénariste Robert Gauthier trouve les mots et les images pour mettre en valeur ce pionnier de la chanson francophone nommé Chevalier de l'Ordre national du Québec, en 1995.

Jusqu'à la fin de sa vie, le 7 juillet 1998, sa seconde compagne de vie, Francine Mercier, lui apportera tout son amour et toute son aide dans la terrible maladie qui le frappe: un cancer de la gorge. Son frère, Camil Chouinard, sera souvent à ses côtés à la résidence de Saint-Lambert, Les jardins de l'intérieur. Situé dans le même établissement, à l'étage au-dessus, vit son inséparable ami Roger Baulu.

Après le décès de Jacques Normand, des témoignages éloquents sont arrivés de partout. Charles Aznavour a écrit une lettre touchante à Francine Mercier. En voici un court extrait: «... Mais où sont nos folies d'antan, de jeunesse, de rires et de chansons à l'époque où je découvrais le Québec qui découvrait la chanson française, où Jacques et moi nous nous appelions les cousins d'outre-Atlantique, où son humour dévastateur me transportait, où fourchette et verre à la main, nous pensions être invulnérables et immortels, où nous refaisions le monde et où Jacques se battait à sa manière pour notre langue et la culture de sa terre ? Je ne reviendrai jamais plus au Québec sans avoir cette curieuse impression qu'il y manque quelque chose, et quelqu'un d'indispensable à mon cœur.»

LES NUITS DE MONTRÉAL

On a de tout temps chanté les nuits de Paris
La place Pigalle Montmartre les Halles
Dans le monde entier on sait que là-haut c'est beau
Oui mais ici on a aussi
Des filles jolies des cabarets des boîtes de nuit
Pour y chanter dans la gaieté des airs légers

J'aime les nuits de Montréal
Pour moi ça vaut la place Pigalle
Je ris, je chante
La vie m'enchante
Il y a partout des refrains d'amour

Je chante encore, je chante toujours
Et quand je vois naître le jour
Aux petites heures
Vers ma demeure je vais heureux
À Montréal c'est merveilleux

J'aime les nuits de Montréal
Pour moi ça vaut la place Pigalle
Je ris, je chante
La vie m'enchante
Il y a partout des refrains d'amour

Je chante encore, je chante toujours
Et quand je vois naître le jour
Aux petites heures
Vers ma demeure je vais heureux
À Montréal c'est merveilleux

MAÎTRE PIERRE

1949

Paroles: Jacques Plante
Musique: Henri Betti

INTERPRÈTES

Les Compagnons de la chanson, Lucille Dumont, Fernand Gignac, Yvette Giraud, Georges Guétary, Jacques Hélian, Yves Montand, Tohama

HISTOIRE

En même temps que Tohama et Yvette Giraud, en 1949, la brillante interprète québécoise, Lucille Dumont, a eu la bonne idée d'enregistrer *Maître Pierre,* une chanson signée Jacques Plante et Henri Betti. Chez les hommes, on retient les enregistrements de Georges Guétary et de Fernand Gignac qui, à 14 ans, fait ses débuts au Faisan doré, à Montréal, en compagnie de Pierre Roche et de Charles Aznavour, de Monique Leyrac, de Clairette et de Jacques Normand.

Né à Paris en 1920, Jacques Plante, le parolier de ce succès éclatant, a écrit ce beau texte, toujours chanté dans les écoles, sur une musique d'Henri Betti, accompagnateur attitré de Maurice Chevalier. Il a également composé de nombreuses chansons populaires, comme *Les grands boulevards* (Yves Montand), *La danseuse est créole* et *Mademoiselle Hortensia* (Yvette Giraud), *Domino* (Patachou et André Claveau), *Ma petite folie* (Line Renaud).

La rencontre de Jacques Plante et de Charles Aznavour marque le début d'une intense complicité qui ne cessera de se développer entre les deux hommes. Ils créent *L'Enfant prodigue, Les comédiens, La bohème, For me Formidable, Sarah*. En plus de diriger sa propre maison d'édition de chansons, dans les années 60, Jacques Plante signe plusieurs tubes pour Petula Clark (*Chariot*), Sheila (*Adios Amor*), Hugues Aufray (*Quand le printemps revient*). Retiré en Suisse, Jacques Plante a enfin trouvé le temps de regarder les moulins qui tournent abondamment dans ce pays et de faire connaissance avec tous les *Maître Pierre* qui ont choisi le métier de meunier.

Lucille Dumont

Née Lucel Dumont, le 20 janvier 1919, à Montréal

Après avoir suivi des cours d'art dramatique chez Jeanne Maubourg, la talentueuse Lucel, devenue Lucille, participe à un premier concours d'amateurs sous le pseudonyme de Micheline Lalonde. Dès 1935, Lucille Dumont fait la conquête du public de CKAC et décroche sa propre série en anglais, *Linger a While,* à CFCF. Elle anime aussi plusieurs émissions musicales à Radio-Canada, dont *Tambour battant, Rythmes de Paris* et *Les chansons de Lucille.*

Avant d'interpréter les œuvres d'auteurs québécois comme Léo Lesieur, Pierre Létourneau, Gilles Vigneault, Pierre Calvé, la populaire Lucille Dumont a puisé à même le répertoire des grands noms de la chanson française: Mireille, Jean Sablon, Reda Caire, Suzy Solidor, Lucienne Delyle, Jacqueline François, Lys Gauty et, surtout, Lucienne Boyer, son idole. En 1945, Lucille Dumont interprète *Insensiblement,* en présence de ses auteurs, Paul Misraki et Ray Ventura, une chanson qui connaîtra un succès international. En 1957, son interprétation de la chanson de Jacques Blanchet, *Le ciel se marie avec la mer,* lui vaut le Grand Prix du Concours de la chanson canadienne.

À la fin des années 40, juste avant l'arrivée de la télévision, Lucille Dumont et Jean Lalonde, surnommé le Don Juan de la chanson, font la tournée des sous-sols d'églises et des salles paroissiales. Pour la compagnie de disques RCA Victor, Lucille Dumont enregistre *C'était un jour de fête, Si tu viens danser dans mon village, Ah c'qu'on s'aimait, Pour un baiser d'amour, Le p'tit bal du samedi soir, Clopin-clopant, La guitare à Chiquita, Le petit rat, Le gros Bill, Maître Pierre*. En 1947, elle est la première chanteuse à être élue Reine de la radio par les lecteurs de l'hebdomadaire *Radiomonde.*

Lorsque la télévision fait son apparition en 1952, et dans les années qui suivent, Lucille Dumont anime de multiples émissions à succès: *Lucille Dumont reçoit* (1965) et *À la romance* (1956-1960) sur les ondes de la SRC, mais aussi *Entre vous et* moi (1961-1962), *Histoire d'une étoile* (1967-1969), *Le temps d'aimer* (1972-1973) sur les ondes de CFTM, sans oublier *Feux de joie* (avec Muriel Millard) et *Café des artistes*. Toutes les grandes vedettes défilent sur son plateau, dont Luis Mariano, Juliette Gréco, Tino Rossi, Annie Cordy et Georges Guétary.

En 1969, Lucille Dumont reçoit le Grand Prix du Gala des artistes pour souligner ses talents d'interprète, mais aussi de professeur, alors qu'elle dirige depuis un an une école de chant à Montréal. L'enseignement de la chanson occupera d'ailleurs son temps pendant plus de 30 ans. Mariée à l'annonceur et commentateur sportif aujourd'hui décédé, Jean-Maurice Bailly, elle a deux fils: Sylvain et Martin. À l'occasion d'événements spéciaux, tels des galas, il lui arrive encore de chanter, toujours avec grâce et justesse. Entre elle et le public, l'histoire d'amour se poursuit. En 1999, l'animatrice Monique Giroux, de Radio-Canada, a réalisé un magnifique coffret de 43 chansons enregistrées par la grande Lucille Dumont.

MAÎTRE PIERRE

Il fait bon chez vous maître Pierre
Il fait bon dans votre moulin
Le froment vol'dans la lumière
Et partout ça sent bon le grain
J'avais douze ans et j'étais haut comme trois pommes
Qu'en me voyant vous me disiez d'un ton bonhomme
Voyez-moi ce sacré p'tit drôle
Le métier lui semble à son goût
Prends ce sac, mets-le sur l'épaule
Maître Pierre, il fait bon chez vous
Hardi ! Hardi petit gars
Bonnet sur l'œil, sourire aux lèvres
Hardi ! tant qu'il a deux bras
Un bon meunier ne s'arrête pas.

Il fait bon chez vous maître Pierre
Je m'souviens de mes dix-huit ans
Votre fille était écolière
Que déjà, moi je l'aimais tant
Et quand plus tard je l'épousai devenue grande
Tout le village est venu danser dans la grange
Et toujours de ses grandes ailes
Le moulin continue tout doux
Le tic-tac de son cœur fidèle
Maître Pierre, il fait bon chez vous
Hardi ! Hardi petit gars
Bonnet sur l'œil, sourire aux lèvres
Hardi ! tant qu'il a deux bras
Un bon meunier ne s'arrête pas.

Il fait bon chez vous maître Pierre
À trente ans j'aimais mon métier
J'adorais ma jolie meunière
C'est alors que vous nous quittiez
Mais quand du ciel vous regardez par la campagne
Tous ces moulins tournant du Nord à la Bretagne
Vous pensez avec un sourire
Qu'on est là pour en mettre un coup
Et qu'on a bien raison de dire
Maître Pierre, il fait bon chez vous
Hardi ! Hardi petit gars
Bonnet sur l'œil, sourire aux lèvres
Hardi ! tant qu'il a deux bras
Un bon meunier ne s'arrête pas.

DES LENDEMAINS QUI CHANTENT

1950-1959

BOUM / L'ÂME DES POÈTES / MES JEUNES ANNÉES
Charles Trenet, 1913-2001

SUR MA VIE / SA JEUNESSE / LA MAMMA
Charles Aznavour, 1924-

QU'ON EST BIEN / BAL CHEZ TEMPOREL
Guy Béart, 1930-

LES CROIX / ALORS RACONTE
Gilbert Bécaud, 1927-2001

MOI, MES SOULIERS / BOZO
Félix Leclerc, 1914-1988

UNE PROMESSE / JE VOUS AIME
André Lejeune, 1934-

QUAND UN SOLDAT / À PARIS
Francis Lemarque, 1917-2002

CHANSON POUR L'AUVERGNAT / LE GORILLE
Georges Brassens, 1921-1981

UN JOUR TU VERRAS / COMME UN PETIT COQUELICOT
Mouloudji, 1922-1994

Avril au Portugal (Yvette Giraud), Bonbons caramels (Annie Cordy), La ballade irlandaise (Bourvil), Lavandières du Portugal (Jacqueline François), Milord (Édith Piaf), Paris canaille (Léo Ferré, Catherine Sauvage), Le déserteur (Boris Vian), Le danseur de Charleston (Philippe Clay), Complainte de la butte (Cora Vaucaire), Le poinçonneur des lilas (Serge Gainsbourg), Les trottoirs (Eddie Constantine), Ma maman (Mick Micheyl), À qui le p'tit cœur après neuf heures (Roger Miron)

CERISIER ROSE ET POMMIER BLANC

1950

Paroles : Jacques Larue
Musique : Louiguy

INTERPRÈTES

André Claveau, Yvette Giraud, Léo Marjane, Suzy Solidor, Roger Sylvain

HISTOIRE

En 1950, *Cerisier rose et pommier blanc,* de Jacques Larue et Louiguy, occupe la tête des palmarès francophones, de concert avec *Mes jeunes années* de Charles Trenet, *Moi mes souliers* de Félix Leclerc, *Étoile des Neiges* et *Mexico,* deux refrains popularisés par Line Renaud et Luis Mariano.

Jacques Larue, de son vrai nom Marcel Ageron (1906-1961), et Louiguy (Louis Guiglielmi) sont des créateurs très recherchés. On leur doit de nombreux succès comme *Ça sent si bon la France* (Maurice Chevalier), *Bambino* (Dalida et Georges Guétary), *Avril au Portugal* (Yves Giraud), *Mon village au clair de lune* (Jean Sablon) et *L'âme au diable* (Léo Marjane).

Tout de suite après la Libération, la radio devient le média le plus efficace pour lancer de nouveaux chanteurs et faire vendre leurs disques. L'imprésario et grand « découvreur de vedettes » Jacques Canetti a alors largement le vent dans les voiles avec toutes ses vedettes dont la carrière se déroule sous l'étiquette Polydor: Félix Leclerc, Georges Brassens, Jacqueline François, Guy Béart, Henri Salvador, Jacques Brel, Francis Lemarque et d'autres.

Avec l'éclatant succès de *Cerisier rose et pommier blanc,* André Claveau est surnommé le Prince de la chanson de charme. Surtout du côté des hommes, peu d'interprètes veulent reprendre ce titre. Léo Marjane, Suzy Solidor et Yvette Giraud font exception à la règle.

Cerisier rose et pommier blanc franchit l'océan et, aux États-Unis, cette chanson sera enregistrée par quelques grands orchestres américains.

De nos jours, dès qu'un interprète entonne cette chanson, le public reprend en chœur le refrain et le dernier couplet: «Si cette histoire est éternelle / Pour en savoir le dénouement / Apprenez donc la ritournelle / De nos quinze ans.»

André Claveau

Né le 17 décembre 1915, à Paris

Le père d'André Claveau aurait bien voulu que son fils suive ses traces comme tapissier et décorateur, puisqu'il excellait dans ce domaine, surtout comme dessinateur. Jean Lumière et Damia lui doivent d'ailleurs leurs premières affiches. En 1936, André participe à un concours radiophonique et gagne le premier prix en interprétant *Venez-donc chez-moi* de Paul Misraki.

En 1942, André Claveau monte sur les scènes de music-hall, de revue et d'opérette, riche d'une voix qui s'adapte bien à tous les styles. Affecté dans une caserne parisienne lors de la Deuxième Guerre mondiale, il n'en poursuit pas moins une carrière radiophonique. Après la Libération, Radio-Luxembourg lui offre d'animer une grande émission régulière qui le rapprochera davantage de la gent féminine, qui recherche la présence et la voix du beau célibataire. On se souvient également de ses premiers rôles au cinéma, notamment dans *Champions de France, Sous le ciel de Paris* (1951) de Julien Duvivier et *French-Cancan* (1955) de Jean Renoir.

En 1950, *Cerisier rose et pommier blanc* propulse réellement la carrière d'André Claveau alors qu'il occupe le premier rang des vedettes populaires. D'autres titres lui permettent aussi de se démarquer: *Ah! le petit vin blanc, Seul ce soir, La Petite Diligence, Fascination, Le clocher de mon cœur, J'attendrai, Un amour comme le nôtre, La chapelle au clair de lune* et *Domino.* En 1958, il reçoit le Grand Prix de l'Eurovision pour son interprétation de *Dors mon amour.* Ce même prix annuel sera décerné 30 ans plus tard à Céline Dion pour son interprétation de *Ne partez pas sans moi.*

Lors de ce Grand Prix, André Claveau ignore tout de la portée de son apparition sur le petit écran devant 20 millions de téléspectateurs.

Il songe à peine au préjudice considérable que pourrait lui causer une défaite et, devant les caméras, il apparaît décontracté. Plus tard, commentant cette soirée, il déclarera: «J'ai calculé que pour avoir le même auditoire que ce soir-là, je devrais chanter tous les soirs à l'Olympia pendant un peu plus de 20 ans.»

En 1963, le célibataire romantique et endurci fait sa rentrée à La Bastille. Il chante bien sûr *Cerisier rose et pommier blanc, Serenata, Viens valser avec papa, Vieille rengaine,* mais aussi des chansons de Charles Chaplin qui lui confie toujours prioritairement les couplets qu'il écrit comme ceux, devenus célèbres, de *Limelight* et *Deux petits chaussons*.

Jusqu'en 1970, André Claveau, le «Prince de la chanson de charme», a mené sa carrière en suivant son propre rythme. Il a refusé de multiples engagements dans le monde entier, préférant mener une vie plus calme dans sa ferme au centre de la France. Il est décédé en 1996, laissant le souvenir d'un homme simple, serein et généreux.

CERISIER ROSE ET POMMIER BLANC

Refrain
Quand nous jouions à la marelle
Cerisier rose et pommier blanc
J'ai cru mourir d'amour pour elle
En l'embrassant

Avec ses airs de demoiselle,
Cerisier rose et pommier blanc
Elle avait attiré vers elle
Mon cœur d'enfant

La branche d'un cerisier
De son jardin caressait
La branche d'un vieux pommier
Qui dans le mien fleurissait

De voir leurs fleurs enlacées
Comme un bouquet de printemps
Nous vint alors la pensée
D'en faire autant.

Et c'est ainsi qu'aux fleurs nouvelles
Cerisier rose et pommier blanc
Ont fait un soir la courte échelle
A nos quinze ans

Non, non, ne dites pas qu'à son âge
Vous n'étiez pas si volage
Non, non, quand deux lèvres vous attirent
J'en sais peu qui peuvent dire non.

Refrain

Mais un beau jour les demoiselles,
Frimousse rose et voile blanc,
Se font conduire à la chapelle
Par leur galant.

Ah quel bonheur pour chacun!
Le cerisier tout fleuri
Et le pommier n'en font qu'un
Nous sommes femme et mari.

De voir les fruits de l'été
Naître des fleurs du printemps
L'amour nous a chuchoté
D'en faire autant.

Si cette histoire est éternelle
Pour en savoir le dénouement
Apprenez-en la ritournelle
Tout simplement

Et dans deux ans deux bébés roses
Faisant la ronde gentiment
Vous chanteront cerisier rose
Et pommier blanc.

LA PETITE DILIGENCE

1950

Paroles et musique : Marc Fontenoy

INTERPRÈTES

André Claveau, Jacques Hélian, Serge Lama, Fabienne Thibeault

HISTOIRE

Après la révolution bolchevique de 1917, Alexandre Schwab, né à Sarny (Russie) en 1910, immigre à Paris avec ses parents. Il devient un amoureux de la langue française, change son nom russe par celui de Marc Fontenoy et cesse de pratiquer le droit pour devenir auteur, compositeur, pianiste et interprète au Collège Inn, célèbre cabaret de Montparnasse. En 1945, après la Seconde Guerre mondiale, il écrit son premier succès, *La valse tourne,* pour Annie Flore et Lucienne Boyer.

Marc Fontenoy est bien vite sollicité pour composer des chansons pour les vedettes de l'heure, telles Bourvil, Annie Cordy, Gloria Lasso. En 1950, il vise dans le mille avec *La petite diligence,* aussitôt créée et enregistrée par André Claveau. Cette chanson est ensuite reprise par Jacques Hélian et son orchestre, qui compte dans ses rangs les Sœurs Étienne. Jacques Hélian fera aussi merveille avec *Fleur de Paris, Les jeunes filles de bonnes familles.* Cette décennie où l'on se rassemble pour chanter en chœur est marquée par des mélodies universelles. Après *La petite diligence* de Marc Fontenoy, le public a droit à des chansons magnifiques : *Mes jeunes années* de Charles Trenet, *Étoile des neiges* de Line Renaud, *Avril au Portugal* d'Yvette Giraud, *Un gamin de Paris* d'Yves Montand et *Tout ça parce qu'au bois de Chaville* d'Odette Laure, Jacques Pills et Jacques Normand.

Jusqu'à sa mort en 1980, Marc Fontenoy a continué de mettre son talent au service de la belle chanson, notamment en tant qu'auteur-compositeur « maison » des Éditions Paul Beuscher. Lui qui aimait découvrir et aider la vraie relève, aurait été heureux d'écouter l'interprétation de Fabienne Thibeault de *La petite diligence*. On retrouve cet enregistrement magnifique sur son album *Les chants aimés* (volume 2-1984).

Fabienne Thibeault

Née le 17 juin 1952 à Montréal

Quand le couple Thibeault déménage de la région de Charlevoix, c'est pour s'installer à Montréal, où Fabienne naît en 1952, suivie, 13 ans plus tard, par son frère Marc. Son père, Raymond, maçon, et sa mère, Élise Tremblay, insistent pour que leur fille passe ses étés dans leur coin de pays d'origine où toute la parenté chante le folklore d'ici et de la France.

Durant son enfance, Fabienne prend des cours de chant avec Marianne Lapointe qui la suivra jusqu'à son vingtième anniversaire. Au cégep Maisonneuve, elle se joint à l'atelier de chanson de Sylvain Lelièvre (1943-2002). Comme bien des adolescentes de cette époque, elle traverse sa période granola et hippie et se défoule en donnant des spectacles dans les cafés étudiants, ce qui ne l'empêche pas d'obtenir son diplôme en orthopédagogie à l'Université de Montréal.

En 1974, Fabienne remporte le premier prix d'interprétation au Festival international de la chanson de Granby avec *Les gens de mon pays* de Gilles Vigneault et *La vie d'factrie* de Clémence DesRochers. L'année suivante, elle est consacrée la révélation de la Chant'Août à Québec. Dès lors, ses premiers microsillons sortent très rapidement sur le marché : *Fabienne Thibeault* (éponyme), *La vie d'astheure, Au doux milieu de nous*. De belles chansons prennent leur envol et se retrouvent au palmarès : *Chez nous, Chanson pour séduire, Rue St-Denis, Je veux qu'on m'aime, Tante Irène, Ah! que l'hiver* de son mentor, Gilles Vigneault, dont elle enregistrera en 1977 plusieurs succès sur un album : *Au doux milieu de nous*.

C'est en septembre 1977 que Fabienne réalise son rêve : chanter en France. Elle se produit au théâtre Campagne Première. Pour les Français, elle est à l'image d'une Maria Chapdelaine en sabots, « avec son p'tit gilet de laine, sa p'tite jupe carreautée, son p'tit jupon piqué. » On parle de sa voix de miel et de son charme naturel. Artiste invitée en 1978 au Festival de Spa en Belgique, elle est pressentie par Luc Plamondon et Michel Berger pour jouer le rôle de Marie-Jeanne, la serveuse automate, dans l'opéra-rock *Starmania* au Palais des Congrès de Paris, au printemps 1979. Son interprétation de *Les uns contre les autres, Le monde est stone* et *La complainte de la serveuse automate* lui donne définitivement son statut de vedette. Cette année-là, Fabienne remporte le Félix de la découverte et de l'interprétation féminine de l'année.

En 1980, Fabienne Thibeault tient l'affiche du Théâtre de la ville à Paris. En 1981, elle remporte un immense triomphe à Bobino, puis part en tournée en France, en Suisse et en Belgique. Elle revient ensuite à Montréal pour participer au spectacle de la Fête nationale du Québec avec Diane Dufresne, Michel Rivard et Garolou. À la Place des Arts, elle se produit à guichets fermés pendant une semaine. Elle se surpasse avec *Ma mère chantait, Le goût de miel, Secrétaire de star* et fait revivre de vieilles mélodies comme la *Berceuse aux étoiles* et *Serenata*. À ce vaste choix, elle ajoute ses propres compositions et s'amuse à imiter Diane Tell, Dalida, Diane Dufresne et France Gall. Cette même année 1981, il n'est donc pas étonnant qu'elle remporte le Félix de l'album populaire de l'année.

En 1982, après avoir enregistré un album de chansons traditionnelles, *Les chants aimés*, avec de vrais diamants de la chanson, tels *Partons la mer est belle, La chanson des blés d'or, Envoi de fleurs, Marie-Calumet* et *La petite diligence*, Fabienne retourne en France, qui est devenue son pays d'adoption. En 1983, elle participe au spectacle d'Yves Duteil à Bobino et enregistre avec lui *Je voudrais faire une chanson*. Elle fera ensuite d'autres duos avec Richard Cocciante (*Question de feeling*) en 1986, mais aussi avec Henri Salvador, Claude Dubois et Michel Rivard. En 1984, elle lance le second album des *Chants aimés*.

Fabienne a aussi interprété plusieurs chansons thème dans des films de Claude Lelouch (*À nous deux,* en 1979) et d'André Melançon (*Bach et Bottine,* en 1986). En 1984, Rose-Marie Portelli a publié une biographie de Fabienne Thibeault, *Fabienne Thibault… Cœur voyageur,* dans laquelle on retrouve une bonne partie de ses compositions.

Tout au long de sa carrière, Fabienne s'est toujours entourée de personnes compétentes et fiables qui ont su l'encourager et la conseiller. Sa rencontre avec son ami et producteur Gilles Talbot a été extrêmement salutaire, jusqu'à la mort de ce dernier dans un accident d'avion en 1982, année de son triomphe à Bobino. De son union avec Sared Khan, est née une petite Zoé qui vient d'avoir 18 ans. Elle habite Montréal avec son père et est entourée de ses grands-parents, de ses oncles et de ses tantes. Il lui arrive régulièrement de retrouver sa mère en France, mais aussi en Grèce, en Allemagne. Précisons que Fabienne a refait sa vie avec Pierre Debarbot, saxophoniste, compositeur et réalisateur.

En 1998, après une longue absence, Fabienne est revenue au Québec pour présenter son quinzième album, *Québécois,* une production de Guy Cloutier. Il s'agit d'un recueil de chansons d'ici chantées avec cette « même voix douce comme de la soie » : *Quand les hommes vivront d'amour,* de Raymond Lévesque, *Ils s'aiment,* de Daniel Lavoie, *Ordinaire* et *Lindbergh,* de Robert Charlebois, *Le p'tit bonheur,* de Félix Leclerc, *Si j'étais un homme,* de Diane Tell, *La complainte du phoque en Alaska,* de Michel Rivard et *Tout le monde est malheureux,* de Gilles Vigneault. Puis, Fabienne repart aussitôt en France pour animer le spectacle de la Foire économique de Castres et d'autres festivals à Cahors et Lot, dans le Midi de la France en 2000.

Dans son livre, *Mincir,* Fabienne ne propose pas de régime miraculeux, mais un nouvel art de vivre au rythme des saisons. Cette amoureuse du patrimoine québécois et français y explique comment elle a surmonté ses graves problèmes respiratoires. En 2002, la chanteuse affiche une grande sérénité. Elle écrit toujours avec l'idée d'offrir d'autres mélodies et surprises empreintes de chaleur, de fraîcheur et de simplicité.

À son sujet, Yves Duteil est catégorique et très élogieux: «Fabienne est comme une belle chanson, c'est son cœur qui est mélodieux, ses paroles sont à la fois graves et légères, elle est née pour faire chanter tout l'univers à l'unisson. D'ailleurs, quand elle ne chante pas, sa voix, c'est encore de la musique.»

LA PETITE DILIGENCE

Mon arrière Grand-Mère m'a conté
L'histoire de son mariage
C'est un beau roman du temps passé
Qui débuta par un beau voyage
En ce temps-là, pour aller loin,
On connaissait à peine le train
Et l'on trouvait déjà bien beau
La voiture et les chevaux!

Refrain
La petite diligence
Sur les beaux chemins de France
S'en allaient cahotant
Voyageurs toujours contents
Il y avait un vieux notaire
Un curé et son bréviaire
Une fille à marier
Un monsieur très distingué
Le notaire dormait, le curé priait
La belle rougissait en silence;
Le monsieur parlait et lui récitait
Des rondeaux et des sonnets
La petite diligence
Sur les beaux chemins de France
S'en allait en cahotant
Par la pluie et le beau temps

Lorsque les chevaux péniblement
Avaient fait trente kilomètres
À l'hostellerie du «Cheval Blanc»

On passait la nuit, pour s'en remettre;
Pour aller de Paris à Tours,
Il fallait bien au moins huit jours
Évidemment ça donnait le temps
De se connaître amplement

Refrain

La petite diligence
Sur les beaux chemins de France
S'en allait en cahotant
Voyageurs toujours contents
Lorsque la côte était dure
Ils descendaient de voiture
Et poussaient allègrement
Car c'était le règlement
Le ciel était bleu et le beau monsieur
Faisait les doux yeux à la belle.
Tandis que le curé se disait:
«Ça y est! Ces deux-là je vais les marier!»
La petite diligence
Sur les beaux chemins de France
Arriva enfin à Tours
Et c'est tout le roman d'amour!
C'est toujours pareil en France
Mis à part les diligences
Quand on veut se marier
Il faut savoir voyager
Il faut savoir voyager Hue!

DOMINO

1950

Paroles: Jacques Plante
Musique: Louis Ferrari

INTERPRÈTES

André Claveau, Bing Crosby, Lucienne Delyle, Tony Martin, Patachou, Suzy Solidor

HISTOIRE

L'arrivée de la télévision au début des années 50 fait connaître de grandes chansons comme *Domino, Grands Boulevards, L'âme des poètes, Moi des souliers*. Les émissions de variétés de Jean Nohain, *36 Chandelles*, et d'autres émissions dans la francophonie, présentent sur les écrans les chanteurs de face, de profil ou de dos. C'est l'époque des 45 tours et des 33 tours et de Jacques Canetti qui découvre Félix Leclerc, Georges Brassens, Jacques Brel, Juliette Gréco et Patachou.

Durant la décennie 50, le parolier de l'heure se nomme sans aucun doute Jacques Plante, né à Paris en 1920. Après avoir écrit les succès d'Yvette Giraud, *Mademoiselle Hortensia, La danseuse est créole* mais aussi *Domino* pour Patachou, sur une musique de Louis Ferrari, il est en effet aussi en demande que Luc Plamondon entre 1975 et aujourd'hui.

Auteur prolifique, Jacques Plante est reconnu pour la qualité de ses textes, la concision de ses refrains, son amabilité et sa disponibilité, malgré tout le travail qu'il abat quotidiennement. Qui n'a pas chanté un jour ou l'autre ses rengaines reprises par André Claveau (*Cerisier rose et pommier blanc*), Marcel Amont (*Un mexicain*), Charles Aznavour (*La bohème* et *Les comédiens*), Line Renaud (*Ma petite folie* et *Étoile des neiges*) et Richard Anthony (*J'entends siffler le train*). Il a aussi écrit plusieurs beaux textes pour les Compagnons de la chanson, Georges Guétary (*Maître Pierre*), Petula Clark (*Chariot*), Hugues Aufray (*Dès que le printemps revient*), Sheila (*Adios amor*). Rappelons que Bing Crosby et Tony Martin ont enregistré *Domino* en anglais.

Avec de tels succès à son actif et avant se prendre sa retraite en Suisse, il n'est pas surprenant que Jacques Plante se soit décidé à fonder sa propre maison d'édition de chansons à Paris, avec un catalogue important, devenu celui de la firme MCA/Caravelle.

Chaque chanson a sa petite histoire, c'est bien connu. C'est le cas de la chanson *Domino,* qui a été interdite sur les ondes de plusieurs stations de radio. À l'époque, certains auditeurs étaient scandalisés par certains passages de la chanson: «De tes mains sur moi / de ton corps doux et chaud / j'ai envie d'être aimée Domino.»

En 1950, année de la création de cette chanson, c'est aussi l'année sainte du jubilé accordée par le pape tous les 25 ans. Au Québec, les fidèles paroissiens récitent le chapelet, diffusé chaque jour sur les ondes de CKAC, en direct de la cathédrale de Montréal. À genoux et en famille, dans bien des maisons, les auditeurs adhèrent à la croisade de prière orchestrée par le nouvel archevêque, Mgr Paul-Émile Léger, qui deviendra cardinal en 1953. On ne peut donc pas faire tourner *Domino* à la radio avant et après ces moments de réflexion. Autre temps, autres mœurs, comme dit le proverbe.

Patachou

Née Henriette Ragon, le 10 juin 1918, à Paris

Après avoir exercé plusieurs petits métiers pour survivre, notamment dans une pâtisserie où elle se spécialise dans les «patachous», après la guerre, Henriette Ragon entre comme secrétaire-dactylo chez l'éditeur Raoul Breton. Elle devient vite familière avec les vedettes de spectacles et rêve, à son tour, de devenir chanteuse professionnelle.

Avec son mari, la jeune femme entreprenante et déterminée adopte le nom de Patachou et ouvre, en 1950, un restaurant-cabaret sur la butte Montmartre, tout près de la place du Tertre. Cet établissement, baptisé Chez Patachou, va devenir un des plus célèbres cabarets de Montmartre. La chanteuse y lance des carrières, et non les moindres, comme celle de Georges Brassens, en interprétant ses premières chansons: *Les bancs publics* et *Brave Margot*, qu'elle enregistre en duo avec ce nouveau venu, originaire de Sète et qui vient tenter sa chance à Paris.

En 1952, c'est Patachou qui va pousser Georges Brassens sur scène pour qu'il défende lui-même les textes qu'elle ne peut pas interpréter, comme *Le gorille* et *La mauvaise réputation*. Puis, les deux amis partent en tournée estivale avec les Frères Jacques, sous la direction de Jacques Canetti. Patachou ne néglige toutefois pas son cabaret, où défilent tour à tour Charles Aznavour, Jacques Brel et Raymond Devos. Drôle et provocatrice, elle fait sa marque de commerce en coupant les cravates des spectateurs trop sérieux et en exposant les belles cravates des célébrités qui se produisent dans ce haut lieu de la chanson française.

En 1951, Patachou accompagne son mentor et protecteur, Maurice Chevalier et participe à ses spectacles. Elle devient très vite une des chanteuses françaises les plus appréciées. Le 27 avril de la même année, à l'hôtel Windsor de Montréal, les deux artistes assistent à la fête organisée par la Chambre de commerce de Montréal en l'honneur de Félix Leclerc, qui vient de remporter le Grand Prix du disque avec *Moi mes souliers*. À cette même occasion, Patachou se produit au Café Montmartre à Montréal, après le passage de Mistinguett. Elle se rendra ensuite à Québec à deux reprises, pour chanter au cabaret Chez Gérard.

De retour à Paris, Patachou, qui se pose comme une artiste exigeante sachant doser l'humour et le choix judicieux de ses chansons, reprend la direction de son port d'attache et enrichit son répertoire d'œuvres de Guy Béart (*Bal chez Temporel*), Pierre Dudan (*Clopin-Clopant*), Francis Lemarque (*Bal petit bal*), Georges Van Parys (*Complainte de la Butte*) et d'autres succès, tels *La bague à Jules, Voyages de noces, Le piano du pauvre, Padam Padam* et *La goualante du pauvre Jean,* enregistrées également par Édith Piaf et Yves Montand.

À la fin des années 50, les États-Unis réclament à leur tour Patachou et elle va se produire pendant quatre mois au prestigieux Waldorf Astoria, où elle retournera à maintes reprises. Sa carrière internationale prend de l'ampleur. Elle triomphe au Carnegie Hall de New York, au Palladium de Londres, mais aussi dans les grandes villes, Montréal, Québec, Toronto, en 1963, sans oublier Varsovie, Hong Kong, Los Angeles, Moscou et Amsterdam. Jusqu'à la fin de la décennie 70, elle va représenter dignement la France aux quatre coins du globe.

Alors que son fils, Pierre Bellon, devient chanteur et auteur de chansons pour Johnny Hallyday et autres interprètes, Patachou dirige un restaurant-cabaret à la Tour Eiffel et donne des cours de music-hall au Théâtre des Variétés. Elle s'éloigne peu à peu du métier de chanteuse pour revenir au théâtre et à l'art dramatique. Elle joue également dans une vingtaine de téléséries.

Au cinéma, Patachou a connu son heure de gloire dans les films *Napoléon* de Sacha Guitry (1955), *French Cancan* de Jean Renoir (1955), *Faubourg Saint-Martin* de Jean-Claude Guichet (1986) et *La rumba* de Roger Hanin (1986). En 1986, elle a reçu un hommage bien mérité au Festival de Cannes.

Lors de l'émission télévisée française, *La chance aux chansons*, l'animateur Pascal Sevran a insisté pour ramener au petit écran l'inoubliable Patachou afin qu'elle chante *Domino*. Son amour du métier, sa façon d'être et de chanter, sa générosité et son humour, la justesse de ses propos sont devenus légendaires. Il était une fois une petite pâtissière devenue une grande dame de la chanson française.

DOMINO

Le printemps chante en moi, Dominique,
Le soleil s'est fait beau,
J'ai le cœur comme un' boîte à musique
J'ai besoin de toi,
De tes mains sur moi,
De ton corps doux et chaud,
J'ai envie d'être aimée Domino
Méfie-toi, mon amour, je t'ai trop pardonné
J'ai perdu plus de nuits que tu m'en as données
Bien plus d'heures
À attendre, qu'à te prendre sur mon cœur,
Il se peut qu'à mon tour je te fasse du mal,
Tu m'en as fait toi-même et ça t'est bien égal,
Tu t'amuses de mes peines, et je m'use de t'aimer.

Domino Domino
Le printemps chante en moi, Dominique,
Le soleil s'est fait beau,
J'ai le cœur comme un' boîte à musique
J'ai besoin de toi,
De tes mains sur moi,
De ton corps doux et chaud,
J'ai envie d'être aimée Domino,
Il est une pensée que je ne souffre pas
C'est qu'on puisse me prendre ma place en tes bras,
Je supporte bien des choses, mais à force c'en est trop...
Et qu'une autre ait l'idée de me voler mon bien,
Je ne donne pas cher de ses jours et des tiens,
Je regarde qui t'entoure prends bien garde mon amour.

Domino Domino
J'ai bien tort de me mettre en colère,
Avec toi, Domino,
Je sais trop qu'il n'y a rien à faire,
T'as le cœur léger,
Tu ne peux changer,
Mais je t'aime, que veux-tu?
Je ne peux pas changer, moi non plus.
Domino. Domino
Je pardonne toujours, mais reviens,
Domino Domino
Et je ne te dirai plus rien.

UN JOUR, TU VERRAS
1954

Paroles : Marcel Mouloudji
Musique : Georges Van Parys

INTERPRÈTES

Mathé Altéry, Michèle Arnaud, Raymond Berthiaume, Christine Chartrand, Michel Delpech, Jacqueline François, Michel Louvain, Mouloudji, Claude Nougaro, Jen Roger, Tino Rossi, Fabienne Thibeault

HISTOIRE

Cette merveilleuse chanson, *Un jour, tu verras,* sur un temps de valse lente, marque l'apogée de la carrière de Mouloudji. Avec des mots du cœur, simples comme bonjour, il nous fait vibrer et vivre un moment intime. Fait plutôt rare dans les annales de la chanson, ce texte sentimental parle du futur et laisse entrevoir aux amoureux un monde meilleur.

Mouloudji avait déjà à son actif deux grands succès : *La complainte des infidèles,* sur une musique de Van Parys et *Comme un p'tit coquelicot* (Grand Prix du disque en 1953), sur des paroles de Raymond Asso, parolier d'Édith Piaf.

Rien n'empêche que c'est *Un jour, tu verras* qui a changé la vie et la vocation de Marcel Mouloudji, jusque-là connu au théâtre et au cinéma. Voilà qu'il réalise enfin son rêve d'être interprète et de se produire sur de plus grandes scènes, à l'échelle de l'Hexagone, mais aussi dans d'autres pays francophones.

Un jour, tu verras fut créée par Mouloudji, en 1954, dans le film *Secrets d'alcôve,* où il chante la romance à Françoise Arnoul. Elle fut aussitôt reprise par Michèle Arnaud (1919-1998) et Jacqueline

François. En 1984, Mathé Altéry, Claude Nougaro et Michel Delpech enregistreront ce succès de Mouloudji.

Au Québec, Fabienne Thibeault, Michel Louvain, Christine Chartrand, Raymond Berthiaume, Jen Roger, Louis Bannet (au violon) ont aussi tenu à enregistrer cette mélodie d'atmosphère, véritable ritournelle à faire rêver.

Si la chanson a obtenu autant de succès auprès du public, le mérite revient également au compositeur Georges Van Parys (1902-1971). Après avoir laissé le droit, ce pianiste-accompagnateur de Lucienne Boyer, Arletty et Lys Gauty s'est tourné vers l'opérette et la musique de films. Il est à noter qu'il a composé la musique de 140 films.

Plusieurs succès des chansons de Van Parys viennent du cinéma, comme *C'est un mauvais garçon* (Henri Garat, Danielle Darrieux, Renaud), *La complainte de la Butte* (Cora Vaucaire), du film *French Cancan* de Jean Renoir, qui raconte l'histoire du Moulin Rouge.

Bien d'autres vedettes ont chanté les compositions de Van Parys: Fréhel, Maurice Chevalier, Édith Piaf, Pills et Tabet, les Compagnons de la chanson. Peu avant sa mort, Van Parys a publié sa biographie, *Les jours comme ils viennent,* dans lequel il consacre de belles pages à son ami Mouloudji.

Mouloudji

Né Marcel Mouloudji le 16 septembre 1922 à Paris

Issu d'un père Algérien et d'une mère bretonne, Marcel Mouloudji connaît une enfance difficile; ses parents ne peuvent joindre les deux bouts et vont d'un logement minable à l'autre. Le père, maçon, est musulman et communiste et la mère est catholique. Aucun d'eux ne pratique sa religion. Le fils préfère vivre dans les rues de son quartier plutôt qu'à l'école. Avec son frère André, on le voit exercer des métiers de vendeur d'oranges, de journaux et de cartes postales.

À 11 ans, le petit Marcel fait partie du groupe Maillot. Il chante *J'aime les femmes, c'est ma folie*... et tous les succès de Tino Rossi. Le comédien Jean-Louis Barrault, inconnu à ce moment-là, le remarque et l'engage au théâtre. Il va même l'héberger un certain temps dans son grenier des Grands-Augustins, qui deviendra plus tard l'atelier de Picasso. L'année suivante, Marcel Carné va le faire jouer dans un long métrage: *Jenny*. Mouloudji y fredonne une chanson de Jacques Prévert avec qui il deviendra ami.

Le jeune prodige, Moulou pour les intimes, prend des cours de théâtre à la célèbre école Dullin. Il tourne régulièrement avec les plus grands réalisateurs: Jacques Daroy (*La guerre des gosses*), René Guissart (*Ménilmontant*), Serge de Poligny (*Claudine à l'école*). Christian Jaque, pour sa part, l'engage dans six films. En 1952, Sacha Guitry lui donne un excellent rôle dans *La vie d'un honnête homme*. Entre 1936 et 1961, Mouloudji apparaîtra au grand écran à 37 reprises.

Pendant la Seconde Guerre, la carrière de Mouloudji si bien entamée va connaître des déboires et un certain ralentissement. Le 15 juillet 1944, il épouse la comédienne Florence Fouquet, qui mettra de l'ordre dans la vie de bohème de Moulou. Elle va jouer à ses côtés et l'aider à reprendre sa place au théâtre. On va l'applaudir dans *La route au tabac, Quatre femmes, La terre est ronde, Les Sargasses*. Au cinéma, ses rôles deviennent plus musclés et plus consistants.

Comme si la scène et le grand écran ne lui suffisaient pas, Mouloudji publie, en 1946, son premier roman, *Enrico,* qui sera couronné par le Prix de la Pléiade. Il expose aussi ses tableaux à Alger et à Paris. Où trouve-t-il le temps de faire tout cela et de s'occuper de ses deux fils? Beaucoup plus tard, on verra Gricha exercer le métier de son père dans *La chance aux chansons,* de Pascal Sevran. En 1950, Mouloudji donne son premier tour de chant au Gypsy's. Maurice Chevalier et Danica sont les premiers à l'encourager à poursuivre dans cette nouvelle voie et à se produire aux Trois Baudets, de Jacques Canetti.

Tout comme Juliette Gréco, Mouloudji devient vite une figure légendaire dans les boîtes de Saint-Germain-des-Prés et de Montmartre. Il chante *Le déserteur* (Boris Vian) interdite sur les ondes, *Rue de Lappe* (Francis Lemarque), *Si tu t'imagines* (Queneau-Kosma). Il chante des chansons de Bruant, Prévert, Bechet et les airs vieillots du Paris d'antan, comme *Le temps des cerises, Reviens, Vous êtes jolie, Envoi de fleurs.*

Avec le temps, on demande de plus en plus à Mouloudji d'interpréter ses propres compositions: *Le mal de Paris, Tu te moques, Les beatles de 40, La rose noire, Isabelle*. C'est à ce moment-là que Mouloudji traverse l'Atlantique pour venir chanter à Montréal au cabaret Sans-souci et Chez Gérard à Québec. À son retour à Paris, il triomphe à l'Olympia, en 1954, en covedette avec Sydney Bechet. La consécration arrive réellement avec *Un jour, tu verras.*

Bien que Mouloudji affirme que chanter lui plaît plus que tout, il continue de tourner des films et d'écrire des livres: *Un garçon sans importance,* en 1972, *Le petit invité,* en 1989. Il admet cependant que ses chansons lui rallient un plus vaste auditoire. On lui reproche de passer trop rarement à la radio et à la télévision. Il prend le temps de vivre et de voyager, notamment en Afrique du Nord.

Pour aider les gens de son milieu, Mouloudji crée sa propre maison de disques et fait connaître des artistes de valeur, comme Graeme Allwright, de la Nouvelle-Zélande. Les disques de Mouloudji consacrés à Jacques Prévert et à Boris Vian sont de véritables pièces de collection. Alors qu'il préparait un autre album, en 1994, il décède subitement à Neuilly-sur-Seine. Le poète des pavés et des faubourgs s'en est allé doucement vivre sur son étoile tout comme le Petit Prince de Saint-Exupéry.

UN JOUR, TU VERRAS...

Refrain
Un jour, tu verras, on se rencontrera,
Quelque part, n'importe où, guidés par le hasard,
Nous nous regarderons et nous nous sourirons,
Et, la main dans la main, par les rues nous irons.

Le temps passe si vite, le soir cachera bien nos cœurs,
Ces deux voleurs qui gardent leur bonheur;
Puis nous arriverons sur une place grise
Où les pavés seront doux à nos âmes grises.

Il y aura un bal, très pauvre et très banal,
Sous un ciel plein de brume et de mélancolie.
Un aveugle jouera de l'orgu' de Barbarie
Cet air sera pour nous le plus beau, l'plus joli!

Moi, je t'inviterai, ta taille je prendrai
Nous danserons tranquill' loin des gens de la ville,
Nous danserons l'amour, les yeux au fond des yeux
Vers une nuit profonde, vers une fin du monde.

Refrain

QUAND LES HOMMES VIVRONT D'AMOUR

1956

Paroles et musique: Raymond Lévesque

INTERPRÈTES

Raymond Berthiaume, Robert Charlebois, Chorale de l'Accueil Bonneau, Eddie Constantine, Nicole Croisille, Luce Dufault, Félix Leclerc, Raymond Lévesque, Michel Louvain, Enrico Macias, Les Disciples de Massenet, Jacqueline Néro, Offenbach, Marie Denise Pelletier, Fernand Robidoux, Fabienne Thibeault, Claude Valade, Cora Vaucaire, Gilles Vigneault

HISTOIRE

Arrivé à Paris en 1954, Raymond Lévesque gagne sa vie, tant bien que mal, en chantant tous les soirs dans deux ou trois petites boîtes de la place de la Contrescarpe à Saint-Germain-des-Prés et de la Place du Tertre à Montmartre. Il est très heureux de se produire *Chez ma cousine* ou *Chez Patachou,* avant ou après Jacques Brel, Barbara et Guy Béart. Il espère trouver l'imprésario qui pourra lui donner sa chance, comme cela a été le cas pour Félix Leclerc. Sinon, il se promet de rentrer au Québec.

En 1956, un soir de cafard, alors qu'il est attablé avec un ami, Jean Gourd, dans un petit bar de Marseille, Raymond Lévesque contemple le Fort Saint-Nicolas qui abrite les joyeux soldats de la Légion étrangère. Lui vient alors l'idée de s'engager et de signer un contrat de cinq ans, nourri, habillé et logé aux frais de la Légion. Mais une fois les vapeurs de vin évaporées, le triste luron à la recherche du temps qui passe, se rend compte qu'il n'a pas du tout la trempe d'un militaire.

Autour de Raymond Lévesque, on ne parle ni de poésie ni de chanson. On évoque plutôt la guerre d'Algérie qui fait rage. Les médias racontent que 1000 chars russes ont envahi Budapest pour mâter la révolution hongroise et qu'à Moscou, on vient de déboulonner la statue de Staline. Les seules bonnes nouvelles concernent Grace Kelly qui devient princesse de Monaco et la môme Piaf qui enregistre *Milord,* une composition de son amoureux de transit, Georges Moustaki, sur une musique de Marguerite Monnot.

Arrivé à Paris au petit matin gris, à bord d'un train bourré de soldats, Raymond Lévesque rentre dans son logis, boulevard Péreire, pour réviser et colliger ses notes éparses enfouies dans ses poches et dans son baluchon. Deux jours durant, sans dormir, posté devant son vieux piano, il écrit *Quand les hommes vivront d'amour.*

Deux ans avant, en 1954, alors qu'il chante dans les cabarets parisiens, par le plus pur des hasards, Raymond Lévesque rencontre Eddie Barclay, monarque du disque en Europe, qui va lui permettre d'enregistrer quelques chansons. En 1956, Barclay l'invite à lui chanter sa nouvelle composition. Eddie Constantine, créateur du personnage de Lemmy Caution au cinéma, entre en studio pour l'enregistrer. Et le nom de Raymond Lévesque de devenir aussitôt célèbre.

La radio se met à faire tourner *Quand les hommes vivront d'amour,* mais aussi *Les trottoirs,* l'autre face du 78 tours d'Eddie Constantine. Lorsque Jacqueline Néro fait ses débuts comme interprète, elle s'empresse de reprendre le succès de l'heure tout comme Cora Vaucaire qui l'ajoute sur son microsillon. Depuis 1956, une trentaine d'artistes ont repris cette mélodie dans plusieurs langues: allemand, espagnol, portugais, catalan, occitan, mais pas encore en anglais. L'auteur se demande d'ailleurs si les Anglais et les Américains préfèrent vivre en amour ou en état de guerre.

Raymond Lévesque

Né le 7 octobre 1928, à Montréal

Fils de l'éditeur Albert Lévesque et de Jeanne Labrecque, décédée prématurément, le jeune Raymond apprend la musique avec Rodolphe Mathieu, père du célèbre pianiste André Mathieu. Il s'initie également au théâtre avec Madame Audet, alias Yvonne Duckett. Après 50 ans de vie artistique et la création de 500 chansons, dont *Quand les hommes vivront d'amour,* le poète et guerrier pacifiste entreprend maintenant une carrière d'écrivain à plein temps pour oublier la profonde surdité dont il est affligé depuis plusieurs années.

C'est comme garçon de table, au Copacabana, que Raymond Lévesque fait la connaissance du chanteur Fernand Robidoux, qui l'encourage à écrire des chansons et à les interpréter en public. Il a alors tout juste 16 ans. En 1949, Fernand Robidoux et Jacques Labrecque enregistrent plusieurs de ses chansons. Toujours en 1949, il travaille au cabaret Le Faisan doré. Tout en ramassant les bouteilles vides, il apprend les rudiments du métier en observant le travail de Jacques Normand, de Monique Leyrac, de Jean Rafa, de Clairette et du duo Pierre Roche et Charles Aznavour. Un soir, Raymond Lévesque est invité à faire un monologue qu'il intercale entre *Les bûcherons* et *Le cœur du bon Dieu.* Dès lors, à la radio, au cabaret, au théâtre et, à partir de 1952, à la télévision, le voilà tout d'un coup animateur, chanteur et comédien.

En 1954, Raymond Lévesque traverse l'océan avec son camarade Serge Deyglun, guitariste et chanteur, pour tenter sa chance en France. Les deux compères mènent la vie de bohème dans toutes les boîtes à la mode de Paris où pullule la faune artistique. On les rencontre dans tous les cabarets: L'Écluse, La Colombe, L'Échelle de Jacob, Les Capucins, Le Port du Salut, Chez Moineau. Et le duo québécois d'attirer l'attention des vedettes montantes de l'époque.

Eddie Barclay inscrit Raymond Lévesque sur la liste de ses protégés. Il y rejoint ainsi des noms célèbres : Brigitte Bardot, Léo Ferré, Dalida. Sur l'étiquette Barclay, Raymond Lévesque enregistre ses premières chansons. Mais d'autres artistes interprètent également ses chansons et les propulsent au palmarès : Bourvil, Jean Sablon, Guylaine Guy (*À Rosemont sous la pluie*), Pauline Julien (*Bozo-les-culottes*), Dominique Michel (*La famille, La petite Canadienne*) et Yoland Guérard (*À la brunante*).

À l'automne 1958, après une tournée en France avec Annie Cordy, le Québécois errant rentre chez lui où il est ovationné pour son immortelle chanson *Quand les hommes vivront d'amour.* En mai 1959, Raymond Lévesque participe à la fondation de la troupe *Les Bozos* avec Jean-Pierre Ferland, Clémence DesRochers, Hervé Brousseau, le pianiste André Gagnon et Claude Léveillée, qui sera remplacé par Jacques Blanchet. C'est le début de leur boîte à chansons Chez Bozo, sise à Montréal, sur la rue Crescent. Par la suite, Raymond Lévesque fait la tournée des boîtes à chansons et des théâtres d'été, monte des revues d'actualité et enregistre six microsillons. En 1965, Pauline Julien lui rend hommage en gravant 12 de ses chansons sur un album intitulé *Pauline Julien chante Raymond Lévesque.* Fernand Robidoux suivra cet exemple.

L'ardent polémiste à ses heures est aussi père de cinq enfants. Depuis 18 ans, il vit à Longueuil, à deux pas de sa grande amie Céline Arseneault, mère de ses deux derniers enfants. Tout au long des années 90, Raymond Lévesque a reçu de nombreux hommages. La Société Saint-Jean-Baptiste l'a proclamé Patriote de l'année, en 1992. Il a aussi été décoré de l'Ordre national du Québec, en 1997. L'année suivante, l'Office National du Film et la société Radio-Canada ont présenté à la télévision et au cinéma : *Raymond Lévesque d'amour et d'amertume.* Il a obtenu le Prix du Québec (Trophée Denise-Pelletier) et un grand prix de l'ADISQ en 1980, le trophée « Témoignage ». Il a aussi été nommé Grand Montérégien.

QUAND LES HOMMES VIVRONT D'AMOUR

Quand les hommes vivront d'amour
Il n'y aura plus de misère
Et commenceront les beaux jours
Mais nous, nous serons morts mon frère

Quand les hommes vivront d'amour
Ce sera la paix sur la Terre
Les soldats seront troubadours
Mais nous, nous serons morts mon frère

Dans la grande chaîne de la vie
Où il fallait que nous passions
Où il fallait que nous soyons
Nous aurons eu la mauvaise partie

Quand les hommes vivront d'amour
Il n'y aura plus de misère
Peut-être song'ront-ils un jour
À nous qui serons morts mon frère

Mais quand les hommes vivront d'amour
Qu'il n'y aura plus de misère
Peut-être song'ront-ils un jour
À nous qui serons morts mon frère

Nous qui aurons aux mauvais jours
Dans la haine et puis dans la guerre
Cherché la paix, cherché l'amour
Qu'ils connaîtront alors mon frère

Dans la grand'chaîne de la vie
Pour qu'il y ait un meilleur temps
Il faut toujours quelques perdants
De la sagesse ici-bas c'est le prix

Quand les hommes vivront d'amour
Il n'y aura plus de misère
Et commenceront les beaux jours
Mais nous, nous serons morts mon frère

Quand les hommes vivront d'amour
Ce sera la paix sur la terre
Les soldats seront troubadours
Mais nous, nous serons morts mon frère

ON CRÉE ET ON CHANTE
1960-1969

COMME D'HABITUDE / BELLES, BELLES, BELLES
Claude François, 1939-1978

LA RONDE / MOÏRA / MON VIEIL AMOUR
Marc Gélinas, 1937-2001

LES ENFANTS DU PIRÉE / ZORBA
Mélina Mercouri, 1923-1994

TOUS LES GARÇONS ET LES FILLES
Françoise Hardy, 1944-

TON VISAGE
Jean-Pierre Ferland, 1933-

CAPRI, C'EST FINI / FAIS-LA RIRE
Hervé Vilard, 1946-

ADIEU MONSIEUR LE PROFESSEUR
Hugues Aufray, 1932-

LA MONTAGNE / MA FRANCE / MA MÔME
Jean Ferrat, 1930-

UN CERTAIN SOURIRE / LOUISE
Michel Louvain, 1937-

Aline (Christophe), L'école est finie (Sheila), Ma vie (Alain Barrière), Poupée de cire, poupée de son, Sacré Charlemagne (France Gall), Le métèque (Georges Moustaki), Paname (Léo Ferré), La Javanaise (Serge Gainsbourg), Inch Allah (Salvatore Adamo), Que je t'aime (Johnny Hallyday), Comme d'habitude (Claude François), Nos vieilles maisons (Muriel Millard), Un homme (Shirley Théroux), J'entends siffler le train (Richard Anthony), Liverpool (Renée Martel)

FRÉDÉRIC
1962

Paroles et musique : Claude Léveillée

INTERPRÈTES

Richard Abel, Isabelle Boulay, Neil Chotem, Nicole Croisille, Disciples de Massenet, Jacques Douai, André Gagnon, Réal Giguère, Daniel Guichard, Lucien Hétu, Claude Léveillée

HISTOIRE

Une vie remplie de toutes les disciplines et de toutes les facettes du métier d'artiste à plein temps, voilà le portrait de Claude Léveillée. Depuis l'accouchement de *Frédéric,* en 1962, le septuagénaire actif continue d'innover et de laisser des traces. Sa mélodie est un vrai diamant au panthéon de la chanson francophone.

Au mois d'août 1959, Édith Piaf, pourtant déjà très malade, confine Claude Léveillée chez elle à Paris, au 67 bis du boulevard Lannes. Cela durera près de deux ans. Elle veut être certaine de ne rien manquer et de suivre à la trace le travail de compositeur de son protégé. Deux mois avant, elle découvrait Léveillée à Montréal, lors d'une visite impromptue à la boîte à chansons Chez Bozo, après avoir présenté son spectacle au Casino Bellevue. Dès ce jour, la vie du jeune auteur est chambardée. Il met fin à un récent mariage secret et décide de s'envoler sans le sou pour la France, répondant ainsi à l'invitation pressante d'Édith Piaf. Son rêve de liberté et sa recherche de nouveaux défis se concrétisent. C'est peu après son arrivée à Paris qu'il apprend la naissance d'un fils, Pascal. En 1983, la disparition tragique de cet enfant lui inspirera un très beau texte, *Le Pierrot lunaire*.

Le résultat de ces dures années passées à Paris, à travailler sous l'œil protecteur et sévère de la «môme Piaf», est probant pour Claude Léveillée, qui compose *Les vieux pianos*, *Boulevard du crime*, *Ouragan*, *La vie* et *Le long des quais*. Ces chansons s'ajoutent aussitôt au répertoire de la célèbre chanteuse lors de sa rentrée à l'Olympia. Claude Léveillée écrit aussi la musique d'une comédie-ballet chantée et dansée, *La Voix*, que Piaf, en raison de sa maladie, ne pourra jamais créer. Elle meurt en 1963. Il faudra attendre 1965, pour que La *Voix* soit montée, enregistrée et présentée à la télévision française. Au contact des gens qui passent chez Piaf, les Monnot, Cocteau, Girardot, Meurisse, Moustaki, le Québécois en apprend beaucoup sur la vie et sur le monde des arts. «Piaf m'a inculqué la rigueur artistique et le respect du métier», déclare-t-il.

C'est à la même époque, sous le ciel de Paris, que Claude Léveillée compose également *Frédéric*, une chanson qui le mènera un peu plus tard au vedettariat, alors qu'il se produit dans les grands théâtres de France et de Belgique. *Frédéric* est une superbe chanson qui parle des amours de ses 20 ans, de ses chagrins et de ses émotions, avec des mots magiques de tous les jours qui évoquent l'enfance: «Papa qui aimait bien Chopin, les copains et la fête des amants qui ne dure qu'un printemps.»

Pour Claude Léveillée, 1962 est une année charnière dans sa vie. De nouvelles mélodies voient le jour: *Par delà des âges*, *Le doux temps des amours*, *Le chemin du roy*. Cette année-là, le créateur n'est pas insensible aux événements qui se produisent dans le monde, entre autres, la mort de Marilyn Monroe et l'indépendance de l'Algérie. Quant au chanteur Adamo, il chante *Tombe la neige*, une chanson qui est un peu comme un signe pour Léveillée, un signe qui lui dit qu'il est temps de rentrer chez lui, au Québec, où on l'attend pour consacrer *Frédéric*.

Claude Léveillée

Né le 16 octobre 1932, à Montréal

Après bientôt 50 ans de carrière, une quarantaine d'albums comprenant 500 chansons, des douzaines de rôles au théâtre, à la télévision et au cinéma, Claude Léveillée n'est pas prêt de s'arrêter. Pas de repos du guerrier pour cet homme passionné dont les souvenirs évoquent, encore maintenant, un passé à la fois douloureux et joyeux. Il conserve à son annulaire la bague de son père, décédé en 1992, que sa mère lui avait offerte en 1918.

Claude Léveillée est avare de confidences. Il évite de parler de son enfance dans le quartier de la Petite-Patrie à Montréal. Sa mère, Laurette Lalonde, qui a vécu sur une ferme pendant son enfance, adore la musique et enseigne le piano. Son père, Pierre, fonctionnaire et maître de chapelle, lui dit à voix basse: «Quoi que tu fasses, tu peux rater ta carrière, mais ne rate pas ta vie.» Son frère aîné, Jean, deviendra décorateur à Radio-Canada et sa sœur, Raymonde, infirmière.

C'est en 1955 que Claude Léveillée découvre un nouveau monde, alors qu'il interprète ses toutes premières chansons dans la revue *Bleu et or* et qu'il y joue le personnage de Liberace, avec des costumes flamboyants sertis de perles. Ce spectacle est présenté à l'Université de Montréal où le jeune compositeur étudie en sciences sociales et politiques. Au Théâtre Anjou, il chante des chansons de Gilbert Bécaud et ses premières compositions devant les étudiants des Beaux-Arts. C'est ainsi qu'il attrape le virus du spectacle. À la télévision de Radio-Canada, Michèle Tisseyre l'invite à *Music-Hall*.

Dès 1956, il fait ses débuts dans les téléséries pour enfants à la télévision de la SRC dans *Rodolphe*, *La lanterne magique* et *Domino* où il devient M. Papillon et Cloclo, au petit écran et sur disques. Musicien dans l'âme, le pianiste joue aussi de la flûte, de l'harmonica et de l'accordéon. Il compose plusieurs chansons pour Lise Roy, qui les interprète à l'émission *La boîte à surprises.* Andrée D'Amour enregistre *Un ciel est à louer* et *Montréal quand tu t'allumes.*

En 1957, Paul Buissonneau, ex-Compagnon de la chanson, amène Claude Léveillée à faire du théâtre et ce dernier apprend les rudiments du métier à la Roulotte de la ville de Montréal.

En avril 1959, en pleine vogue des boîtes à chansons au Québec, Claude Léveillée fonde les BOZOS et Chez Bozo avec Jean-Pierre Ferland, Clémence DesRochers, Jacques Blanchet, Hervé Brousseau, Raymond Lévesque et le pianiste André Gagnon. Mais en août 1959, le départ inattendu de l'artiste pour Paris, en réponse à l'invitation d'Édith Piaf, crée des remous au sein du groupe en pleine ascension.

De retour dans la métropole, en 1961, Claude Léveillée se voit confier la direction artistique de la boîte à chansons Le Chat noir, une salle attenante au cinéma Élysée, appartenant au docteur Jean-Paul Ostiguy. Il engage aussitôt Gilles Vigneault, pour lequel il mettra en musique plusieurs de ses beaux textes: *Le rendez-vous, Votre visage, Comme guitare, L'hiver,* fleuron de Monique Leyrac. De cette collaboration Léveillée-Vigneault, naîtront près d'une trentaine de chansons tout au long des années 60. À cette époque, Claude Léveillée fréquente également la comédienne Louise Latraverse. Elle lui présente son jeune frère, Guy, qui deviendra son premier agent. Après quelques spectacles, notamment à la salle du Plateau, il sera le premier chanteur populaire québécois à se produire à la Place des Arts en 1964, sous la férule de Guy Latraverse.

En 1961, Léveillée enregistre son premier microsillon, avec, entres autres, *Le vieux piano* et *Le rendez-vous.* Lancé en janvier 1962, cet album remporte le Grand Prix du disque de CKAC et celui du Festival du disque. Claude Léveillée chante *Frédéric* dans toutes les boîtes à chansons du Québec. Sa collaboration avec André Gagnon, son directeur musical de 1962 à 1969, donne lieu à la création de merveilles, entre autres, les albums *Léveillée-Gagnon* (1965) et *Une voix et deux pianos* (1967), avec Nicole Perrier.

Mais Léveillée a toujours les yeux tournés vers l'Europe et les États-Unis. Il crée la trame musicale de *Gogo loves you*, présentée Off-Broadway. En 1965, David Merrick présente la comédie musicale signée Léveillée et Anita Loos. En décembre de la même année, Paris l'accueille à Bobino avec le chanteur Philippe Clay et à l'Olympia. La tournée se poursuit en Belgique, sur scène et sur les ondes, avec *Frédéric,* mais aussi avec *Taxi, Emmène-moi, Tu m'auras donné, Je viendrai mourir* et *La scène,* devenue la chanson d'ouverture du spectacle de Colette Renard. En 1966, à l'occasion de l'Expo 67, il est invité au *Ed Sullivan Show* (CBS), puis il prend l'affiche à la Comédie Canadienne. Cette année-là, il reçoit le prix La Bolduc en tant que meilleur auteur-compositeur-interprète au Festival du disque. En 1968, il s'envole pour l'URSS, où il donne 27 récitals. En 1969, il fait la Place des Arts avec l'Orchestre symphonique de Montréal. Pendant ce temps, Roger Williams enregistre *Only for lovers,* une traduction de *Pour les amants,* laquelle monte aux premières places du palmarès américain.

En 1970, il chante à l'Exposition universelle d'Osaka, au Japon. En 1972, Claude Léveillée représente son pays au Festival de Sopot, en Pologne, et repart en tournée en URSS, en Belgique, en Suisse, en Asie centrale et en Suède. À son retour d'outre-mer, il enregistre chez Barclay *La vie en elle*, un album remarquable dont Guy Godin signe les paroles et sur lequel il fait la narration. C'est l'époque où Claude Léveillée épouse la comédienne Monique Miller.

Dans *Les amoureux de l'an 2000,* le poète ne cache pas ses faiblesses et ses états d'âme. Après l'enregistrement de son trentième disque, en 1975, Claude Léveillée est appelé à se produire de nouveau sur plusieurs scènes américaines, lors de grands festivals de jazz.

De retour à Montréal, le rideau s'ouvre sur lui à la Place des Arts et partout au Québec.

Le 24 juin 1976, il triomphe sur le mont Royal dans *Une fois cinq,* aux côtés de Robert Charlebois, Yvon Deschamps, Gilles Vigneault et Jean-Pierre Ferland. En décembre 1976, au Théâtre de l'Île, à l'île d'Orléans, il donne 20 récitals en compagnie de Félix Leclerc. En 1978, dans le cadre du 370e anniversaire de la fondation de la ville de Québec, Claude Léveillée crée au Grand Théâtre *Concert pour Hélène,* avec l'Orchestre symphonique de Québec et la chanteuse Danièle Licari.

Puis les tournées reprennent à vive allure : 12 spectacles en Algérie et un passage inoubliable à la Place des Arts avec André Gagnon. En 1984, Claude Léveillée participe à *Trois fois chantera,* avec Claude Gauthier et Pierre Létourneau et donne 40 représentations au Québec et au Nouveau-Brunswick. L'année suivante, il présente son nouveau spectacle, *Tu t'rappelles Frédéric,* accompagné par André Gagnon. Au Petit Champlain, à Québec, il donne 15 représentations d'*Un homme, un piano,* un spectacle qui deviendra un film en 1986. En 1988, Claude Léveillée, accompagné par l'Orchestre symphonique de Laval, attire 45 000 personnes au Centre de la nature de Laval. Puis, en 1989, il sort un nouvel album avec *Enfin revivre* et *Pierrot lunaire*.

Dans les années 90, la vie de l'artiste se déroule au rythme de ses nombreuses comédies musicales, pièces de théâtre et films, dont on lui demande d'écrire la musique. En 1991, le cinéaste Jacques Labrecque tourne un film sur la vie de Claude Léveillée au moment où il a côtoyé Édith Piaf, film présenté aux festivals de cinéma de Blois, de Namur et d'Abitibi.

Comme comédien, Claude Léveillée joue dans les films *Jésus de Montréal* (1988) et *Les fils de la liberté*. Débutant en 1991 dans la télésérie *Scoop,* de Fabienne Larouche et Réjean Tremblay, il campe pendant quatre ans le personnage du milliardaire et homme d'affaires Émile Rousseau. Malgré toute cette activité où il met en valeur ses grands talents d'acteur, il revient en force à la musique en 1994, au Monument National, au Capitole de Québec, aux FrancoFolies de Montréal et au Festival de Marnes, en Suisse, où il donne un concert avec Juliette Gréco. Cette année-là, il anime aussi la télésérie *Les immortelles.*

En 1997, Claude Léveillée parcourt le Québec avec son nouveau spectacle, *Bagages oubliés* et produit un autre album : *Un homme, un piano.* Il n'a plus le temps de compter tous les prix et reconnaissances dont il est honoré. Il est tour à tour récipiendaire de la médaille Jacques-Blanchet pour l'excellence de son œuvre, officier de l'Ordre du Canada, chevalier de la Légion d'honneur en France et chevalier de l'Ordre national du Québec. À la fin de 1999, il se produit de nouveau aux FrancoFolies de Montréal et reçoit le prix *Félix hommage,* au Gala de l'ADISQ. Un double album pour enfants voit aussi le jour.

En juin 2000, Claude Léveillée est l'invité d'honneur au Festival Pully, en Suisse. Accompagné par l'Orchestre symphonique de Lausanne, plusieurs invités spéciaux se retrouvent à ses côtés, dont Isabelle Boulay, Mario Brassard et Jorane. Par ailleurs, les grandes chansons de Claude Léveillée ont été enregistrées à plusieurs reprises par plusieurs vedettes: Daniel Guichard, Pauline Julien, Jacques Douai, Nicole Croisille, Catherine Sauvage, Colette Renard, Monique Leyrac, Michel Girouard, Lucille Dumont, Ertha Kitt et Renée Claude, qu'il retrouvera dans le spectacle *Partenaires dans le crime,* monté avec cette dernière en 1986, et qui sera diffusé sur la chaîne TV5.

De nos jours, Claude Léveillée mérite bien de se reposer dans son domaine de Saint-Benoît, près de l'aéroport de Mirabel. Il est davantage porté vers la terre que vers le ciel et les départs d'avions le laissent indifférent. Cet homme à la carrière exceptionnelle se promène dans sa forêt et son érablière, près du lac, parle à sa chienne Louve et aux animaux du voisinage, et vit des jours heureux. Épanoui, serein, il se passionne toujours autant pour son métier d'artiste que pour le Québec.

Dans la mini-biographie sur Claude Léveillée publiée aux Éditions de l'Homme en 1990, Daniel Guérard écrit avec raison: «Comme Félix Leclerc, indifférent au vedettariat, il sera indéfectiblement fidèle à ses valeurs et à son pays.» Le parcours de cet artiste est un bel exemple pour la relève. Dans sa chanson *Les Patriotes,* écrite en 1961, il écrit des vers qui sont toujours d'actualité:

Portez très haut votre drapeau
Nous n'en avons pas, nous n'en avons guère
Alors portez très haut votre pays
Celui que nous sommes en train de refaire.

Depuis 1985, ce grand artiste qui a convolé en justes noces à quatre reprises et connu de belles histoires d'amour, partage les bons moments de sa vie avec Hélène Letendre. Enfin, toute sa vie, Claude Léveillée a eu le bonheur de vivre en harmonie avec ses parents, nés en 1901. Son père est décédé en 1992 et sa mère, en 1997. «L'émotion est profonde, dit-il, quand on perd des êtres chers.»

Dans son livre biographique, dont il publiera le premier tome en 2003, l'artiste se racontera sans détours. Il parlera sûrement de sa saga musicale pour enfants, mettant en vedette différents animaux. D'ici là, il trouvera le temps de jouer dans la télésérie *Tabou* et de se produire dans 50 villes pour préparer son grand spectacle soulignant ses 50 ans de vie artistique.

FRÉDÉRIC

Je me fous du monde entier quand Frédéric
Me rappelle les amours de nos vingt ans,
Nos chagrins, notre chez-soi, sans oublier
Les copains des perrons aujourd'hui dispersés aux quatre vents,
On n'était pas des poètes, ni curés, ni malins,
Mais papa nous aimait bien,
Tu t'rappelles le dimanche,
Autour de la table, ça riait, discutait,
Pendant que maman nous servait. Mais après.

Après la vie t'a bouffé comme elle bouffe tout le monde
Aujourd'hui ou plus tard et moi j'ai suivi
Depuis l'temps qu'on rêvait de quitter les vieux meubles
Depuis l'temps qu'on rêvait de se retrouver enfin seul
T'as oublié Chopin, moi j'ai fait de mon mieux
Aujourd'hui tu bois du vin, ça fait plus sérieux
Le père prend des coups d'vieux, et tout ça fait des vieux

Après ce fut la fête, la plus belle des fêtes,
La fête des amants ne dura qu'un printemps,
Puis l'automne revint, cet automne de la vie.
Adieu bel arlequin, tu vois qu'on t'a menti :
Écroulés les châteaux, adieu nos clairs de lune,
Après tout faut c'qui faut, il faut s'en tailler une.
Une vie sans argument, une vie de bon vivant.
La la la. Tu te rappelles... Frédéric... Allez... Au revoir

C'EST BEAU LA VIE

1963

Paroles : Claude Delecluse et Michèle Senlis
Musique : Jean Ferrat

INTERPRÈTES

Isabelle Aubret, Jean Ferrat, Michel Louvain, Claude Valade

HISTOIRE

Isabelle Aubret, de son vrai nom Thérèse Coquerelle, est née en France, à Lille, en 1938, dans une famille modeste de 11 enfants. Au début des années 60, elle a le vent dans les voiles. Elle remporte le Grand Prix de l'Eurovision avec *Un premier amour* (1961) et demeure plus de huit mois au palmarès avec *Deux enfants au soleil*. Mais en 1963, Isabelle Aubret est victime d'un terrible accident de la route et elle est alors obligée d'interrompre sa carrière. Chaque fois que les gens lui demandent « Comment va la vie ? », elle répond « C'est beau, la vie ». Elle a alors l'idée de demander à différents auteurs (Michèle Senlis, Claude Delecluse, J. C. Annoux, etc.) de lui écrire les paroles d'une chanson intitulée *C'est beau la vie*.

En tant que parolière, Michèle Senlis est liée à Claude Delecluse depuis le jour où toutes deux ont écrit *C'est à Hambourg* pour Germaine Montero, sur une musique de Marguerite Monnot. En 1964, Isabelle Aubret choisit finalement leur texte. Elle est en pays de connaissance puisqu'elle a préalablement enregistré *Deux enfants au soleil* des mêmes auteurs. Elle confie tout naturellement ce texte à Jean Ferrat qui en écrit aussitôt la musique et enregistre la chanson qui deviendra un classique de la belle chanson française.

Au même moment, Isabelle Aubret entre en studio pour graver elle aussi sur disque *C'est beau la vie,* en dépit de la douleur qui l'afflige et de ses nombreuses cicatrices. Cette mélodie inoubliable lance sa carrière dans toute la francophonie.

C'est beau la vie permet à la talentueuse Lilloise de traverser ses épreuves et de devenir l'interprète d'Aragon, de Jean Ferrat et de Jacques Brel qui lui cède les droits de *La Fanette* et lui donne la chance de se produire avec lui à l'Olympia, en 1963.

Après son accident, Isabelle Aubret reviendra sur cette scène avec Adamo et, par la suite, en 1968, à Bobino, d'abord avec Félix Leclerc, puis avec les Compagnons de la chanson. Cette même année, elle est de nouveau la grande gagnante du prix de l'Eurovision avec un autre grand succès: *La source.*

Avec *C'est beau la vie* et un répertoire approprié (*La Source, Beyrouth, Nous dormirons ensemble*), Isabelle Aubret est acclamée en Allemagne, en Finlande, au Maroc, en Tunisie, en Algérie, en Union soviétique et à Cuba.

En 1976, au Festival de Tokyo au Japon, elle est sacrée meilleure chanteuse au monde, au grand bonheur de son célèbre producteur Gérard Meys qui est aussi l'éditeur des grandes chansons de Juliette Gréco, d'Anne Sylvestre et de Jean Ferrat.

Quant au public québécois, il fera la fête à Isabelle Aubret au Théâtre Arlequin, en 1986, et à la Place des Arts, à Montréal, en 1994.

Née à Paris en 1933, la parolière Michèle Senlis a écrit d'autres beaux textes pour Jean Ferrat: *Les nomades, Les belles étrangères, Quatre cents enfants noirs.* On lui doit aussi les paroles de *Mon vieux,* interprétée en 1963 par Jacques Boyer et Jean-Louis Stain, sur une musique de Jean Ferrat. En 1974, Daniel Guichard a réenregistré *Mon vieux* en modifiant quelques paroles et en cosignant cette nouvelle version avec les auteurs d'origine.

Avec de telles chansons, il n'est pas surprenant que Michèle Senlis reçoive le Grand Prix de la chanson française en 1963, conjointement avec Claude Delecluse (née à Paris en 1920). Cette dernière a également signé les paroles de *Deux enfants au soleil* destinée à Jean Ferrat et *Les amants de Vérone* pour Isabelle Aubret. On lui doit aussi *Lorsqu'on est heureux,* sur une musique de Francis Lai, interprétée par Jacqueline Dulac.

Au Québec, en 1965, Claude Valade va populariser *C'est beau la vie* et l'on retrouvera cette chanson sur son premier microsillon produit sur l'étiquette Rusticana, de Roger Miron. Ce dernier est l'auteur de *À qui le p'tit cœur,* succès d'époque vendu à 300 000 exemplaires et repris par Alain Morrisod et Sweet People. Et 36 ans plus tard, il arrive encore que le public demande à Claude Valade d'interpréter sur scène cette mélodie de toujours : *C'est beau la vie.*

Jean Ferrat

Né Jean Tenenbaum, le 26 décembre 1930, à Vaucresson, en France

---

Selon l'auteur Eric Zimmermann, Jean Ferrat est, au même titre que Francis Lemarque et Yves Montand, un chanteur populaire au sens le plus profond et le plus digne du terme. Jean Ferrat entreprend en même temps que Guy Béart sa longue marche vers le succès alors qu'il commence à chanter au cabaret La Colombe, sur la rive gauche, à Paris, en 1954. C'est du reste là qu'il rencontre sa future épouse, Christine Sèvres, mais aussi celui qui va devenir son éditeur, ami et producteur, Gérard Meys.

Précisons que Christine Sèvres (1931-1981) a joué un rôle important dans la vie de Jean Ferrat. Le couple a chanté en duo *Tu es venu*. Mais après la sortie d'un album en 1968, elle abandonne le métier et se retire dans la maison familiale en Ardèche. Elle ne sortira de cet exil volontaire qu'une seule fois, pour chanter *La Matinée* avec son mari. Il va sans dire que Jean Ferrat est considéré comme l'un des chefs de file de la belle chanson française, même s'il ne monte plus sur scène depuis 1973. Malgré son absence de la scène depuis près de 30 ans, ses albums se vendent toujours à des millions d'exemplaires.

Il est comme un écorché vif dès l'âge de 12 ans, parce que son père, un artisan joaillier de profession, ne reviendra jamais du camp de concentration d'Auschwitz. À la suite de cette tragique expérience du racisme et du totalitarisme, Jean Ferrat n'aura de cesse de dénoncer leurs manifestations. À la fin des années 40, il se met à la guitare, puis en 1946, alors âgé de 16 ans, il découvre la poésie de Federico Garcia Lorca. Plus tard, il se met à chanter les poèmes de Prévert ainsi que les répertoires de Montand et de Mouloudji. En 1956, Jean Ferrat met en musique un texte de Louis Aragon, *Les yeux d'Elsa,* qui deviendra instantanément un succès du répertoire d'André Claveau.

En 1960, Ferrat fait la rencontre de trois personnes qui vont jouer un rôle central dans sa carrière : le poète Louis Aragon, l'arrangeur Alain Goraguer (qui travaille, entre autres, avec Boris Vian) et l'éditeur et manager Gérard Meys. Et c'est en 1961 que sa carrière prend véritablement son envol, lors du lancement de son second microsillon, *Deux enfants au soleil.* Il chante six mois d'affilée à l'Alhambra, en première partie de Zizi Jeanmaire. Il y retourne en vedette, en 1965, avec ses propres chansons : *La montagne, Ma môme, Eh! L'amour, C'est toujours la première fois,* sans oublier *Nuit et Brouillard,* une évocation de l'époque douloureuse de la Deuxième Guerre mondiale, un hommage discret et puissant à tous les déportés.

Après ses triomphes à Bobino et une tournée européenne, en juin 1967, Jean Ferrat s'envole pour Cuba avec son épouse afin de chanter à La Havane et à Santiago. Il est le premier chanteur à texte à se produire dans ce pays. Ayant constaté les changements apportés par la révolution de Fidel Castro et Che Guevara, dès son retour en France, le visionnaire enregistre *À Santiago, Cuba Si* et *Les Guerilleros,* qui s'ajoutent à *Camarade* et *Potemkine.*

Les événements de mai 1968 à Paris et la répression du Printemps de Prague lui inspirent d'autres chansons engagées, comme *Au printemps de quoi rêvais-tu, Ma France, Hop là nous vivons, Un jour futur.*

En 1970 et en 1972, au Palais des Sports, à la Porte de Versailles, Jean Ferrat attire des foules de 60 000 à 100 000 spectateurs durant trois semaines consécutives.

Mais en 1973, après avoir réalisé une tournée en France, au Québec et ailleurs dans le monde, il décide de se retirer à Antraignes, dont il devient conseiller municipal et adjoint du maire pendant 12 ans.

Il quitte également la compagnie Barclay et fonde sa propre maison de disques. Avec son ami Gérard Meys, fondateur des Éditions Alléluia, en 1960, Jean Ferrat se consacre désormais à la production de toutes ses chansons et poursuit une fructueuse carrière discographique. Dès lors, épisodiquement, à peu près tous les cinq ans, Ferrat offre à son public un nouvel album: *La femme est l'avenir de l'homme* (1975), *Le bilan* (1980), *Je ne suis qu'un cri* (1985).

En 1991, tout de suite après la chute du mur de Berlin et de l'URSS, Jean Ferrat sort *Dans la jungle ou dans le zoo* mais aussi un coffret de cinq albums comprenant 113 chansons. Vers la fin 1994, il met en musique 16 nouveaux poèmes d'Aragon. Et Universal de lancer deux autres albums de Jean Ferrat, dans le cadre de sa collection du millénaire. Parmi les 37 mélodies retenues figurent *Je vous aime, Heureux celui qui meurt d'aimer, Que serais-je sans toi, À Brassens, Pauvre Boris, La montagne* et *C'est beau la vie.*

À 72 ans, Jean Ferrat acceptera-t-il un dernier tour de piste en ce troisième millénaire? Ce serait vraiment un cadeau du ciel!

C'EST BEAU LA VIE

Le vent dans mes cheveux blonds
Le soleil à l'horizon
Quelques mots d'une chanson
Que c'est beau, c'est beau la vie.

Un oiseau qui fait la roue
Sur un arbre déjà roux
Et son cri par-dessus tout
Que c'est beau, c'est beau la vie.

Tout ce qui tremble et palpite
Tout ce qui lutte et se bat
Tout ce que j'ai cru trop vite
À jamais perdu pour moi

Pouvoir encore regarder
Pouvoir encore écouter
Et surtout pouvoir chanter
Que c'est beau, c'est beau la vie.

Le jazz ouvert dans la nuit
Sa trompette qui nous suit
Dans une rue de Paris
Que c'est beau, c'est beau la vie.

La rouge fleur éclatée
D'un néon qui fait trembler
Nos deux ombres étonnées
Que c'est beau, c'est beau la vie.

Tout ce que j'ai failli perdre
Tout ce qui m'est redonné
Aujourd'hui me monte aux lèvres
En cette fin de journée

Pouvoir encore partager
Ma jeunesse, mes idées
Avec l'amour retrouvé
Que c'est beau, c'est beau la vie.

Pouvoir encore te parler
Pouvoir encore t'embrasser
Te le dire et le chanter
Oui c'est beau, c'est beau la vie.

MON PAYS
1965

Paroles et musique : Gilles Vigneault

INTERPRÈTES

Alain Barrière Patsy Gallant, Monique Leyrac, Patrick Norman, René Simard, Gilles Vigneault, Robbie Williams, Les Voix d'Elles

HISTOIRE

En 1965, c'est à la demande du cinéaste Arthur Lamothe que Gilles Vigneault compose *Mon pays* pour le film *Il a neigé sur la Manicouagan*. La même année, Monique Leyrac peaufine son interprétation et s'envole vers la Pologne pour participer au Festival de Sopot où elle gagne le premier prix de cette compétition internationale. La chanson est également primée au Festival d'Ostende en Belgique alors que Gilles Vigneault remporte le Prix Félix Leclerc au Festival du disque de 1965.

Pour écrire *Mon pays,* Gilles Vigneault quitte ses personnages familiers de films, de Havre Saint-Pierre à Blanc-Sablon, pour dire que le pays devient l'hiver, la maison, froidure, le refrain, rafale. Son jardin, c'est la plaine et son chemin, c'est la neige. Il trouve les mots poétiques qu'il faut pour parler au mieux de son pays, trop grand, trop froid, trop loin.

Que se passe-t-il au Québec au moment de la naissance de *Mon pays*? Cette année-là, l'Église catholique accepte que le latin soit remplacé par la langue de Molière lors des offices religieux. Les Anglais abolissent la peine de mort et Sir Winston Churchill, « le vieux lion », meurt à 90 ans. C'est le triomphe du film *Zorba le Grec*, un rôle magistralement servi par Anthony Quinn.

Dans les pays francophones, on chante, *Capri, c'est fini* (Hervé Villard), *Poupée de cire, poupée de son* (France Gall) et *Frédéric* (Claude Léveillée). Quant à Gilles Vigneault, il entre en studio en 1965 pour enregistrer 12 chansons, pour l'album intitulé *Mon pays*, dont *La rue Saint-Jean, Avec les vieux mots, Le vent, Les corbeaux, Bébé la guitare* et, bien entendu, *Mon pays*. Précisons que 20 ans plus tard, *Mon pays* emportera le concours des auditeurs du réseau Radiomutuel comme étant la plus belle chanson québécoise de l'histoire.

Gilles Vigneault

Né le 27 octobre 1928, à Natashquan

À l'aube de ses 75 ans, Gilles Vigneault est droit comme un chêne planté sur la scène qu'il occupe depuis maintenant 45 ans. Il prend toujours plaisir à s'offrir des bains de jeunesse devant les étudiants qui ont fait de lui leur mentor. « Vous êtes mon devenir, mon avenir, clame-t-il, et la violence que nous subissons est un manque de vocabulaire, quand on n'a plus les mots pour dire ce que l'on pense. »

Gilles Vigneault peut réciter par cœur la liste des 350 villes d'Europe et du Québec où il a chanté, et dire le nom de chacune de ses chansons qui apparaissent sur ses 60 microsillons, autant les 45 tours que les albums. Il continue de raconter sa vie dans le même ordre, comme à l'époque où il était professeur d'algèbre et d'histoire. « J'ai écrit ma première chanson, *Jos Montferrand,* le 7 décembre 1958, et le 5 août 1960, je franchissais la rampe de La Boîte aux chansons, à Québec, avec *Tit-Paul* et *La danse à Saint-Dilon.* »

Si Gilles Vigneault vient d'une famille où huit enfants sont nés, seuls lui et sa sœur ont survécu à la grippe espagnole. Sa mère, décédée à l'âge de 101 ans, était enseignante et son père, trappeur, bûcheron, commissaire d'école et maire de Natashquan, un village de quelque 100 familles perdu sur la Côte-Nord. Tout jeune, le poète enflammé veut devenir pianiste de concert et compositeur, acteur et écrivain, mais il ne pense pas du tout devenir un chanteur.

En 1942, Gilles Vigneault quitte sa paroisse pour suivre son cours classique au Séminaire de Rimouski. Ses premiers poèmes sont publiés dans le journal étudiant. Avant le grand départ, il se fait débardeur, matelot, bûcheron, prospecteur, commis, libraire, archiviste en folklore et publicitaire. En 1950, il entre à l'Université Laval de Québec et s'implique dans la Troupe des Treize et la revue de poésie

Emourie. Licencié ès lettres, il enseigne à Valcartier de 1954 à 1956, puis à l'École de technologie du Québec de 1957 à 1961. Le soir, on le retrouve sur la scène de l'Arlequin de Québec où il récite ses poèmes et monologues. C'est là qu'il rencontre le folkloriste Jacques Labrecque, qui enregistrera *Jos Montferrand, Am'nez-en de la pitoune* et *Jos Hébert.*

Arrivé à Montréal au début des années 60, Gilles Vigneault débute à la boîte à chansons Le Chat noir en avril 1961, à l'époque où la direction artistique est assurée par Claude Léveillée. Celui-ci mettra alors en musique plusieurs textes de son ami. En février 1962, il enregistre son premier album, *Gilles Vigneault,* qui obtient le Grand Prix du disque canadien de CKAC et qui comporte, entre autres, *Jack Monoloy, J'ai pour toi un lac* et *La danse à Saint-Dilon.*

En 1963, le public peut l'entendre dans un premier récital à la Comédie Canadienne, puis dans toutes les salles du Québec. La même année, Gilles Vigneault anime *La belle saison* à la télévision de Radio-Canada, avec Clémence DesRochers et Hervé Brousseau. Son deuxième microsillon déborde de fraîcheur avec *Tam di delam, Si les bateaux, John débardeur, Zidor le prospecteur, Du milieu du pont,* etc.

En 1966, il reçoit le Prix Calixa-Lavallée, décerné par la Société Saint-Jean-Baptiste. Fier de ce prix, Gilles Vigneault s'envole pour Paris en octobre 1966, y enregistre un album et fait ses débuts à Bobino avec Pauline Julien. Une première tournée suivra avec Serge Reggiani. Trois ans plus tard, en avril 1969, le nom de Gilles Vigneault est en grosses lettres sur la façade de l'Olympia. Il y reviendra par la suite en vedette à maintes reprises, à la demande de Bruno Coquatrix qui, parlant de lui, affirme: «Vigneault, c'est un phénomène que l'on retrouve à tous les quarts de siècle.» À la même époque, d'autres de ses titres prennent leur envol: *Larguez les amarres, Fer et titane, Le doux chagrin, Les gens de mon pays, La manikouté, Tout le monde est malheureux.*

À la fin des années 1960, Gilles Vigneault sort quelques albums avec des chansons telles que *Berlu, Ah! que l'hiver, Le nord du nord, Chanson pour Bob Dylan, Je m'ennuie d'un pays.* À la Place des Nations, à Montréal, plus de 20 000 personnes l'ovationnent. La même chose se produit au Festival folklorique de Mariposa, où le public anglophone le découvre avec émerveillement. En juin 1970, il chante à l'Exposition universelle d'Osaka, au Japon. Plus tard, un de ses recueils de poèmes, *Bois de marée,* sera traduit en japonais.

Après la mort de son père, en 1969, Gilles Vigneault s'installe près de Montréal, à Saint-Hermas, puis à Saint-Placide, en face du lac des Deux-Montagnes, avec Alison Foy, une anglophone de Toronto. Elle lui donnera trois enfants, qui s'ajouteront aux quatre enfants nés de sa première union avec Rachel Cloutier. Son expérience de grand-père éveillé l'amène à écrire des contes et comptines et à enregistrer des disques pour enfants.

L'engagement patriotique de Vigneault s'accentue après 1970 et il participe à plusieurs événements à saveur politique et indépendantiste comme le spectacle *Poèmes et chants de la résistance* à la salle du Gesù (1971). On se rappelle avec émotion de la Superfrancofête de 1974, où il partage la scène avec Robert Charlebois et Félix Leclerc devant plus de 80 000 personnes réunies sur les plaines d'Abraham à Québec. De cette rencontre naît l'album *J'ai vu le loup, le renard, le lion,* sur lequel le célèbre trio interprète, entre autres, *Quand les hommes vivront d'amour* de Raymond Lévesque. En 1975, dans le cadre du spectacle de la Fête nationale, il crée *Gens du pays.* Puis, en juin 1976, il fait partie du spectacle *Une fois cinq,* de concert avec Charlebois, Ferland, Léveillée et Deschamps. L'album du même nom remportera le Grand Prix de l'Académie Charles-Cros en 1977. Au même moment, on ne compte plus ses allers-retours en Europe où il produit 50 spectacles à Bobino en 1977.

Il serait par ailleurs très long d'énumérer tous les prix, trophées et honneurs décernés à Gilles Vigneault au Québec ou ailleurs dans le monde. Entre autres, en 1985, il est nommé Chevalier de l'Ordre national du Québec par le premier ministre René Lévesque et reçoit la Légion d'honneur en France. En 1988, l'Académie française lui décerne la Médaille de vermeil de la chanson française. Il est également fait Chevalier de l'Ordre de la Pléiade en France. Au Festival d'été international de Québec de juillet 1992, il reçoit le prix Hommage pour l'ensemble de son œuvre.

À 75 ans, Gilles Vigneault répond toujours à l'appel. Pionnier dans les domaines de l'édition et du spectacle, ses chansons ont été enregistrées par Colette Renard, Gilbert Bécaud, Pierre Calvé, Pauline Julien, Robert Charlebois, sans oublier les Compagnons de la chanson, Catherine Sauvage, Danielle Darrieux et Monique Leyrac.

Depuis le début des années 2000, il triomphe à l'Olympia de Paris, au théâtre Le Corona et à la Place des Arts de Montréal, au Petit Champlain de Québec et dans toute la francophonie. Lorsqu'on l'accuse d'être devenu plus silencieux sur la question de la souveraineté du Québec, il répond: «Je ne suis pas le genre à changer de cap à la première vague qui balaie le pont.»

Seul sur scène avec son pianiste ou avec le grand orchestre symphonique de Montréal, Gilles Vigneault suit les traces de Félix Leclerc et fait rêver les Québécois à un pays qui les rassemble. «La francophonie, à son dire, c'est un vaste pays, sans frontières... Si nous voulons nous en emparer, puis l'acquérir, le posséder, en être le roi et la reine, nous n'avons qu'à bien apprendre et défendre notre langue. Ça nous appartient tous les jours.»

MON PAYS

Mon pays ce n'est pas un pays c'est l'hiver
Mon jardin ce n'est pas un jardin c'est la plaine
Mon chemin ce n'est pas un chemin c'est la neige
Mon pays ce n'est pas un pays c'est l'hiver

Dans la blanche cérémonie
Où la neige au vent se marie
Dans ce pays de poudrerie
Mon père a fait bâtir maison
Et je m'en vais être fidèle
À sa manière, à son modèle
La chambre d'amis sera telle
Qu'on viendra des autres saisons
Pour se bâtir à côté d'elle

Mon pays ce n'est pas un pays c'est l'hiver
Mon refrain ce n'est pas un refrain c'est rafale
Ma maison ce n'est pas ma maison c'est froidure
Mon pays ce n'est pas un pays c'est l'hiver

De mon grand pays solitaire
Je crie avant que de me taire
À tous les hommes de la terre
Ma maison c'est votre maison
Entre mes quatre murs de glace
Je mets mon temps et mon espace
À préparer le feu, la place
Pour les humains de l'horizon
Et les humains sont de ma race

Mon pays ce n'est pas un pays c'est l'hiver
Mon jardin ce n'est pas un jardin c'est la plaine
Mon chemin ce n'est pas un chemin c'est la neige
Mon pays ce n'est pas un pays c'est l'hiver

Mon pays ce n'est pas un pays, c'est l'envers
D'un pays qui n'était ni pays ni patrie
Ma chanson ce n'est pas une chanson, c'est ma vie
C'est pour toi que je veux posséder mes hivers

LA MANIC
1966

Paroles et musique : Georges Dor

INTERPRÈTES

Les Cabestans, Georges Dor, Pauline Julien, Donald Lautrec, Bruno Pelletier, Catherine Sauvage

HISTOIRE

En 1966, Georges Dor enregistre *La Manic* (Gamma) qui remporte aussitôt un succès colossal au Québec. Sur son premier microsillon, s'ajoutent *Chanson pour ma femme, Le vent, Saint-Germain, Mes ormes dans la plaine* et *La boîte à chansons*. Il n'en faut pas plus pour que démarre la carrière d'interprète de ce poète engagé, libre et indépendant comme l'air. À l'été 1955, alors qu'il se rend en Gaspésie, il s'arrête au bord de la route pour noter une idée de chanson qui lui trotte dans la tête. Le soir même, à l'Étrave de Percé, il chante les deux premiers couplets fraîchement composés de *La Manic*.

Alors qu'il n'a pas les moyens de réaliser son rêve et d'aller à Paris, en 1954, Georges Dor accepte l'offre de travailler comme commis de magasin au barrage de Bersimis, sur la Côte-Nord. On lui promet qu'il fera fortune en un temps record. Il y rencontre des ouvriers peu instruits qui lui demandent d'écrire, pour eux, des lettres d'amour à leurs fiancées, après avoir bu quelques bières à la taverne. Et c'est en souvenir de ces milliers d'hommes sans femmes qui travaillent sur ce chantier qu'il écrit *La Manic,* chanson qui, du jour au lendemain, le propulse au rang de vedette.

En 1968, Georges Dor reçoit le trophée Méritas pour *La Manic.* Puis il se rend à Paris. Amoureux fou de cette chanson, l'imprésario Jacques Canetti, qui a lancé Félix Leclerc, veut le retenir à Paris et le produire au cabaret des Trois Baudets. Mais Georges Dor ne se laisse pas impressionner par une telle offre et décide de rentrer à Montréal où il prend alors l'affiche de la Comédie Canadienne. Il veut retrouver sa Margot et ses quatre enfants: René, Fabienne, Patrice et Emmanuel.

Dès la sortie de *La Manic,* Pauline Julien l'enregistre et la fait connaître dans la francophonie. En 1967, le chanteur populaire de l'époque, Donald Lautrec, en fait autant, tout comme le groupe Les Cabestans. Voilà donc une chanson fétiche enracinée dans le cœur des Québécois. En 1972, lors des célébrations du 50e anniversaire de la station de radio CKAC, *La Manic* est élue, par vote populaire, la mélodie la plus aimée du dernier demi-siècle.

En 2001, cela n'a donc pas été une surprise, mais plutôt une joie, d'entendre sa reprise par Bruno Pelletier. Elle fait partie de son album, *Sur scène,* avec d'autres succès, tels *Aime, Coriace, Vivre sa vie* et *Miserere,* titre de sa grande tournée 1998-1999. Après des débuts comme compositeur et musicien, Bruno Pelletier prend son envol, en 1992, lorsque Luc Plamondon et Michel Berger lui offrent un rôle important dans l'opéra rock *La légende de Jimmy.* Cette même année, il lance son premier album éponyme. En 1993, il prend le train en marche de *Starmania* et, pendant six mois, il joue le rôle de Johnny Rockfort, au Théâtre Mogador à Paris. Puis, il effectue une tournée dans 50 villes en Europe.

Né le 7 août 1962, dans la banlieue de Québec, Bruno Pelletier possède une fiche impressionnante de succès, autant comme comédien dans la télésérie *Omerta,* que comme chanteur dans *Notre-Dame de Paris,* de Luc Plamondon et Richard Cocciante. Il y campe le personnage de Gringoire. Son interprétation du *Temps des cathédrales* le fait passer en tête du peloton des valeurs sûres de la chanson. Et le public le suit dans son ascension vertigineuse. Autant applaudi en France qu'en Angleterre, il récolte des trophées à la pelle et fait désormais carrière des deux côtés de l'Atlantique.

Précisons pour la petite histoire que quelques semaines avant son décès, en 2001, Georges Dor a téléphoné à Bruno Pelletier pour lui dire combien il avait apprécié qu'il reprenne *La Manic,* d'une façon superbe et fort originale.

Georges Dor

Né Georges-Henri Dore, le 10 mars 1931, à Drummondville

Onzième d'une famille de 14 enfants, l'auteur de *La Manic* passe les 10 premières années de sa vie dans le petit village de Saint-Germain-de-Grantham. En 1976, il y restaurera une bâtisse centenaire ayant servi, à l'époque, de grange et d'étable, et il la transformera en théâtre d'été. En 1941, son père, René Dore, et sa mère, Émilie Joyal, déménagent et la famille s'installe à Drummondville. Forcé d'abandonner ses études classiques, Georges trouve un emploi à l'usine de Canadian Celanese, emploi qu'il occupera pendant quatre ans.

Le jeune Dore passe pendant des heures devant la radio à écouter les chansonnettes françaises, malgré son imposante collection de 78 tours de Glen Miller, de Nat King Cole et de Tony Martin. Ses idoles s'appellent Charles Trenet, Georges Ulmer, les sœurs Étienne, Jacques Hélian et Yves Montand, qui chante les poèmes de Kosma-Prévert. Un soir, il entend Félix Leclerc et c'est le premier déclic!

Dans son patelin, Georges Dore fait la connaissance d'un «vrai Français de France» qui l'initie au théâtre amateur. Albert Glass, c'est son nom, lui suggère de suivre des cours d'art dramatique chez Lucie de Vienne-Blanc à Montréal. Avec son ami Gilles Leclerc, aussi rêveur que lui, Georges déménage donc dans la métropole en 1952 et s'inscrit à l'atelier du Théâtre du Nouveau Monde. Pendant six semaines, il est la doublure de Gratien Gélinas, dans le film *Ti-coq*.

À La Petite Europe, Georges fraye avec la bohème et rencontre le poète Gaston Miron, qui lui fait comprendre que ses poèmes doivent être mis en chanson. C'est à cette époque que Georges, qui en a assez de se faire appeler Doré comme le poisson d'eau douce, décide donc d'enlever le «E» à la fin de son nom de famille et devient Georges Dor. Il découvre très vite que le métier d'acteur n'est pas fait pour lui, pas plus que celui de coupeur de prélarts ou de portier à l'hôpital Notre-Dame ou encore de manœuvre dans la construction.

Georges Dor quitte la métropole en 1953, pour devenir annonceur de radio à Amos, en Abitibi. Il prend plaisir à faire tourner des disques tels *Sombreros et mantilles* de Rina Ketty ou *Le miracle de Sainte-Anne-de-Beaupré* de Jen Roger, mais aussi l'*Hymne à l'amour,* d'Édith Piaf et *Paris Canaille,* de Léo Ferré. L'année suivante, il tente en vain de faire fortune en allant travailler au barrage de la Bersimis sur la Côte-Nord, dans le but de réaliser son rêve : avoir assez d'argent pour aller en France.

Comme rédacteur de nouvelles à CHLN, Georges reprend le chemin de la radio à Trois-Rivières. En 1955, ce pigeon voyageur accepte un poste d'annonceur et de nouvelliste à Sherbrooke, puis un travail semblable à Québec. Malgré tous ces changements d'emplois, il s'arrange toujours pour revoir l'amour de ses 20 ans, Marguerite Jacob, qu'il épouse le 4 juin 1956.

En 1958, Georges Dor entre au service des nouvelles de Radio-Canada, à Montréal, et y travaille ensuite comme réalisateur. Après quelques années, en 1964, par défi, il monte sur scène au Lycée Da Silva pour chanter quatre chansons a cappella dans le cadre d'un concours d'amateurs. Impressionnés par son talent, ses amis l'encouragent et l'incitent à débuter à la Butte à Mathieu, dans les Laurentides, en première partie de Monique Leyrac, le 31 janvier 1965.

En juin 1967, Georges Dor doit quitter son emploi à Radio-Canada. Il n'a pas d'autre choix s'il veut répondre aux invitations qu'il reçoit pour aller chanter en Gaspésie (où il se lie d'amitié avec Gilles Vigneault), et ailleurs au Québec, mais aussi pour enregistrer un premier microsillon incluant *La Manic*. Le 45 tours de cette chanson se vend alors à plus de 150 000 exemplaires. Ce succès lui permet enfin de réaliser son rêve. Il s'envole pour la France en septembre 1967, pour se produire au Palais des Festivals à Cannes et participer à quelques émissions de radio et de télévision.

À Paris, la rencontre de Georges Dor avec l'impresario Jacques Canetti, qui veut en faire sa vedette, n'aura pas de suite. L'artiste préfère refuser une tournée dans 40 villes, une maison à la campagne et un appartement à Paris. À la place, il revient au bercail et, en février 1968, il prend l'affiche à la Comédie Canadienne, puis sillonne les quatre coins du Québec. À la Place des Arts, c'est l'apothéose! Partout au Canada français, de l'Acadie à Vancouver, on le réclame. En mai 1968, dans le cadre du Festival du disque, il reçoit le prix Félix Leclerc pour *La Manic,* et le prix de l'auteur-compositeur-interprète qui a vendu le plus de disques. Sa femme, Margot, s'occupe de sa carrière, mais aussi, un peu plus tard, de leur galerie d'art à Longueuil, fondée en 1972, la même année où Georges Dor décide de quitter la scène. Il produira des disques jusqu'en 1978 et ouvrira également un autre lieu de diffusion artistique: le Théâtre des Ancêtres à Saint-Germain-de-Grantham.

En plus d'écrire des pièces pour son Théâtre des Ancêtres, Georges Dor écrit aussi des téléromans. Pendant trois ans, *Les Moineau et les Pinson* (1982) sera en tête des cotes d'écoute à Télé-Métropole. Une autre de ses comédies, *L'âme sœur,* suit peu après (1986, TVA). Au début des années 80, l'artiste accepte quelques engagements, histoire de vérifier s'il a encore le goût de monter sur les planches et de chanter. Mais malgré le succès d'une mini-tournée, il refuse d'aller plus loin.

En 1986, après avoir vendu sa terre et son théâtre d'été, Georges Dor s'installe en permanence dans sa propriété de Longueuil, achetée en 1960. Il veut écrire sans relâche et jouer son rôle de grand-père auprès de Orian et Léane, les deux enfants de sa fille Fabienne et du comédien Marc Labrèche, et de Camilia, fille de son fils Patrice. De bons romans, récits et recueils de poèmes voient le jour: *Je vous salue Marcel-Marie, Amour il neige* (1990), *Dolorès* et *Le fils de l'Irlandais,* qui a tout pour être adapté et devenir un jour un film ou une excellente télésérie.

Georges Dor s'affirme comme un écrivain accompli et les critiques soulignent les grandes qualités de son écriture. Il ne craint pas de prendre position et de dénoncer la pauvreté de la langue parlée de bien des Québécois. Chez Lanctôt éditeur, il publie quatre essais qui provoquent bien des remous: *Anna braillé ène shot, Ta mé tu là?* et *Les qui qui et les que que ou le français torturé à la télé* et *Chu ben com chu.*

Jusqu'à sa mort, à l'été 2001, Georges Dor, lui-même partisan de la souveraineté du Québec, a continué de réfléchir sur le peuple québécois qu'il n'a jamais cessé de défendre. Dans son autobiographie, *Si tu savais,* publiée aux Éditions de l'Homme en 1977, on se rend compte que ce n'est pas d'hier qu'il s'identifie comme patriote engagé dans le combat de la survivance. Les titres des chansons de ce précurseur témoignent de son enracinement et de ses convictions: *Le pays natal, Les Ancêtres, Le pays d'où je viens, J'suis Québécois, Pépère Moïse, mémère Agnès, Maria-Chapdelaine,* sans oublier *Un homme libre, La boîte à chansons* et, bien entendu, *La Manic.*

LA MANIC

Si tu savais comme on s'ennuie
À la Manic
Tu m'écrirais bien plus souvent
À la Manicouagan
Parfois je pense à toi si fort
Je recrée ton âme et ton corps
Je pense à toi et m'émerveille
Je me prolonge en toi
Comme le fleuve dans la mer
Et la fleur dans l'abeille

Que deviennent quand j'suis pas là
Mon bel amour
Ton front doux comme fine soie
Et tes yeux de velours
Te tournes-tu vers la côte nord
Pour voir un peu, pour voir encore
Ma main qui te fait signe d'attendre
Soir et matin je tends les bras
Je te rejoins où que tu sois
Et je te garde

Dis-moi c'qui s'passe à Trois-Rivières
Et à Québec
Là où la vie a tant à faire
Et tout c'qu'on fait avec
Dis-moi c'qui s'passe à Montréal
Dans les rues sales et transversales
Où tu es toujours la plus belle
Car la laideur ne t'atteint pas

Toi que j'aimerai jusqu'au trépas
Mon éternelle

Nous autres on fait les fanfarons
À cœur de jour
Mais on est tous de bons larrons
Cloués à leurs amours
Y'en a qui jouent de la guitare
D'autres qui jouent d'l'accordéon
Mais moi, je joue de mes amours
Et je danse en disant ton nom
Tellement je t'aime

Si tu savais comme on s'ennuie
À la Manic
Tu m'écrirais bien plus souvent
À la Manicouagan

Si t'as pas grand-chose à me dire
Écris cent fois les mots « Je t'aime »
Ça fera le plus beau des poèmes
Je le lirai cent fois
Cent fois cent fois c'est pas beaucoup
Pour ceux qui s'aiment

Si tu savais comme on s'ennuie
À la Manic
Tu m'écrirais bien plus souvent
À la Manicouagan

JE REVIENS CHEZ NOUS

1968

Paroles et musique: Jean-Pierre Ferland

INTERPRÈTES

Johanne Blouin, Jean-Pierre Ferland, Robin Grenon, Georges Guétary, la Chorale Mi-Sol-Fa, les Compagnons de la chanson, Patrick Norman, les Disciples de Massenet, Nana Mouskouri, Montréal Pop, Ginette Ravel, René Simard, Vig Vogel

HISTOIRE

Lorsqu'il compose *Je reviens chez nous* en 1968, Jean-Pierre Ferland a déjà connu plusieurs coups de foudre et plusieurs peines d'amour. Il revient tout juste d'un voyage en France. À ce point tiraillé par le mal du pays, il a préféré rentrer chez lui, quitte à retourner plus tard à Bobino où il ne manquera pas de séduire le public français par son originalité. *Le Figaro* écrit qu'il est un auteur de race, un talent évident qui n'aura pas de peine à s'imposer en Europe. *France-Soir* ajoute: «Ferland est sans doute ce que le Québec nous a envoyé de mieux depuis Félix Leclerc.»

Si la Québécoise Ginette Ravel est la première interprète à partir en voyage avec *Je reviens chez nous,* bien d'autres suivront par la suite son exemple, à commencer par Nana Mouskouri, Georges Guétary et les Compagnons de la chanson. Plusieurs chorales, dont les Disciples de Massenet, enregistrent également cette mélodie qui rapportera à son auteur une fortune vite dilapidée.

L'année 1968 est une année de mouvement et de contestation. Jean-Pierre Ferland s'en inspire pour composer *La mort du dernier cerf d'Amérique*, à la mémoire de Robert F. Kennedy, assassiné la même année, tout comme son frère John l'a été en 1963. D'autres événements, comme la fin tragique de Martin Luther King et la mort subite de Daniel Johnson, alors Premier ministre du Québec, ont aussi pour conséquence de sensibiliser le poète qui comprend à quel point la vie est fragile et la gloire éphémère. À la Comédie Canadienne où il tient l'affiche, le chanteur commente l'actualité avec sagesse.

Depuis déjà 35 ans, *Je reviens chez nous* occupe une place toute particulière dans la mémoire collective et au fond du cœur de tous les francophones. Il en est de même pour d'autres chansons datant de cette même année 1968. Qui en effet ne se souvient pas avoir fredonné *Le Métèque* avec Georges Moustaki, *Comme d'habitude* avec Claude François, *Noël à Jérusalem* avec Enrico Macias?

JEAN-PIERRE FERLAND

Né le 24 juin 1934, à Montréal

Jean-Pierre Ferland aime se retrouver dans son royaume de Saint-Norbert avec Diane, entouré de ses chevaux et d'autres animaux domestiques. Il s'y est fait construire une seconde résidence avec le bois de sa terre et une cabane à sucre. Il a aussi aménagé la vieille grange pour en faire un studio et fait creuser un étang. *L'amour c'est d'l'ouvrage,* chante-t-il en 2000. Mais transformer un domaine vieux de 250 ans, acheté en 1973, ça aussi, c'est d'l'ouvrage!

Jean-Pierre vient d'une famille de sept enfants: deux filles et cinq garçons. Son père dirige une station d'essence au cœur de Montréal. Il étudie à l'école Bruchési, au Collège Grasset, puis aux Hautes Études Commerciales. En 1956, le jeune diplômé entre pour quelques mois au Service des nouvelles de Radio-Canada. En parallèle, il apprend la guitare et compose des chansons.

Après l'enregistrement de deux 45 tours, Jean-Pierre Ferland débute avec *Marie-Ange la douce* et *Le chasseur de baleines* à la boîte à chansons Chez Bozo, qu'il a fondée, en 1959, avec Clémence DesRochers, Raymond Lévesque, Hervé Brousseau, André Gagnon et Claude Léveillée. Lorsque ce dernier part rejoindre Édith Piaf à Paris, Jacques Blanchet se greffe à la joyeuse bande d'artistes. Toujours en 1959, il fait ses débuts à la télévision et interprète ses chansons dans les émissions *À la romance,* de Lucille Dumont et *Music-hall,* de Michèle Tisseyre. Il enregistre également un premier album tout simplement intitulé *Jean-Pierre*.

Pendant cette période, Ferland est très prolifique et il crée de nombreuses grandes chansons telles *Les immortelles* et *Ton visage,* qui se retrouvent dans un deuxième album en 1961. Plus tard, il compose *Les noces d'or* que Félix Leclerc n'hésite pas à enregistrer. Dès ce moment, il ne cessera de produire des albums tout au long des années 60. En 1962, il écrit également *Ça fait longtemps déjà, Les fleurs de macadam, Les enfants que j'aurai* et *Feuille de gui,* premier prix de Chansons sur mesure à Bruxelles. En 1963, Jean-Pierre Ferland décroche d'autres honneurs au Festival de Sopot, en Pologne, ainsi qu'au Festival de Cracovie. Cette incursion européenne lui vaut d'être engagé au Palais de Chaillot, à la Tête de l'Art, à Paris, puis à Bobino, en première partie de Colette Renard.

Jean-Pierre Ferland profite de son séjour en France pour enregistrer d'autres chansons. Il revient au Québec pour effectuer une première tournée et recevoir le trophée Rolande-Désormeaux au Gala des artistes, en 1964. Puis en 1965 il anime le *Club des jnobs* et *Jeunesse oblige* à la télévision de Radio-Canada. L'année suivante, son gérant, Guy Latraverse, le présente à la Place des Arts de Montréal.

Yvon Deschamps et lui sont les deux seuls artistes à avoir tenu l'affiche aussi longtemps dans cet endroit prestigieux, soit des douzaines de fois avec près de 200 représentations.

En 1969, avec plusieurs tubes au palmarès et d'autres grands prix, dont celui de l'Académie Charles-Cros pour son huitième album (1968), Jean-Pierre Ferland s'envole pour donner une série de concerts à l'Olympia de Paris avec *Marie-Claire, Les femmes de trente ans, Le petit roi, Un peu plus loin, Sainte-Adèle P. Q.* L'animateur Michel Drucker, grand ami du Québec, traite son invité aux petits soins et déroule à ses pieds le tapis rouge de l'émission qu'il anime alors à la télévision française.

Alors qu'en Europe, Ferland est en pleine ascension, on se demande une nouvelle fois pourquoi il décide de revenir au Québec et d'y rester. Dans son baluchon, il transporte de nouvelles chansons destinées au spectacle qu'il donnera à la Place des Arts en 1970. Et quelles chansons! *Je reviens chez nous, Si on s'y mettait, Sing Sing,* lesquelles feront partie de ses albums *Jaune* et *Soleil*. En 1972, il est élu meilleur auteur, compositeur et interprète au Gala des artistes.

Sur les nouveaux albums de Jean-Pierre Ferland, *Les vierges du Québec, Le show-business, Androgyne,* se trouvent toujours des refrains qui accrochent les auditeurs. En 1974, *T'es mon amour, t'es ma maîtresse,* qu'il chante en duo avec Ginette Reno, atteint les plus hauts sommets, tout comme *Y a pas deux chansons pareilles,* en 1981, *Bleu blanc blues,* en 1992 et, trois ans plus tard, *Envoye à maison.*

Les plus récents albums de Jean-Pierre Ferland, *Écoute pas ça* et *L'amour c'est d'l'ouvrage,* démontrent bien que la source naturelle d'inspiration du chanteur coule toujours abondamment. Durant toutes ces années où il est un animateur hors pair à la télévision, il n'arrête pas de se produire au Monument national, au Théâtre du Nouveau Monde, au Casino de Montréal et au nouveau théâtre Corona, ainsi que dans le cadre de maints grands événements à saveur patriotique et humanitaire.

Des projets, Jean-Pierre Ferland n'en manque pas. Il tient mordicus à réaliser sa comédie musicale qu'il intitulera *Le nœud Windsor* ou *Madame Simpson,* laquelle raconte l'histoire d'Edouard VIII qui a renoncé au trône de la Couronne britannique afin d'épouser Madame Simpson, une américaine divorcée. Il a acquis de l'expérience avec sa production *Gala*, du nom de la compagne de Salvador Dali, présentée à la Place des Arts en 1989.

Le 19 août 2000, pour officialiser 18 ans de vie commune, il a épousé Diane Lessard. Après une carrière intense de 45 ans, il mérite bien de savourer un « bonheur tranquille dans ses prés » de Saint-Norbert, entouré de ses enfants et de ses petits-enfants. L'avenir n'appartient-il pas aux amoureux?

JE REVIENS CHEZ NOUS

Il a neigé à Port-au-Prince
Il pleut encore à Chamonix
On traverse à gué la Garonne
Le ciel est plein bleu à Paris
Ma mie l'hiver est à l'envers
Ne t'en retourne pas dehors
Le monde est en chamaille
On gèle au sud, on sue au nord

Fais du feu dans la cheminée
Je reviens chez nous
S'il fait du soleil à Paris
Il en fait partout

La Seine a repris ses vingt berges
Malgré les lourdes giboulées
Si j'ai du frimas sur les lèvres
C'est que je veille à tes côtés
Ma mie, j'ai le cœur à l'envers
Le temps ravive le cerfeuil
Je ne veux pas être tout seul
Quand l'hiver tournera de l'œil

Fais du feu dans la cheminée
Je reviens chez nous
S'il fait du soleil à Paris
Il en fait partout

Je rapporte avec mes bagages
Un goût qui m'était étranger
Moitié dompté, moitié sauvage
C'est l'amour de mon potager

Fais du feu dans la cheminée
Je reviens chez nous
S'il fait du soleil à Paris
Il en fait partout

Fais du feu dans la cheminée
Je rentre chez moi
Et si l'hiver est trop buté
On hivernera

DU MATIN AU SOIR JE CHANTE

1970-1979

LES PETITES FEMMES DE PIGALLE
Serge Lama, 1943-

LINDBERGH / LES AILES D'UN ANGE
Robert Charlebois, 1944-

LE BLUES DU BUSINESSMAN
Claude Dubois, 1947-

POUR UN FLIRT / LES DIVORCÉS
Michel Delpech, 1946-

LA MALADIE D'AMOUR / LES BALS POPULAIRES
Michel Sardou, 1947-

J'AI RENCONTRÉ L'HOMME DE MA VIE
Diane Dufresne, 1944-

MON VIEUX / LA TENDRESSE
Daniel Guichard, 1948-

JE L'AIME À MOURIR / LES CHEMINS DE TRAVERSE
Francis Cabrel, 1953-

MA PRÉFÉRENCE / SI ON CHANTAIT
Julien Clerc, 1947-

AVEC LE TEMPS / C'EST EXTRA
Léo Ferré, 1916-1993

San Francisco (Maxime Le Forestier), Fais comme l'oiseau (Michel Fugain), Maintenant je sais (Jean Gabin), L'aigle noir (Barbara), Laisse-moi t'aimer (Mike Brant), Cent mille chansons (Frida Boccara), C'est dans les chansons (Jean Lapointe), J'ai un problème (Sylvie Vartan et Johnny Hallyday), La ballade des gens heureux (Gérard Lenorman), Théo et Antoinette (Jean-Pierre Manseau), Bonsoir tristesse (Nicole Martin), Le frigidaire (Tex Lecor), Pars (Jacques Higelin), Brazil (Bernard Lavilliers), Parlez-moi de lui (Nicole Croisille)

ORDINAIRE

1970

Paroles : Mouffe

Musique : Robert Charlebois et Pierre Nadeau

INTERPRÈTES

Mercedes Band, Jano Bergeron, Robert Charlebois, Julien Clerc, Les Divans (Boum Desjardins, Patrick Norman, Mario Pelchat, Luck Mervil, Gildor Roy), Fabienne Thibeault

HISTOIRE

Au tout début de l'année 1970, Robert Charlebois est gonflé à bloc après le fabuleux spectacle qu'il vient de donner à la Place des Arts à Montréal, accompagné par l'Orchestre symphonique de Montréal. La critique ne se tarit pas d'éloges et le public l'ovationne à tout rompre lorsqu'il s'installe au piano pour chanter *Ordinaire*.

Cette chanson, toujours d'actualité, remporte le premier prix au Festival de Spa, en Belgique. C'est une année charnière dans la carrière de ce roi de la démence, de l'extravagance et du renouveau. *France-Soir* écrit : « Celui qui chante *Un gars ben ordinaire*... démontre qu'il est tout sauf ordinaire. »

Il s'en passe des choses en 1970 : les décès de Luis Mariano, de Bourvil et de Charles de Gaulle, mais aussi la séparation des Beatles. Au Québec, Robert Bourassa est élu Premier Ministre et lors de la crise d'Octobre 1970 qui ébranle le Québec, Pierre Elliott Trudeau, Premier Ministre du Canada, proclame la loi des mesures de guerre. Mais rien n'empêche les gens de chanter pour oublier leurs soucis.

Après le succès d'*Ordinaire,* Robert Charlebois poursuit sur sa lancée et crée *Demain l'hiver, Dolorès, Conception, Les ailes d'un ange* et *Lindbergh,* qu'il chante en duo avec Louise Forestier.

Dans toute la francophonie, l'année 1970 sourit aux compositeurs et interprètes. De grandes chansons se promènent sur les ondes: *L'aventura* (Eric Charden), *L'aigle noir* (Barbara), *Comme j'ai toujours envie d'aimer* (Marc Hamilton), *Les bals populaires* (Michel Sardou), *Mon pays bleu* (Roger Whittaker), *Il suffirait de presque rien* (Serge Reggiani) et *Laisse-moi t'aimer* (Mike Brant)

Le 18 janvier 1971, Robert Charlebois s'envole pour l'Europe. Il s'en va plus précisément au MIDEM de Cannes, le grand marché annuel de l'industrie du disque, où on lui réserve un accueil triomphal. Parlant de Robert Charlebois, Bernard Chevry, créateur de l'événement, dit de lui qu'il est la révélation de la cinquième édition de cette manifestation, avec Julien Clerc et Elton John. Et le public de se lever et d'applaudir longuement Robert Charlebois après son interprétation d'*Ordinaire,* dont les paroles sont de Mouffe, qui sera sa muse et sa protectrice jusqu'en 1976.

Bien peu d'interprètes ont songé à enregistrer cette chanson qui est tellement propre à son créateur, sauf Julien Clerc. Seules deux chanteuses québécoises auraient relevé ce défi: Jano Bergeron et Fabienne Thibeault.

Robert Charlebois

Né le 24 juin 1944, à Montréal

Robert Charlebois est né un 24 juin, le jour de la Saint-Jean-Baptiste, devenu le jour de la Fête nationale des Québécois. Robert est l'aîné d'une famille de quatre enfants. Sa mère, Germaine Gay, est la fille de Polydor, conducteur de tramway. Son père, Maurice, est gérant du matériel à l'Institut des sourds-muets de Montréal. Quant au grand-père paternel, il possède un magasin d'échange et deviendra le premier distributeur des disques RCA Victor.

Très jeune, Robert est pensionnaire au Jardin de l'Enfance de Rigaud, où son oncle possède une ferme. C'est là qu'il commence à pianoter. Plus tard, il poursuit des études classiques au Collège Bourget de Rigaud, sur le site du sanctuaire Notre-Dame-de-Lourdes. D'autres institutions scolaires accueillent cet adolescent turbulent : de l'école Saint-Stanislas au collège Grasset, en passant par le Collège Saint-Paul, avant de faire son nid à l'École nationale de théâtre. Chez Madame Jean-Louis Audet (Yvonne Duckett), il suit des cours de diction et décroche un rôle dans la pièce *Sodome et Gomorrhe,* de Jean Giraudoux.

Au début des années 60, Robert Charlebois écrit *La boulée* qui remportera le prix spécial du jury du Festival du disque en 1965, et il se produit dans les boîtes à chansons. Après un été passé dans les parcs de Montréal avec la troupe de La Roulotte, le théâtre ambulant de Paul Buissonneau, il chante en première partie de Félix Leclerc, le 29 septembre 1962, à La Butte à Mathieu de Val-David.

En 1965, curieux de connaître ce qui se fait ailleurs, Robert Charlebois s'envole avec Mouffe pour la Martinique et la Californie, à la recherche de rythmes différents. Durant l'Expo 67, il monte la *Terre des Bums,* une revue humoristique et musicale, une parodie de Terre des Hommes. C'est là un avant-goût de ce que sera l'*Osstidcho,* un mélange de musique, de monologues et de comédie qu'il présente au Théâtre de Quat'Sous, à la Comédie Canadienne et à la Place des Arts, en 1968-1969 en compagnie d'Yvon Deschamps, Louise Forestier, Mouffe et Claude Péloquin.

Toujours en 1968, à Spa, en Belgique, il gagne le prix d'interprétation avec *California* et s'arrête un moment pour tourner avec Mouffe dans le long métrage *Jusqu'au cœur,* de Jean-Pierre Lefebvre. Il participe également à quelques téléséries.

Après le succès remporté à la Place des Nations, en 1969, c'est le grand départ pour l'Olympia de Paris. Robert Charlebois passe entre Antoine et Georgette Plana *(Riquita)*. Le moins qu'on puisse dire, c'est qu'il ne parvient pas à faire voler *Lindbergh,* même avec le support musical de Louise Forestier. Un esclandre éclate même entre les musiciens et certains spectateurs qui n'apprécient pas le genre de la formation québécoise ainsi que le langage cru et désinvolte de ses membres. À son retour, Robert Charlebois est le premier francophone à se produire à l'Esquire Show Bar, temple du jazz montréalais, avant de triompher à la Place des Arts en 1970.

En 1972 et 1973, l'enfant terrible fait un retour, cette fois victorieux, à l'Olympia de Paris. En 1973, il entreprend une tournée en Europe avec Léo Ferré. Tout au long des années 70, il crée d'autres grands succès : *Cauchemar, Entre deux joints, Je rêve à Rio* (1973) ; *The Frog Song, Mon ami Fidel, Je reviendrai à Montréal* (1976). Les Québécois le portent aux nues partout où il passe : à la Comédie Canadienne, au Patriote, au Spectrum, à la Place des Arts, au Grand Théâtre de Québec. Invité d'honneur, il chante au Festival de Spa, en Belgique, et à celui de Sopot, en Pologne. En 1975, Sergio Leone le choisit pour jouer un rôle dans son film *Un génie, deux associés, une cloche.*

En 1974, dans le cadre de la Superfrancofête de Québec, Robert Charlebois se joint à Félix Leclerc et Gilles Vigneault pour chanter devant plus de 80000 personnes sur les Plaines d'Abraham. L'album qui immortalise la rencontre sur scène de ces trois grands, *J'ai vu le loup, le renard, le lion,* remporte le Prix de la ville de Paris, au moment où Charlebois tient l'affiche au Palais des Congrès, en 1976. Trois ans plus tard, Robert Charlebois se produit de nouveau dans ce prestigieux établissement parisien.

D'autres tournées suivent et de nouveaux albums voient le jour avec d'autres paroliers, tels Jean-Loup Dabadie, son beau-frère, Didier Barbelivien et Luc Plamondon. En 1983, ce dernier lui écrit *J't'aime comme un fou* qui remporte le Félix de la chanson de l'année. En 1992, Robert Charlebois chante avec Claude Dubois au 25e Festival d'été international de Québec, devant plus de 50000 personnes. Deux ans plus tard, les organisateurs de l'événement lui accordent le Grand Prix. En France, le champion remporte le Victoire de la musique pour l'album francophone de l'année. En 1994, l'ADISQ lui remet un Félix pour honorer l'ensemble de sa carrière.

Tout au long des années 90, *La Maudite tournée* et d'autres enregistrements suivent à un rythme effarant. À l'automne 2001, Robert Charlebois présente un nouveau spectacle au Théâtre Corona et sort son 46e album, *Doux sauvage,* sur lequel il dédie *Mon meilleur ami* à Eddie Barclay qui tout au long de sa carrière lui a fait enregistrer cinq microsillons dont *Avril sur mars.* On remarque que Garou Premier s'est assagi. Il ne court plus sur la scène et se contente souvent de s'accompagner tout simplement à la guitare et au piano.

Même si depuis quelques années, il est devenu un homme d'affaires avisé, actionnaire d'une microbrasserie où l'on fabrique des bières québécoises artisanales, l'artiste ne veut pas que le public pense qu'il s'est recyclé dans la bière et considère toujours sa carrière dans la chanson comme étant de toute première importance.

Depuis 26 ans, Robert Charlebois est heureux et comblé avec la femme de sa vie, Laurence Dabadie, et ses deux enfants, Victor et Jérôme, qui dépassent aujourd'hui la vingtaine. Il se garde du temps pour pratiquer son sport préféré, le golf, et pour passer quelques moments en famille dans leur refuge guadeloupéen.

Sensible à la misère et à tout ce qui se passe autour de lui, Robert Charlebois continue d'apporter son aide aux jeunes en difficulté. Il a encore beaucoup de choses à dire et à faire. C'est ce qui transparaît dans son livre *On dirait ma femme... en mieux,* un roman humoristique à saveur autobiographique.

En 1997, lorsque l'Académie française lui a décerné la médaille Vermeil pour l'ensemble de son œuvre et que son nom est apparu dans *Le Petit Robert,* Robert Charlebois n'a pu s'empêcher de verser quelques larmes et de remercier le public qui, après 35 ans, lui est toujours resté fidèle.

ORDINAIRE

Je suis un gars ben ordinaire
Des fois j'ai pu l'goût de rien faire
J'fumerais du pot, j'boirais de la bière
J'ferais de la musique avec le gros Pierre
Mais faut que j'pense à ma carrière
Je suis un chanteur populaire

Vous voulez que je sois un Dieu
Si vous saviez comme j'me sens vieux
J'peux pu dormir, j'suis trop nerveux
Quand je chante, ça va un peu mieux
Mais ce métier-là, c'est dangereux
Plus on en donne plus l'monde en veut

Quand j'serai fini pis dans la rue
Mon gros public je l'aurai pu
C'est là que je m'r'trouverai tout nu
Le jour où moi, j'en pourrai pu
Y en aura d'autres, plus jeunes, plus fous
Pour faire danser les boogaloos

J'aime mon prochain, j'aime mon public
Tout ce que je veux c'est que ça clique
J'me fous pas mal des critiques
Ce sont des ratés sympathiques
J'suis pas un clown psychédélique
Ma vie à moi c'est la musique

Si je chante c'est pour qu'on m'entende
Quand je crie c'est pour me défendre

J'aimerais bien me faire comprendre
J'voudrais faire le tour de la terre
Avant de mourir et qu'on m'enterre
Voir de quoi l'reste du monde a l'air

Autour de moi il y a la guerre
La peur, la faim et la misère
J'voudrais qu'on soit tous des frères
C'est pour ça qu'on est sur la terre
J'suis pas un chanteur populaire
J'suis rien qu'un gars ben ordinaire
Ordinaire

LES PLAISIRS DÉMODÉS
1972

Paroles : Charles Aznavour
Musique : Georges Garvarentz

INTERPRÈTES

Fred Astaire, Denis Chartrand, Petula Clark, Les Crooners, Sacha Distel, John First, Liza Minelli, Georges Peloschian, Ringo

HISTOIRE

Depuis son adolescence, Charles Aznavour griffonne et fredonne des mots et des airs qui lui trottent dans la tête, du matin au soir et même la nuit. Le poète est à la recherche constante de nouvelles idées et d'une façon de les traiter et de les raconter. En 1972, il est très affecté par la mort de Maurice Chevalier, pour lequel il avait une grande admiration. Après avoir signé une nouvelle entente avec le producteur de disques Eddie Barclay, le chanteur, qui est alors âgé de 48 ans, ressent le besoin de s'isoler, de partir en vacances, avec son épouse Ulla et sa petite famille.

Cette année-là, Aznavour prépare un nouveau tour de chant pour l'Olympia, à Paris, et le Carnegie Hall, à New York. Même s'il possède un vaste choix de chansons, il lui faut du matériel neuf capable de surprendre et d'émouvoir ses millions d'admirateurs partout à travers le monde. Il vise en plein dans le mille avec *Les Plaisirs démodés* et *Comme ils disent*, une chanson qui raconte l'histoire d'un homosexuel qui habite seul avec sa maman, rue Sarasate. Ces chansons qui deviendront des tubes s'ajoutent alors à d'autres grands succès: *Mourir d'aimer, Jézebel, La bohème, Je te réchaufferai* et *Je m'voyais déjà.*

Charles Aznavour confie à son beau-frère, Georges Garvarentz (1932-1993), le soin de composer la musique pour *Les Plaisirs démodés.* Marié en 1956 à la chanteuse Aïda, la sœur de Charles Aznavour, ce musicien grec élevé à Paris a écrit des douzaines de musiques sur des paroles de son beau-frère: *Nous irons à Vérone, Et pourtant, Donne tes seize ans, Rendez-vous à Brazilia, La plus belle pour aller danser* (Sylvie Vartan), *Retiens la nuit* (Johnny Hallyday). Garvarentz a aussi composé la musique de plusieurs films, dont celle de *Taxi pour Tobrouk* (1961) dans lequel Aznavour chante *La marche des anges.*

De nombreux interprètes ont enregistré *Les Plaisirs démodés.* Aux États-Unis, il existe 300 versions de ce hit devenu *The old fashionned way.* D'autres mélodies ont été reprises par Bing Crosby, Johnny Mattis, Shirley Bassey, Julio Iglesias pour *Hier encore.* Pour sa part, Ray Charles a interprété *La Mamma.*

Du côté francophone, quelques centaines de vedettes ont aussi enregistré les œuvres de Charles Aznavour et les ont interprétées dans leur tour de chant. Au Québec, citons Jacques Normand, Lise Roy, Aglaé, Muriel Millard, Fernand Gignac, Claire Syril, Claude Valade, Les Bel Canto, Clairette, Jen Roger, Yoland Guérard, Guy Roger, Michel Louvain, Térez Montcalm. Nombre d'interprètes puisent abondamment dans le répertoire d'Aznavour qui comprend près de 1000 titres. À ce jour, Aznavour est le chanteur français qui a vendu le plus de disques dans le monde.

CHARLES AZNAVOUR

Né Varenagh Aznavourian, le 22 mai 1924, à Paris

Du quartier Latin parisien au Faisan doré montréalais, jusqu'aux grands concerts au Palais des Congrès à Paris, au Centre Molson à Montréal ou à Broadway, Charles Aznavour a défié toutes les modes et conquis trois générations. Il n'est donc pas surprenant que le magazine *Times* et le réseau CNN l'aient élu meilleur chanteur de variétés du siècle, devant Elvis Presley, Bob Dylan et Frank Sinatra. Et en cette année 2002, alors qu'il entreprend une dernière tournée mondiale, des spectateurs de ces trois générations ne manqueront pas de courir ses spectacles pour applaudir une dernière fois ce grand de la chanson et de la scène.

Ce fils d'immigrants arméniens est arrivé en haut de l'affiche après avoir travaillé comme un forçat et surmonté bien des obstacles. Son père, Micha, un vrai troubadour, et sa mère, Knaar, ouvrent un restaurant-bistro, Le Caucase, dès leur arrivée à Paris. La fille aînée, Aïda, et son frère, Charles, grandissent dans une atmosphère musicale et théâtrale et se produisent tous deux dans les bals arméniens. À 11 ans, le gamin précoce se produit pour la première fois sur la scène du Théâtre du Petit-Monde. Il fait ensuite de la figuration au cinéma et rêve de devenir un grand acteur. En 1939, alors que son père s'engage dans l'armée, Charles quitte l'école du spectacle pour travailler. Il sera vendeur de journaux pendant la guerre.

En 1941, Charles Aznavour rencontre Pierre Roche (1914-2001), pianiste, compositeur et interprète au Club de la Chanson, à Montmartre. Ils montent un véritable tour de chant et écrivent conjointement de gais refrains, Aznavour aux textes et Roche à la musique. À la fin du conflit mondial, le duo se produit dans les cabarets et cinémas du quartier. En 1946, Charles fait la connaissance d'Édith Piaf et de son idole, Charles Trenet qui, quelques années plus tard, seront ses témoins lors de son mariage avec Micheline, qui lui donnera deux enfants, Patricia et Charles. Avec Evelyne Plessis, il aura un fils, Patrick, décédé en 1976.

Édith Piaf est vite conquise par le talent et le charme de Charles Aznavour qui devient son secrétaire, son chauffeur, son assistant, mais elle n'est guère impressionnée par Aznavour, l'auteur. Elle l'amène à New York, ainsi que Pierre Roche, avec l'idée de lui apprendre le métier. À la fin des années 40, au Faisan doré et au Montmartre, à Montréal, et chez Gérard, à Québec, Roche et Aznavour passent deux ans dans l'antichambre de la gloire. Leurs chansons sont sur les lèvres des Québécois: *Le feutre taupé, Retour, Les cartes, En revenant de Québec, Simplette, Boule de gomme*. Jacques Normand, Monique Leyrac, Clairette et Jean Rafa deviennent leurs grands amis et protecteurs.

Mais en 1950, Pierre Roche se marie à Montréal avec la chanteuse Aglaé et se fixe au Québec, ce qui a tôt fait de mettre un terme à la collaboration entre les deux amis, qui se séparent après huit ans de travail en commun. C'est ce qui va pousser Aznavour à composer ses propres musiques. En 1951, Aznavour part en tournée aux États-Unis et en France avec Édith Piaf. Elle chante et fait connaître ses chansons telle *Jézebel*, mais pardonnera difficilement à son protégé d'avoir écrit *Je hais les dimanches* pour Juliette Gréco, une chanson dont elle n'avait pas voulu au départ, mais qu'elle va très vite enregistrer.

Cependant, si Aznavour écrit des chansons pour de nombreux autres interprètes (Patachou, Gilbert Bécaud, Philippe Clay, Eddie Constantine), il n'a toujours pas de succès comme interprète. Les critiques sont sévères envers sa voix chevrotante au registre limité. Seule éclaircie dans ce tableau: en 1953, le public marocain reconnaît le talent de Charles Aznavour et acclame son interprétation de *Viens pleurer au creux de mon épaule*.

Mais sa chance se présente enfin en 1955 sur la scène de l'Olympia de Paris. Il fait la première partie de Sidney Bechet et le public le hue comme d'habitude, mais il chante une de ses compositions, *Sur ma vie*. Émerveillé, Eddie Barclay lui fait enregistrer cette chanson qui se retrouve aussitôt au palmarès et y restera pendant de nombreux mois. Dès lors, l'interprète Aznavour ne cessera d'accumuler les succès. Malgré les critiques injustes des médias, le public l'acclame au Moulin Rouge, puis à l'Alhambra et à l'Olympia, en 1954, où il reviendra en vedette à maintes reprises, au cours de son éblouissante carrière.

Charles Aznavour continue d'écrire des chefs-d'œuvre, de se produire aux quatre coins du globe et de tourner dans de nombreux films de Jean Cocteau, François Truffaut, Henri Verneuil, René Clair et Claude Chabrol. En 1964, il triomphe en Union soviétique.

Puis en 1965, il est consacré vedette américaine et internationale alors qu'il se produit au Carnegie Hall à New York, puis à San Francisco, Boston et Porto Rico. La presse américaine, conquise, le compare au grand Maurice Chevalier. Cette année-là, il revient à Montréal, à Québec et à Ottawa et présente d'autres spectacles à la Martinique et à la Guadeloupe, à Casablanca, à Lisbonne et en Angola.

À l'émission télévisée de Michel Drucker, il parle de ses voyages et de sa nouvelle vie sentimentale. Alors qu'il est au sommet de sa gloire, Charles Aznavour tombe amoureux fou de la jolie suédoise Ulla Thorsell, qui vit à Paris depuis deux ans. Il a 40 ans, elle en a 23. C'est un véritable coup de foudre. Elle ne sait rien de celui qui fait chavirer bien des cœurs. Le 12 janvier 1968, un an après son mariage civil à Las Vegas, le couple unit sa destinée en l'église arménienne de la rue Jean-Goujon à Paris. De cette solide union naîtront Katia (1969), Misha (1971) et Nicolas (1973). Trois jours après son troisième mariage, Charles Aznavour est sur les planches de l'Olympia.

En novembre 1969, Charles Aznavour remplit, huit soirs d'affilée, les 3000 fauteuils de la Place des Arts à Montréal. En 2002, il se produit 16 fois au même endroit. À plusieurs reprises, l'imprésario Guy Latraverse ramènera Charles Aznavour au Québec, notamment aux FrancoFolies de Montréal, en 1995, au centre Molson, en 1999, où 10000 spectateurs le portent aux nues. Son périple se poursuit à Québec, à Toronto et à Ottawa, avec ses chansons immortelles et d'autres succès tirés de son récent album *Jazznavour,* tels que *J'aime Paris au mois d'août, À t'regarder, For me… Formidable, Tu t'laisses aller, Au creux de mon épaule* et *Les Plaisirs démodés.*

Au début de l'an 2000, au terme de quatre années d'écriture, Charles Aznavour assiste au succès de sa comédie musicale sur Toulouse-Lautrec, en Angleterre. À la fin de l'année, il s'installe pendant deux mois au Palais des Congrès, à Paris. En plus de ses obligations professionnelles, ce surhomme trouve le temps de faire de la natation, de l'équitation et de consacrer du temps à sa famille et à ses amis.

Impliqué socialement, Charles Aznavour continue avec générosité d'apporter son aide aux sinistrés d'Arménie, à l'UNICEF et aux Restos du cœur. Ce diable de grand homme, miracle de jouvence, peut chanter et s'exprimer en six langues. Un vrai pape!

À 78 ans, Charles Aznavour n'a pas fini de nous en mettre plein la vue et les oreilles. En acquérant les Éditions Raoul Breton, qui ont publié ses œuvres, il veut donner la chance aux jeunes qui ont du talent, comme Lynda Lemay, sa protégée depuis six ans. Outre les disques d'or et de platine et les nombreux prix qu'il a reçus, dont celui de l'Académie Charles-Cros, la France se devait bien de lui accorder la distinction d'Officier de la Légion d'honneur.

Avec Azanavour, l'imagination ne connaît pas de limites et le public ne se lasse pas d'identifier le chanteur à ses mélodies, *Mourir d'aimer, Il faut savoir, Sa jeunesse, Je n'ai pas vu le temps passer.*

LES PLAISIRS DÉMODÉS

1
Dans le bruit familier de la boîte à la mode
Aux lueurs psychédéliques au curieux décorum
Nous découvrons assis sur des chaises incommodes
Les derniers disques pop, poussés au maximum

C'est là qu'on s'est connus parmi ceux de notre âge
Toi vêtue en Indienne et moi en col Mao
Nous revenons depuis comme en pèlerinage
Danser dans la fumée à couper au couteau

Refrain
Viens découvrons toi et moi les plaisirs démodés
Ton cœur contre mon cœur malgré les rythmes fous
Je veux sentir mon corps par ton corps épousé
Dansons joue contre joue (bis)

Viens noyée dans la cohue, mais dissociés du bruit
Comme si sur la Terre il n'y avait que nous
Glissons les yeux mi-clos jusqu'au bout de la nuit
Dansons joue contre joue (bis)

2
Sur la piste envahie c'est un spectacle rare
Les danseurs sont en transe et la musique aidant
Ils semblent sacrifier à des rythmes barbares
Sur les airs d'aujourd'hui souvent vieux de tous temps

L'un à l'autre étrangers bien que dansant ensemble
Les couples se démènent on dirait que pour eux
La musique et l'amour ne font pas corps ensemble
Dans l'obscurité propice aux amoureux

Refrain

L'ÂME À LA TENDRESSE

1973

Paroles : Pauline Julien
Musique : François Dompierre

INTERPRÈTES

Christine Chartrand, Marie Michèle Desrosiers, Angèle Dubeau, Pauline Julien, Anne Sylvestre

HISTOIRE

« Un bon matin de 1973, raconte François Dompierre, je reçois le texte *L'âme à la tendresse*, de Pauline Julien. » Elle lui a dit la veille : « Ce ne sera pas facile de mettre en musique cette chanson que j'ai écrite en pleine euphorie, avant de m'envoler pour la France et la Belgique. » Mais quelques heures seulement après avoir reçu le texte, François Dompierre la rappelle pour lui faire entendre ce qu'il a composé avec fébrilité et une joie profonde. Parfois, il arrive aux auteurs et aux compositeurs d'être sur la même longueur d'onde et d'être en extase au même moment devant le chef-d'œuvre qui va naître. C'est précisément ce qui s'est produit avec cette chanson.

La naissance de *L'âme à la tendresse* marque le grand départ de la nouvelle carrière d'auteur de Pauline Julien. Avant les années 70, très peu de femmes signent d'aussi beaux textes. C'est encore la chasse gardée des hommes.

Mais Pauline Julien va changer cet état de fait et écrire les paroles et parfois la musique de plusieurs belles chansons : *L'étranger, Rire, Urgence d'amour, Insomnie Blues* (avec François Dompierre), *As-tu deux minutes, Litanie des gens, Au milieu de ma vie, Peut-être à la veille de...* (avec Gaston Brisson et Jacques Ferron), pour n'en nommer que quelques-unes. Tous ces titres se retrouvent sur l'album de la collection *Les refrains d'abord* dédié à Pauline Julien et réalisé par Monique Giroux, animatrice à la radio de Radio-Canada.

L'année 1973 est plus que mouvementée pour la féministe Pauline Julien. Elle se produit plusieurs soirs au Grand Théâtre de Québec et à la grande salle Wilfrid-Pelletier de la Place des Arts de Montréal, avant de s'envoler pour le Festival international de la chanson de Spa, en Belgique. En septembre, on la retrouve en Suisse, où elle chante devant les indépendantistes jurassiens. Elle participe aussi au récital *Poèmes et chants de la résistance* au Centre Paul-Sauvé de Montréal, et lance son microsillon *Pour mon plaisir* consacré à Gilles Vigneault, qui fait suite à son album *Allez voir, vous avez des ailes*. Elle termine l'année en s'installant dans un appartement au carré Saint-Louis.

À la radio, *L'âme à la tendresse* monte en flèche au palmarès, en même temps que *Les divorcés* (Michel Delpech), *Il venait d'avoir 18 ans* (paroles: Serge Lebrail et Pascal Sevran; musique: Pascal Auriat), un succès de Dalida et *La maladie d'amour* (Michel Sardou).

Parmi les interprètes qui ont enregistré *L'âme à la tendresse*, on relève les noms des chanteuses québécoises Marie Michèle Desrosiers, Christine Chartrand mais aussi l'interprétation de la violoniste Angèle Dubeau. En France, Anne Sylvestre continue de chanter cette chanson inoubliable dans tous ses spectacles. Pendant sa longue tournée au Québec, à l'automne 2001, elle a pris soin de rappeler le doux souvenir de sa grande amie Pauline Julien.

Pauline Julien

Née le 23 mai 1928, à Trois-Rivières

Prolifique, Pauline Julien laisse en héritage 300 chansons répertoriées sur 40 microsillons ou albums réalisés entre 1962 et 1997. Son œuvre lui a valu deux Grands Prix de l'Académie Charles-Cros en 1970 pour l'album *Suite québécoise* et en 1985 pour l'album *Où peut-on vous toucher?* En 1964, elle est honorée de la palme du Festival de Sopot, en Pologne, avec *Jack Monoloy* de Gilles Vigneault. La militante, devenue Chevalier des arts et des lettres de France en 1994, a conquis l'Europe, le Canada français et tout le Québec. Le quotidien *Le Monde* parle de la voix fougueuse et ensoleillée de cette personnalité marquante des années 80.

Il est vrai qu'au début des années 80, Pauline Julien triomphe aussi bien au Petit Forum des Halles de Paris qu'à la grande Place des Nations de Terre des Hommes, à Montréal. Son spectacle *Fleur de peau* dégage toute sa tendresse, sa colère et son grand cœur. La combative chanteuse poursuit sa lancée au TNM, dans maintes salles du Québec, mais aussi au Palais des Beaux-Arts à Bruxelles.

En 1982, en France, Pauline Julien s'éclate sur la scène du Gaieté-Montparnasse, au Festival de Saint-Malo et au Printemps de Bourges avec les chansons tirées de son microsillon *Charade,* telles que *Le doux chagrin* et *Où peut-on vous toucher?* Le public lui réclame *La danse à Saint-Dilon* (Gilles Vigneault), *Quand l'amour est mort* (Gilbert Bécaud), *La croqueuse de 222, L'âme à la tendresse.* Trois ans plus tard, Paris l'acclame à Bobino et Montréal l'ovationne au Club Soda. Au Festival d'été de Québec de 1985, elle annonce sa décision de ne plus donner de spectacles et de se retirer de la scène.

Après un voyage en Israël en compagnie de Denise Boucher, auteur de la pièce de théâtre *Les fées ont soif,* pour participer au

Congrès de la musique des femmes, Pauline Julien déménage sur le Plateau Mont-Royal avec son époux, Gérald Godin, poète, député et ministre. Le couple aime aussi aller se ressourcer dans leur fermette de North Hatley. Leur union durera plus de 30 ans.

Elle en a fait du chemin, la petite Pauline, depuis sa naissance à Trois-Rivières, en 1928, alors qu'elle est la cadette d'une famille de 11 enfants. Son père, Émile Julien, commis voyageur, lui a légué son caractère énergique. Sa mère, Marie-Louise Pronovost, lui dit souvent qu'elle a de très beaux yeux et un talent caché qui fera surface en temps et lieu.

À 17 ans, Pauline Julien se rend à Québec pour y faire des études théâtrales. Pour survivre, elle sera tour à tour gardienne d'enfants, serveuse, cuisinière et bibliothécaire. En 1948, elle entre dans la Compagnie des masques à Montréal et, en 1951, s'envole pour Paris avec son premier mari, le comédien Jacques Galipeau. De cette union naissent, dans la capitale française, Pascale en 1952 et Nicolas en 1955.

Après avoir étudié le théâtre et pris des cours d'interprétation et de pose de la voix pendant six ans, Pauline Julien décroche un rôle dans *La fable de l'enfant échangé* de Pirandello. Mais on se rend bien vite compte qu'elle a de la voix et qu'elle peut aussi chanter.

Pauline Julien se bâtit donc un répertoire avec les meilleures chansons de Boris Vian, Léo Ferré, Bertold Brecht, ainsi que des poèmes d'Anne Hébert. En 1958, elle débute comme chanteuse dans les cabarets de la rive gauche. Chez Moineau, elle chante en alternance avec Anne Sylvestre. On la rencontre au Bar des Anglais, à la Rose rouge, au Port du Salut, puis à la Colombe, à l'Échelle de Jacob, au Cheval d'or et à La Contrescarpe, des endroits où défilent Jacques Brel, Jean Ferrat, Juliette Gréco, Barbara. À l'Olympia, elle remporte le premier prix du concours d'Europe 1.

Le succès de Pauline Julien en France rejaillit au Québec. Gérard Thibault l'accueille avec joie dans son cabaret Chez Gérard, à Québec, en 1957 et 1961. Vibrante, intense, superbe et chaleureuse, tels sont les qualificatifs que les journalistes et le public utilisent pour la décrire. En 1960, elle partage la vedette avec Gilles Vigneault à La Boîte aux chansons, à Québec. Elle chante aussi au Patriote et à la Comédie Canadienne, en première partie de Gilbert Bécaud en 1961 et gagne le trophée de la meilleure chanteuse de l'année au Gala des artistes.

Installée à Montréal après sa rupture avec Jacques Galipeau, elle joue le rôle de Jenny dans l'*Opéra de Quat'sous* au Théâtre du Nouveau Monde de Montréal (1961-1962). L'année suivante, elle donne son premier récital solo à Trois-Rivières et fait connaître le contenu de son premier microsillon, *Enfin... Pauline Julien,* sur lequel elle interprète, entre autres, *La marquise de coton* (Jean-Pierre Ferland), *La chanson de Prévert* (Serge Gainsbourg), *Ton nom* (Claude Gauthier) et *On n'oublie rien* (Jacques Brel).

Pauline Julien, que certains désignent comme la «Passionara du Québec», milite pour deux causes: la souveraineté du Québec et le féminisme. «La lutte des femmes, lance-t-elle, ne doit pas se faire contre les hommes, mais avec eux.»

En plus de jouer plusieurs rôles au cinéma, elle travaille constamment en studio pour enregistrer des 45 tours et des 33 tours. Des auteurs, amis québécois, s'ajoutent à tous ceux qui lui ont déjà proposé des chansons: Georges Dor (*La Manic*), Raymond Lévesque (*Bozo les culottes*), Pierre Calvé, Gilbert Langevin, Jean-Claude Germain, Stéphane Venne, Michel Tremblay et Réjean Ducharme qui lui conseille fortement d'écrire ses propres compositions.

En Europe, à compter de 1965, Pauline Julien se retrouve très régulièrement sur les grandes scènes de l'Olympia, du Théâtre de

Paris, de Bobino, de la Tête de l'Art. Elle joue aussi au Théâtre de l'Est parisien et au Théâtre Gérard-Philippe. Après une tournée européenne avec Georges Brassens, le Festival de la chanson populaire à Cuba où elle représente le Québec et une tournée en Union soviétique (1967), elle triomphe à la Place des Arts à Montréal en 1970 et 1973. C'est l'euphorie au Québec. En 1972, elle se produit au Récamier, le théâtre de Jean-Louis Barrault et Madeleine Renaud, puis, de nouveau, elle enflamme le public de l'Olympia. Jean-Louis Cabret publie *Pauline Julien,* dans la collection Seghers.

Le 17 décembre 1976, elle chante au Vélodrome de Paris, avec Félix Leclerc et Raymond Lévesque, pour célébrer la victoire et la prise de pouvoir du Parti québécois. Jusqu'en 1986, elle continuera de se produire en maints pays.

Après avoir fait ses adieux en 1985, elle revient à la scène en 1988, en compagnie d'Anne Sylvestre, dans le spectacle *Gémeaux croisées,* au théâtre Déjazet à Paris et à l'Espace Go à Montréal.

Deux ans plus tard, elle joue avec la troupe de théâtre Carbone 14 dans *Rivages à l'abandon* et dans *Voix parallèles* avec Hélène Loiselle, un spectacle qu'elles ont monté ensemble. En 1991, elle tient un rôle dans *La maison cassée,* de Victor-Lévy Beaulieu et, un an après, on l'applaudit dans *Les muses* au Musée d'art contemporain. Elle part ensuite en douce travailler comme volontaire dans le domaine de l'aide internationale, en Afrique de l'Ouest.

À la fin de sa vie, Pauline Julien est comblée d'honneurs. La Société Saint-Jean-Baptiste lui décerne le prix de musique Calixa-Lavallée. Elle est reçue Chevalier de l'Ordre national du Québec, en 1997. De peine et de misère, elle publie *Il fut un temps où l'on se voyait beaucoup,* chez Lanctot éditeur.

Une semaine avant de mettre fin à ses jours, le 1er octobre 1998,

Pauline Julien a fait venir sa biographe Louise Desjardins pour lui remettre tous ses papiers personnels, lettres, photos, accumulés depuis 40 ans. Elle ne peut plus supporter la terrible maladie dont elle souffre, l'aphasie dégénérative et c'est la raison pour laquelle elle se donne elle-même le droit de quitter cette vie. Des milliers de personnes émues lui ont rendu un dernier hommage à l'église Saint-Pierre-Claver du Plateau Mont-Royal. Ce jour-là, tout le monde a chanté à l'unisson *L'âme à la tendresse*.

L'ÂME À LA TENDRESSE

Refrain
Ce soir j'ai l'âme à la tendresse
Tendre tendre, douce douce
Ce soir j'ai l'âme à la tendresse
Tendre tendre, douce douce

Tresser avec vous ce lien et cette délicatesse
Vous mes amis d'hier et d'aujourd'hui
Cette amitié dans la continuité
Un mot un regard un silence un sourire une lettre

Refrain
Françoise Allen Claire Patrick Kim Roland Réjean Louise
Et tous les autres que je n'saurai nommer
Vous êtes mes havr's des soirs de détresse
La goutte d'eau qui fait jaillir la source ma lumière

Refrain
Aujourd'hui pourtant je vous attends en vain, je vous espère
Que faites-vous j'appelle je tends les bras
Nos amitiés se sont-elles évanouies?
Peut-être n'avons-nous plus rien à nous dire je chavire

Refrain
Pourtant nous savons que la vie est plus forte que la mort
Le désespoir a dit son dernier mot
Permettez-moi de vous aimer toujours
Riches de nos secrets j'attendrai j'attendrai
J'attendrai, j'attendrai, j'attendrai, j'attendrai
Les amitiés nouvelles

Refrain

JE SUIS MALADE

1973

Paroles : Serge Lama
Musique : Alice Dona

INTERPRÈTES

Dalida, Lara Fabian, Serge Lama, Alice Dona

HISTOIRE

Serge Lama voulait à tout prix que son deuxième microsillon porte le titre de sa chanson *Je suis malade,* dont la musique est de sa complice, Alice Dona. Cette excellente parolière et interprète, née en 1946, à Maison-Alfort, en banlieue de Paris, a écrit des musiques sublimes pour son ami, notamment *Star, La secrétaire, La Braconne, Chez moi* et *La chanteuse a vingt ans*. Cette chanson a d'ailleurs été reprise en anglais par Shirley MacLaine. On peut dire d'Alice Dona, mais aussi du poète musicien Yves Gilbert, qu'ils ont tous deux contribué à la montée fulgurante et au succès de Serge Lama.

Le chanteur à la voix musclée et prenante connaît ses premiers succès sur disque, en 1967, avec *Les ballons rouges, D'aventure en aventure, Superman* et *Le temps de la rengaine*. Mais c'est en 1973 que la carrière de Serge Lama débute véritablement avec *Je suis malade,* qui deviendra son premier disque d'or.

C'est au cours de l'un de ses triomphes au Palais des Congrès que Serge Lama impose *Je suis malade,* qu'il chante a cappella à cause d'une panne de son. Dans la salle, c'est le délire ! En 1979, plus de 300 000 spectateurs reprennent d'assaut le Palais des Congrès pendant trois mois de suite. Deux ans plus tard, au même endroit, Serge Lama double ces chiffres pendant cinq mois d'affilée. On lui réclame *Les vagues de la mer, Et puis l'on s'aperçoit, Charivari,* mais surtout et toujours, *Je suis malade*, enregistrée également plus tard par Dalida, puis, dans les années 90, par Lara Fabian. De nombreux titres de Serge Lama ont été traduits et enregistrés en anglais, en italien, en allemand et même en japonais.

Dans la lancée de *Je suis malade*, les tubes de Lama s'accumulent ensuite à un rythme effarant: *Tarzan, Femme, femme, femme, Les p'tites femmes de Pigalle, Je t'aime à la folie.* Si certaines de ses chansons lui ont valu d'être qualifié de chanteur misogyne, cela est loin d'être vrai: Lama adore les femmes qui lui insufflent vie et inspiration.

Serge Lama

Né Serge Chauvier, le 11 février 1943, à Bordeaux

Le jeune Serge rêve de la scène depuis le jour où il a vu son père, Georges Chauvier, au Grand Théâtre et au Trianon de Bordeaux. Celui-ci, premier prix du Conservatoire baryton Martin, décide d'aller tenter sa chance à Paris. Cette entreprise sera vaine et sa carrière ne décollera pas. Serge, encore bien jeune, est alors placé chez les Frères et chez sa grand-mère, en attendant de rejoindre ses parents, peu après leur départ pour Paris. Allergique au vedettariat de son mari, sa mère, Georgette Ponceaud, souhaite que son fils devienne ingénieur ou professeur d'histoire.

À 12 ans, Serge Chauvier fait rire ses camarades en imitant ses enseignants et Luis Mariano, dont il connaît par cœur tout le répertoire. L'adolescent, inscrit au Lycée Michelet, obtient de bons rôles dans *La cuisine des anges, Le rendez-vous de Senlis.* À 18 ans, il quitte la cellule familiale et se retrouve derrière les guichets de la banque avoisinante, jusqu'à son départ pour le service militaire, en 1962. Sous l'uniforme, le piètre et timide soldat s'ennuie des belles Parisiennes qui le font rêver jour et nuit.

En 1964, Serge Chauvier, devenu Serge Lama, hante les cabarets de la rive gauche et débute modestement au cabaret de l'Écluse. La chanteuse et productrice Renée Lebas, interprète de *Tire l'aiguille* et d'*Où es-tu mon amour,* découvre le nouveau venu et lui propose d'écrire des chansons pour Régine. Dans son établissement où les vedettes pullulent la nuit, Serge Lama fait la connaissance de Charles Aznavour qui l'encourage et le recommande. Sa rencontre avec l'imprésario Eddy Marouani et son clan familial est providentielle.

En février 1964, il est à Bobino et passe en lever de rideau de Barbara et de Georges Brassens, en deuxième partie du spectacle. Avec quelques douzaines de chansons de son cru, on le retrouve ensuite dans les cabarets de la rive droite, à Villa d'Este et à La Tête de l'Art.

Mais sa vie bascule le 12 août 1965, alors qu'il est en tournée avec Marcel Amont. Sur une petite route d'Aix-en-Provence, il rate un virage et sa voiture percute un arbre. Il y perd sa fiancée, Lilianne, pianiste, et le conducteur: son meilleur ami Jean-Claude, frère d'Enrico Macias. Marcel Amont, accouru sur les lieux du drame, lui sauvera la vie.

Les médecins lui annoncent qu'il ne marchera plus. Le grand blessé passe plusieurs mois à l'hôpital Saint-Antoine, entre la vie et la mort, sans bouger, et subit une trachéotomie et plusieurs opérations. Pendant tout ce temps, Daisy Brun, attachée de presse chez Philips, est sa bouée de sauvetage. Elle deviendra par la suite sa femme. Lorsqu'il obtient enfin son congé de l'hôpital, il habite chez son ami Marcel Gobineau qui l'aide à se nourrir, à se laver et qui copie les textes des chansons que lui dicte le convalescent. Lama lui dédiera la mélodie: *Mon ami, mon maître*.

Après un arrêt de 18 mois, le 18 janvier 1966, Serge Lama, allongé sur une civière, enregistre quelques chansons dans les studios Pathé Marconi. Le 23 octobre 1967, il fait une rentrée à l'Olympia de Bruno Coquatrix, à l'affiche du programme de Nana Mouskouri. Le public est surchauffé et nerveux lorsqu'il chante sa toute première composition, *La ballade des poètes*, qu'il a écrite à 11 ans, suivie de *Dis Pedro, Clara* et *La Guerre à vingt ans*. L'année suivante, il présente six nouvelles chansons, sans trop y croire, lors du récital de Georges Chelon. Tout cela le mène à se produire pendant un an au Don Camillio, le prestigieux cabaret de la rue des Saints-Pères.

Serge Lama n'est pas quelqu'un qui s'apitoie sur son sort. Il aime à se rappeler seulement les bons moments de son existence et de sa carrière.

En 1968, sa chanson *D'aventure en aventure* est un succès et il remporte de Grand Prix de l'Académie Charles-Cros pour l'album qui porte le même titre. La même année, lauréat des Relais de la chanson de l'*Humanité*, il est également vainqueur de la Rose d'Or d'Antibes pour sa merveilleuse chanson *Une île*, écrite en collaboration avec Yves Gilbert.

De passage à Paris, l'imprésario Michel Gélinas engage Serge Lama pour le produire à la Place des Arts, à Montréal, en octobre 1971. Dans les années qui suivent, il y reviendra à 10 reprises pour y donner une cinquantaine de représentations. Partout au Québec, il remplit les salles et devient l'enfant chéri de ces dames, mais aussi de toute la famille.

Le 11 février 1972, jour de son anniversaire, l'émission *Musicorama* fait de lui une révélation. Les stations de radio jouent volontiers *C'est toujours comme ça la première fois*, une chanson des plus rythmées et des plus gaies pour les auditeurs matinaux. Au Québec, Pierre Lalonde interprète cette chanson et la fait grimper au palmarès.

Serge Lama connaît aussi la gloire à l'Olympia de Paris, en 1973, tout comme au Palais des Congrès où il se produit une première fois en 1975, devant 70 000 spectateurs en 20 jours.

Si la presse sentimentale annonce soudainement qu'il est l'heureux papa de Frédéric, sans en dire plus, l'artiste se moque bien des rumeurs et des aventures qu'on lui prête inopinément et reste sur ses gardes et discret pour tout ce qui touche sa vie privée.

Après l'enregistrement de son album, *Lama chante Brel*, Serge entraîne son père dans les studios afin d'enregistrer *Lama père et fils*, où l'on retrouve avec enchantement *Mon fils n'aura pas d'enfant*, *Le petit souper aux chandelles*, *Sur deux notes*, *Comme papa* et *La chambre*, de Léo Ferré. Sur la postface de l'album (Philips), Serge écrit: « Il m'a donné sa voix, et j'ai suivi la mienne. Trente ans que s'était tu ce timbre qui berça mon enfance, il retentit ce soir à nouveau dans les effluves des années 50. »

Mais Serge Lama ressent toujours le besoin d'aller plus loin. Son admiration pour l'empereur Napoléon l'amène à monter une comédie musicale sur ce personnage historique, qui sera jouée au Théâtre Marigny durant toute l'année 1984.

Depuis le succès de cette grande production présentée pendant deux ans en France, à Montréal, à Québec, à Ottawa, à Londres et à Broadway, d'autres comédies semblables ont vu le jour: *Les misérables, Un homme nommé Jésus* de Robert Hossein, *Roméo et Juliette, Les dix commandements, Antoine de Saint-Exupéry* de Richard Cocciante, *Starmania, Le temps des cathédrales* et *Cindy,* en 2002, trois méga projets de Luc Plamondon.

Mais après toutes ces années de succès et de bonheur à la gloire de Napoléon, Serge Lama est de nouveau plongé dans un drame. Ses parents perdent la vie dans un accident de voiture, à un carrefour dans le sud-ouest de la France. Leur fils apprend la triste nouvelle au moment d'entrer sur scène. Ce soir-là, tel un toréador, il se jette à corps perdu sous les projecteurs. Le public ressent son chagrin et le retient de force pour un temps sans fin.

De 1994 à 1996, Serge Lama enregistre un nouvel album éponyme ainsi que *Lama l'ami,* où l'on retrouve sa chanson *Titanic.* Il refuse de faire 250 spectacles par an comme autrefois et de jouer dans de longues téléséries. En 1999, après le Capitole de Québec, Guy Latraverse le convainc de donner deux spectacles aux Franco-Folies de Montréal, au Théâtre Saint-Denis, accompagné par l'Orchestre symphonique de Québec.

En 2000, il entreprend une grande tournée au Québec et à Ottawa. Au mois d'avril de la même année, le président Jacques Chirac lui confère la médaille de la Légion d'honneur. Le voilà de nouveau à l'Olympia, au Québec et en tournée européenne en 2002. Cette même année, le public peut enfin se procurer son nouvel album *Feuille à feuille*, avec 14 très belles chansons choisies parmi 200 nouveaux textes. On y entend *Voici des fleurs, Les Poètes, Femme Adieu, Je suis nostalgique, Les jardins ouvriers*. Lors du lancement de cet album plus poétique et plus intimiste, Serge Lama annonce sa participation aux FrancoFolies de Montréal et sa prochaine tournée au Québec.

On voit bien que Serge Lama n'a pas fini de nous éblouir et de nous séduire. Cet homme courageux, toujours amoureux des femmes et, avant tout de son épouse Michèle, a réussi à graver son nom au fronton des plus grandes salles de spectacles et dans le cœur de quelques générations. Il lui arrive de glisser de rares confidences aux journalistes: « Mon fils, né de ma présente union, vit au Québec que je considère comme une deuxième patrie. »

Dans une chanson inoubliable, *Mes frères*, dont il a écrit les paroles et la musique, Serge Lama dit que « Chanter l'amour, c'est mieux qu'une prière… C'est en chantant qu'on passe les frontières. » Avec sa vitalité débordante, son rire sonore, provocateur et contagieux, Serge Lama ne laisse personne indifférent et mérite qu'on lui réserve une première place au sommet des chanteurs de la francophonie.

JE SUIS MALADE

Je ne rêve plus je ne fume plus
Je n'ai même plus d'histoire
Je suis sale sans toi je suis laid sans toi
Je suis comme un orphelin dans un dortoir

Je n'ai plus envie de vivre ma vie
Ma vie cesse quand tu pars
Je n'ai plus de vie et même mon lit
Se transforme en quai de gare
Quand tu t'en vas

Je suis malade complètement malade
Comme quand ma mère sortait le soir
Et qu'elle me laissait seul avec mon désespoir

Je suis malade parfaitement malade
T'arrives on ne sait jamais quand
Tu repars on ne sait jamais où
Et ça va faire bientôt deux ans
Que tu t'en fous

Comme à un rocher comme à un péché
Je suis accroché à toi
Je suis fatigué je suis épuisé
De faire semblant d'être heureux quand ils sont là

Je bois toutes les nuits mais tous les whiskies
Pour moi ont le même goût
Et tous les bateaux portent ton drapeau
Je ne sais plus où aller tu es partout

Je suis malade complètement malade
Je verse mon sang dans ton corps
Et je suis comme un oiseau mort quand toi tu dors

Je suis malade parfaitement malade
Tu m'as privé de tous mes chants
Tu m'as vidé de tous mes mots
Pourtant moi j'avais du talent avant ta peau

Cet amour me tue et si ça continue
Je crèverai seul avec moi
Près de ma radio comme un gosse idiot
Écoutant ma propre voix qui chantera

Je suis malade complètement malade
Comme quand ma mère sortait le soir
Et qu'elle me laissait seul avec mon désespoir

Je suis malade c'est ça je suis malade
Tu m'as privé de tous mes chants
Tu m'as vidé de tous mes mots
Et j'ai le cœur complètement malade
Cerné de barricades t'entends je suis malade

PRENDRE UN ENFANT

1977

Paroles et musique : Yves Duteil

INTERPRÈTES

Joan Baez, Yves Duteil, Dan et Lou, Nana Mouskouri

HISTOIRE

Toutes les chansons ont sûrement une histoire qui ressemble tout naturellement à leurs auteurs et à leur public respectif. Il n'est pas toujours facile de décoder la façon dont les auteurs travaillent. Est-ce dans le tumulte ou dans le silence? Entre deux avions ou paisiblement à la campagne? Les paroliers et musiciens cachent souvent leurs secrets et leur manière de travailler et ils hésitent à relater certaines anecdotes relatives à la création de leurs chefs-d'œuvre.

Yves Duteil fait exception à la règle. Il ne craint pas de se mettre à nu, de parler de ses états d'âme et des élans de son cœur, de son rythme de croisière en ce qui concerne l'accouchement de ses œuvres. C'est tout naturellement que ce poète a écrit un merveilleux livre, *Les mots qu'on n'a pas dits,* publié chez Nathan. Il ne craint pas d'écrire, en marge de ses beaux textes, quelles sont ses sources d'inspiration, qu'il s'agisse de ses proches ou du temps qui passe trop vite. Il offre ainsi ses émotions rattachées à ses souvenirs qui démontrent bien sa grande sensibilité à fleur de peau.

Laissons cet homme généreux et sensible raconter lui-même la belle histoire de *Prendre un enfant* : « L'été 1977 au Portugal : Martine (ma fille) avait 13 ans et un grand vague à l'âme, ce jour-là, que rien ne semblait pouvoir dissiper. Devant ce chagrin sans raison, désarmé, à bout de phrases, je l'ai laissée partir avec Noëlle (mon épouse) à la plage, l'âme en peine... J'ai écrit ce texte pour elle, en deux heures, sur une musique composée deux semaines auparavant et, quand elles sont rentrées, j'ai chanté sa chanson à Martine. Sa tristesse s'est envolée dans l'émotion, son cœur s'est ouvert dans ses yeux et les larmes qui ont coulé faisaient du bien.»

Tout au long de sa carrière, Yves Duteil a écrit et chanté d'autres textes qui démontrent clairement l'affection profonde qu'il porte aux enfants laissés à leur misère dans les bidonvilles de la planète. Pour Duteil, alors que le monde d'aujourd'hui est en guerre et que les puissants s'y affrontent par pays interposés, un peu partout, des enfants sont précipités dans le cauchemar et dans la mort. La folie des adultes est sans limite, se plaît-il à déclarer dans *Pour les enfants du monde entier.*

En avril 2001, lors d'une rencontre amicale à Montréal alors qu'il se produisait au Gesù, Yves Duteil a exprimé toute sa joie de savoir que *Prendre un enfant* avait été enregistrée par Joan Baez, symbole de la jeunesse révoltée des années 60 qui manifestait aux États-Unis contre la guerre du Vietnam. Cette grande interprète, intimement liée pendant un certain temps à Bob Dylan, par amour, mais partageant également avec lui des idées antimilitaristes, a aussi chanté d'autres textes engagés écrits par des compositeurs français comme Maxime Le Forestier (*Le parachutiste*), Léo Ferré (*Pauvre Rutebeuf*), Boris Vian (*Le déserteur*) et Jacques Brel (*Amsterdam*). Yves Duteil était tout aussi heureux de mentionner que Nana Mouskouri avait aussi enregistré *Prendre un enfant* en allemand.

Yves Duteil

Né le 24 juillet 1949, à Paris

Le poète Yves Duteil est aussi heureux de rencontrer ses fidèles admirateurs à chacun de ses spectacles que de revoir ses électeurs, à titre de maire de la petite commune de Précy-sur-Marne où résident à peine quatre cents habitants. Les mots du cœur de ce merveilleux auteur de *Prendre un enfant* et de *La langue de chez nous* sont un réconfort pour un public en quête identitaire ou encore pour un public dont certains membres trouvent la vie bien difficile à vivre.

Au-delà des modes qui se démodent, Yves Duteil garde toute sa simplicité, sa nature profonde, sentimentale et douce, aussi bien lorsqu'il est seul en scène avec sa guitare que quand il se produit avec son pianiste, Michel Précastelli, ou un grand orchestre symphonique. Duteil est de la même lignée que ceux qui ont écrit les belles pages de la chanson française, entre autres, Georges Brassens. Il n'est donc pas étonnant qu'il ait déjà travaillé avec Joël Favreau, l'ex-guitariste de Brassens.

Yves Duteil est issu d'une famille de bijoutiers. Il a grandi à Paris dans son quartier dit « petit-bourgeois », tout près du square des Batignolles. Dans les années 60, tout comme bien des jeunes de sa génération, il découvre les Beatles, Bob Dylan et Hugues Aufray, se met à la guitare et commence à écrire des chansons. En 1966, il a alors 17 ans, il monte dans son lycée un petit orchestre dont l'existence sera bien éphémère. Il y joue du piano ou de la guitare et reprend, entre autres, les refrains d'Hugues Aufray, comme *Céline* et *Santiano*.

Au début des années 70, il commence à se produire dans les cabarets parisiens de la rive gauche, sur les terrasses des bistrots et dans les restaurants et il introduit de plus en plus ses propres compositions à son répertoire. Comme il est inclassable par rapport aux standards « jeunes » de son époque, ni yé-yé ni contestataire, ni pop ni rock, il a de la difficulté à se trouver une maison de disques. Mais de sa rencontre avec le producteur Frédéric Botton, naît son premier album : *Virage*.

Deux ans plus tard, en 1974, il remporte le Prix de la meilleure chanson et le Prix du public au Festival de Spa, en Belgique, avec *Quand on est triste*. À Bobino, il apparaît en première partie de la chanteuse Régine. En 1977, au Théâtre de la Ville, il remporte un succès considérable avec *La Tarentelle, Le petit pont de bois* et *Prendre un enfant*. En 1979, il se produit au théâtre des Champs Élysées et cette année-là, il devient aussi le meilleur vendeur de 33 tours en France. Dès lors, sa célébrité s'installe pour rester. En 1984, le voilà à l'Olympia où Fabienne Thibeault interprète deux chansons avec lui.

À Québec, il s'amène à la salle Albert-Rousseau et à Montréal, il fait son nid au Théâtre Outremont. Là aussi, entre Duteil et le public québécois, le lien s'est tissé pour ne plus se casser.

Toutes ses chansons s'inspirent de la vie quotidienne, sont porteuses d'espoir. Il aime à raconter l'enfance (*Petite fille, Tendre image du bonheur*) ou chanter son coin de Normandie (*Le petit pont de bois, Le mur de lierre*). Il peut être nostalgique (*Mélancolie, Le mur de la prison d'en face*). Quant à *La Tibétaine*, cette chanson relate le récit d'une femme qui, depuis 10 ans, se meurt en prison parce qu'elle a revendiqué la liberté. Mais il est aussi capable de se moquer joyeusement de lui-même (*Les p'tites casquettes, J'ai la guitare qui me démange*).

Plus récemment, Yves Duteil a quelque peu mis en veilleuse des chansons comme *La maman d'Amandine, Au parc Monceau, Le petit pont de bois, Clémentine et Léon*, pour donner plus de place à des chansons plus « sociales ». C'est le cas de la *Légende des arbres* qui raconte la vie des arbres qui cherchent de l'espace. Quand cet humaniste chante *Dreyfus*, officier français d'origine juive injustement accusé d'avoir livré des renseignements militaires en 1894, puis déporté à vie en Guyane, il dénonce en fait l'injustice qu'on a infligée à l'époque à son grand-oncle, avant de le réhabiliter et de le réintégrer dans l'armée en 1906.

Quant à *La langue de chez nous,* Yves Duteil l'interprète toujours dans ses spectacles. Il a décidé de composer cette chanson d'amour à la langue française pour dire sa beauté et sa richesse, ainsi que la fierté qu'elle lui inspire. Il n'est donc pas étonnant qu'il ait dédié cette chanson à Félix Leclerc qui s'est battu constamment pour défendre la langue de chez nous au Québec, à l'heure où ce pays de neige se tourne si résolument vers son avenir.

Quand Yves Duteil chante l'amour, l'injustice, la révolte, ou *La mort de l'ours,* de Félix Leclerc, il sait de quoi il parle. Le chantre se fait la voix de ceux qui n'en ont pas et qui souffrent en silence. La salle frissonne quand il fredonne *Autour d'elle* dédiée à la femme de sa vie, Noëlle, qui le seconde pendant ses voyages au bout du monde. Ses derniers albums, *Tournée acoustique* et *Sans attendre,* font revivre tous ces beaux moments de scène.

Depuis que Duteil a écrit *La langue de chez nous,* toute la francophonie sait qu'elle peut désormais compter sur lui pour défendre la langue française sur les ondes et en spectacle. En 1987, l'Académie française a donc bien raison de lui remettre la médaille d'argent et l'Oscar de la chanson, lors de la sortie de son album *Ton absence,* précédant d'autres triomphes à l'Olympia, à la Place des Arts et au Gesù, à Montréal.

Dans les faits, alors qu'il accumule déjà près de 30 ans de carrière, Duteil est toujours accueilli à bras ouverts un peu partout où il se produit, un peu partout où notre langue «a jeté des ponts par-dessus l'Atlantique... Et de l'île d'Orléans jusqu'à la Contrescarpe / En écoutant chanter les gens de ce pays / On dirait que le vent s'est pris dans une harpe / Et qu'il a composé toute une symphonie.»

PRENDRE UN ENFANT

Prendre un enfant par la main
Pour l'emmener vers demain
Pour lui donner la confiance en son pas
Prendre un enfant pour un Roi
Prendre un enfant dans ses bras
Et pour la première fois
Sécher ses larmes en étouffant de joie
Prendre un enfant dans ses bras

Prendre un enfant par le cœur
Pour soulager ses malheurs
Tout doucement, sans parler, sans pudeur.
Prendre un enfant sur son cœur
Prendre un enfant dans ses bras
Mais pour la première fois
Verser des larmes en étouffant sa joie
Prendre un enfant contre soi

Prendre un enfant par la main
Et lui chanter des refrains
Pour qu'il s'endorme à la tombée du jour
Prendre un enfant par l'amour
Prendre un enfant comme il vient
Et consoler ses chagrins
Vivre sa vie des années puis soudain
Prendre un enfant par la main
En regardant tout au bout du chemin

Prendre un enfant pour le sien.

«Prendre un enfant» Paroles et musique de Yves Duteil

LA FRANCOPHONIE CHANTE
1980-1989

SI J'ÉTAIS UN HOMME
Diane Tell, 1958-

MON MEC À MOI / MADEMOISELLE CHANTE LE BLUES
Patricia Kass, 1966-

HÉLÈNE / AVANT DE PARTIR
Rock Voisine, 1963-

CASSER LA VOIX / J'TE DIS QUAND MÊME
Patrick Bruel, 1959-

ILS S'AIMENT / J'AI QUITTÉ MON ÎLE
Daniel Lavoie, 1949-

POUR LE PLAISIR / AMOUREUX FOUS
Herbert Léonard, 1947-

MA MÈRE CHANTAIT / QUESTION DE FEELING
Fabienne Thibeault, 1952-

LE RITAL / J'AI LES BLEUS
Claude Barzotti, 1953-

OXYGÈNE / UN SOUVENIR HEUREUX
Diane Dufresne, 1944-

JE T'AIME À L'ITALIENNE
Frédéric François, 1950-

Quand on est en amour (Patrick Norman), Oui j'l'adore (Pauline Esther), Jo le taxi (Vanessa Paradis), Un grand bateau (Gerry Boulet), Les Corons (Pierre Bachelet), Y'a d'l'amour dans l'air (Martine St-Clair), La boîte de jazz (Michel Jonasz), Tombé pour la France (Étienne Daho), Méo Penché (Jérôme Lemay), Il tape sur des bambous (Philippe Lavil), Souvenirs retrouvés (Francine Raymond), Comment ça va (René Simard), Nuit magique (Catherine Lara)

JE NE SUIS QU'UNE CHANSON

1980

Paroles et musique: Diane Juster

INTERPRÈTES

Luce Dufault, Diane Juster, Bruno Pelletier, Ginette Reno

HISTOIRE

Au début de chaque décennie, immanquablement, une grande chanson se démarque. En 1980, Diane Juster compose les paroles et la musique de *Je ne suis qu'une chanson* pour Ginette Reno, qui la fera connaître aux quatre coins de la francophonie.

Ginette Reno n'en est pas à ses premières armes avec Diane Juster. En 1976, elle lui a déjà composé *À ma manière*, un succès énorme pour Ginette Reno. Cette dernière demande donc à Diane Juster de lui composer une chanson majestueuse destinée à servir de finale à son prochain spectacle à la Place des Arts de Montréal et au Grand Théâtre de Québec. L'auteur a vite fait de répondre à cette demande et, peu de temps après, elle s'empresse de rencontrer Ginette Reno pour lui faire entendre la nouvelle composition. Ce moment reste un grand moment d'émotion pour les deux artistes!

En 1980, cette chanson magique obtient un succès énorme, ses ventes se chiffrent à 400 000 exemplaires et Diane Juster obtient le Félix de la chanson de l'année. Dix-sept ans plus tard, Bruno Pelletier lui donne un nouveau souffle. Cette superbe mélodie a été également traduite et chantée en espagnol.

Par la suite, en plus de composer la musique de plusieurs films, Diane Juster, excellente pianiste, signe d'autres beaux textes qu'elle enregistre elle-même: *Vive les roses, Quand tu partiras, Regardez-les, Ce matin, Tu as laissé passer l'amour* et *Ma maison c'est une île.*

En plus de se vouer à la composition, Diane Juster est une routière de la scène et du tour de chant. Après avoir acquis une solide formation classique en piano, à la fin de la vingtaine, Diane Juster plonge dans le monde de la chanson. En 1974, elle enregistre son premier microsillon, *Mélancolie*. En 1975, elle se produit pour la première fois au Patriote de Montréal. Après avoir été lauréate au Festival de Spa, en Belgique, la chanteuse donne plusieurs récitals au Québec, notamment à la Place des Arts (1976 et 1977), et elle enregistre deux autres albums: *M'aimeras-tu donc?* et *Regarde en moi.*

Pendant plusieurs années, Diane Juster a une véritable cote d'amour partout où elle passe au Québec. À Ottawa, elle est de toutes les grandes fêtes, au Parlement, au Château Laurier, au Centre national des arts. En France, en 1987, elle fait salle comble au Théâtre-du-Rond-Point à Paris où elle partage la vedette avec Charles Dumont. À la fin de l'année, elle tient en solo l'affiche au théâtre de Jean-Louis Barrault et Madeleine Renaud.

Diane Juster aime s'asseoir à son piano, durant des heures, pour composer de nouvelles mélodies. En 1973, elle écrit des tubes pour Julie Arel (*Quand tu partiras, Soleil, soleil*) et Sylvie Jasmin (*Heureusement je vis*). Plus tard, avec Luc Plamondon, elle compose *Immortelle* destinée à Lucille Dumont, et *J'ai besoin de parler,* pour Ginette Reno. Quant à Eddy Marnay, celui-ci la seconde pour *Ailleurs* (Johanne Blouin et Mario Pelchat) et *Mélanie* (Céline Dion). Et en 1980, c'est à Dalida de reprendre *À ma manière.*

En 2002, Diane Juster signe un nouvel album double (24 chansons, dont 12 nouvelles) et prévoit faire une rentrée sur scène à la Salle

Pierre-Mercure de Montréal. Ce moment est fort attendu du public, tout particulièrement des mélomanes qui ont beaucoup apprécié son dernier album réalisé en Tchécoslovaquie avec l'Orchestre symphonique de Prague.

Fonceuse, Diane Juster finit toujours par obtenir ce qu'elle désire. En plus d'avoir une belle relation avec ses deux enfants, elle trouve le temps de se battre pour sa profession, au sein de la Société professionnelle des auteurs et des compositeurs du Québec (SPACQ), un organisme qu'elle a fondé en 1981 de concert avec Luc Plamondon et Lise Aubut, mais aussi de la Société de droit de reproduction des auteurs, compositeurs et éditeurs au Canada (SODRAC).

Ginette Reno

Née Ginette Raynault le 28 avril 1946, à Montréal

Dans les années 50, Yvon Raynault, boucher sur le Plateau Mont-Royal, fait vivre modestement son épouse Loretta, ses trois filles et ses deux fils. Pour aider les siens, Ginette fait le ménage dans un motel et livre *La Presse* tôt le matin. On dit que son histoire ressemble à celle d'Édith Piaf. Il est vrai que la jeune fille chante en cachette dans les cabarets de quartiers, en invoquant tous les saints et le bon Dieu, mais aussi dans les magasins du Plateau Mont-Royal pour pouvoir se payer des cours de solfège. Bien avant Céline Dion, elle clame qu'elle deviendra la plus grande chanteuse au monde.

En 1960, à 14 ans, Ginette remporte le premier prix du concours d'amateurs *Les découvertes de Jean Simon* au Café de l'Est à Montréal. Celui-ci devient son premier gérant et modifie son nom de Raynault pour Reno. Il lui fait rencontrer Yvan Dufresne, avec qui elle enregistre *J'aime Guy* (1962) dont le succès est immédiat mais aussi *Non papa, Roger* et *Avec toi.* Vedette instantanée des établissements nocturnes, elle gagne alors 80 $ par semaine au Café Caprice.

Découverte féminine de l'année en 1964, dans le cadre du Gala des artistes, avec *Tu vivras toujours dans mon cœur,* elle accède au statut de vedette et ses cachets se multiplient par cinq. En 1965, Ginette Reno se produit à la Place des Arts, puis elle y revient en 1966, cette fois en première partie de Gilbert Bécaud. En 1967, elle est de la distribution de la revue *Vive le Québec,* à l'Olympia de Paris, avec Pauline Julien, Gilles Vigneault et Jacques Normand. L'année 1968 est mémorable pour Ginette Reno. Tout lui réussit. Elle est élue Miss Radio-Télévision au Gala des artistes de 1968, mais aussi chanteuse la plus populaire de l'année et qui a vendu le plus de disques. Elle fait également sa marque au MIDEM de Cannes, se produit à la Comédie Canadienne, avec

La dernière valse, Les enfants oubliés, Un enfant de Jacques Brel et fait aussi une tournée à travers tout le Canada.

En 1969, entre autres activités, Ginette Reno enregistre en Angleterre un premier album en anglais (DECCA) et remporte le Juno de la meilleure chanteuse canadienne. Elle domine le palmarès avec *Les yeux fermés, De plus en plus fragile, Être seule* et *Le sable et la mer* qu'elle chante en duo avec Jacques Boulanger. Ce succès sera du reste repris 40 ans plus tard par Johanne Bond et André Sébastien. En 1970, la chanteuse à voix tient la vedette au Savoy, à Londres, et participe à quelques émissions de la BBC. De retour au pays, elle entreprend une nouvelle tournée au Canada et au Québec, et se produit de nouveau à la Place des Arts de Montréal. En 1971, elle retourne à Londres pour enregistrer un nouvel album en anglais et participer à la télésérie de Roger Whittaker, dans laquelle elle triomphe avec *L'amour est un carrousel*.

En 1972, représentante de l'Angleterre, elle gagne le Premier prix au Festival international de Tokyo, puis continue ses tournées au Québec, au Canada et à l'étranger. En 1974, elle interprète en duo avec son auteur, Jean-Pierre Ferland, *T'es mon amour, t'es ma maîtresse*, qui deviendra un tube immense.

Après un séjour en Californie où elle étudie l'art dramatique au studio de Lee Strasberg, en juin 1975, Ginette Reno est portée aux nues avec *Un peu plus loin* de Jean-Pierre Ferland qu'elle interprète dans le cadre des Fêtes nationales du Québec, devant 250 000 personnes réunies sur le mont Royal.

En 1978, Ginette Reno retourne aux États-Unis pour passer au *Dina Shore Show* et au *Merv Griffin Show* et chanter avec Don Rickles à Las Vegas. À son retour au Québec, elle effectue une tournée dans 70 villes et donne 22 spectacles dans la grande salle Wilfrid-Pelletier de la Place des Arts.

En 1980, son album, titré *Je ne suis qu'une chanson,* et incluant la chanson du même nom, une composition de Diane Juster, lui vaut trois Félix (interprète féminine de l'année, album populaire et album le plus vendu de l'année) et la Rose d'or pour l'artiste la plus aimée au Québec. Cet album, qui comporte également *Ça va mieux* et *J'ai besoin d'un ami,* va se vendre à 350 000 exemplaires.

En avril 1983, Ginette Reno remonte sur les planches de l'Olympia de Paris et interprète *J'ai besoin de parler* lors de l'émission *Champs Élysées* de Michel Drucker. Elle réussit à crever l'écran de la télévision française par son talent et ses propos: il est étonnant de l'entendre s'exprimer et philosopher sur la vie. Plus tard, en 1988, au Gala Métrostar, elle gagne le trophée de la chanteuse la plus populaire et de l'artiste la plus aimée du public. Et la liste de ses récompenses, trophées, galas, enregistrements ne cesse de s'allonger.

En 1993, Ginette Reno fait ses débuts au cinéma dans *Léolo,* un film de Jean-Claude Lauzon. Denise Filiatrault lui confie ensuite le rôle titre de *C't'à ton tour, Laura Cadieux,* un film tiré du roman de Michel Tremblay. Natacha, la fille de Ginette Reno et Jean Simon sont au générique de cette adaptation cinématographique. Au petit écran, en 1998, Ginette Reno est l'héroïne de la télésérie franco-québécoise, *Une voix en or.*

Son album *Versions Reno* comprend 14 chansons qui ont eu un succès international, telles *Que reste-t-il de nos amours,* de Charles Trenet, *Je t'appartiens,* de Gilbert Bécaud, *Sur ma vie,* de Charles Aznavour et *Les trois cloches,* succès d'Édith Piaf et des Compagnons de la chanson. Elle les interprète toutes avec amour au cours de sa grande tournée en 1998-1999.

Sur le plan sentimental, Ginette Reno a connu plusieurs unions. Elle a d'abord épousé Robert Wathier le 10 août 1965. De ce mariage, deux enfants sont nés: Natacha et Cédric. Après sa séparation, elle unira sa destinée à Alain Charbonneau. Pascalin naît en 1981 dans sa grande maison de Boucherville où elle écrit et peint quand bon lui semble.

En 2000, au lancement de son album du temps des Fêtes, lequel atteint à ce jour les 400 000 exemplaires vendus, Ginette Reno dit de cet album : « Si je devais quitter ce monde, c'est le souvenir que je veux laisser à mes enfants et à tous ceux que j'aime et qui me le rendent bien. Noël, c'est la renaissance de chacun de nous. »

En 2001, à l'occasion de ses représentations au Centre national des Arts à Ottawa, Ginette Reno confie : « C'est vrai qu'une bonne partie de ma fortune est allée aux hommes que j'ai aimés… Plus j'avance vers la sortie céleste, plus je donne ce que je possède à mes enfants. Je me détache de tout et je me sens plus près de Dieu et des frimousses écorchées par la dure réalité de la pauvreté et de la maladie. »

La gamine qui chantait à tue-tête au Centre de l'Immaculée-Conception et dans les rues avoisinantes du Plateau Mont-Royal s'est laissée porter au pinacle de la célébrité avec simplicité et sincérité. Tant qu'elle continuera de chanter, il y aura un vaste public pour l'écouter avec le plus grand des bonheurs.

JE NE SUIS QU'UNE CHANSON

Ce soir je ne me suis pas épargnée
Toute ma vie j'ai raconté
Comme si ça ne se voyait pas
Que la pudeur en moi n'existe pas
Ce soir au rythme de mes fantaisies
J'vous ai fait partager ma vie
En rêve ou en réalité
Ça n'en demeure pas moins la vérité

Mais moi je ne suis qu'une chanson
Je ris je pleure à la moindre émotion
Avec mes larmes ou mon rire dans les yeux
J'vous ai fait l'amour de mon mieux

Mais moi je ne suis qu'une chanson
Ni plus ni moins qu'un élan de passion
Appelez-moi marchande d'illusions
Je donne l'amour comme on donne la raison

Ce soir je n'ai rien voulu vous cacher
Pas un secret j'ai su garder
Comme si ça ne se voyait pas
Que j'avais besoin de parler de moi
Ce soir je ne me suis pas retenu
Je me suis montrée presque nue
Sur une scène trop éclairée
J'aurais du mal à me sauver de moi

Moi je ne suis qu'une chanson
Je ris je pleure à la moindre émotion

Avec mes larmes ou mon rire dans les yeux
J'vous ai fait l'amour de mon mieux

Mais moi je ne suis qu'une chanson
Ni plus ni moins qu'un élan de passion
Appelez-moi marchande d'illusions
Je donne l'amour comme on donne la raison

Mais moi je ne suis qu'une chanson
Je ris je pleure à la moindre émotion
Avec mes larmes ou mon rire dans les yeux
J'vous ai fait l'amour de mon mieux

ON CHANTE DE PARTOUT

1990-2000

LE TEMPS DES CATHÉDRALES / LA MANIC

Bruno Pelletier, 1962-

AU FUR ET À MESURE

Liane Foly, 1963-

FOULE SENTIMENTALE

Alain Souchon, 1945-

LES SOULIERS VERTS / LES MAUDITS FRANÇAIS

Lynda Lemay, 1966-

SAVOIR AIMER / TUE-MOI

Florent Pagny, 1961-

JUSTE QUELQU'UN DE BIEN

Enzo Enzo, 1960-

TOMBER DE TOI / LE SAULE

Isabelle Boulay, 1973-

UNE PEINE D'AMOUR / PARLEZ-MOI DE VOUS

Marie Michèle Desrosiers, 1950-

QUAND J'AIME UNE FOIS, J'AIME POUR TOUJOURS

Richard Desjardins, 1948-

Lucie, Personne (Pascal Obispo), C'est ça la France (Marc Lavoine), Amoureux de vous, madame (Franck Olivier), Aïcha (Khaled), La tribu de Dana (Manau), Rien que de l'eau (Véronique Sanson), Désenchantée (Mylène Farmer), Des milliards de choses (Luce Dufault), Belle et Seul (Garou), Les deux printemps (Daniel Bélanger), Je t'aime encore (Natasha St-Pier), Je joue de la guitare (Jean Leloup), Ne fais pas ça (Paul Piché), Je t'aime et Tout (Lara Fabian), L'aigle noir (Marie Carmen), Plus haut que moi (Mario Pelchat et Céline Dion), Larsen (Zazie), Un pour l'autre (Maurane), Dis-moi (Faudel), Caroline (MC Solar)

POUR QUE TU M'AIMES ENCORE

1995

Paroles et musique: Jean-Jacques Goldman

INTERPRÈTES

Céline Dion, Hélène Ségara et Liane Foly

HISTOIRE

En 1995 et 1996, *Pour que tu m'aimes encore* a dominé les palmarès de toute la francophonie. Céline Dion prétend que cette mélodie est celle qui la caractérise le plus. C'est là tout un bel hommage qu'elle rend à Jean-Jacques Goldman qui a produit les 12 chansons de l'album *D'eux*, comprenant aussi *Regarde-moi, Je sais pas, Le ballet, J'irai où tu vas, Cherche encore*.

Lors de la remise des Victoires de la musique, en France, *Pour que tu m'aimes encore* a été proclamée chanson de l'année 1996 et Céline Dion s'est illustrée comme la chanteuse francophone la plus populaire. En un temps record, les ventes de l'album *D'eux* mais aussi des albums précédents *Céline Dion à l'Olympia, Céline chante Plamondon, En concert au Zénith* ont totalisé des ventes de 12 millions d'exemplaires. Ces Victoires accordées à la chanteuse dont la célébrité est désormais planétaire s'ajoutent aux nombreux Félix, Juno Awards et Grammies qu'elle possède déjà. Sans oublier tous les hommages dont elle a été l'objet un peu partout dans le monde, notamment à New York, en 1999, par l'UNESCO, lors d'une cérémonie soulignant les 100 millions d'albums, français et anglais, vendus au cours des quatre dernières années.

Pour sa part, Jean-Jacques Goldman est né à Paris le 11 octobre 1951. Il est le troisième de quatre enfants d'une famille d'origine juive polonaise. Dès 1965, ce musicien de bal joue du piano, de la guitare, du violon et chante à l'occasion. Il étudie trois ans à Lille, dans une école des Hautes études commerciales. Il fait aussi son service militaire dans l'armée de l'air. Puis, du milieu des années 70 jusqu'au début des années 80, il enregistre trois albums avec son groupe d'alors, Taï Phong mais aussi trois 45 tours en solo, des productions qui passent inaperçues. En 1981, Goldman lance un premier album solo et la chanson *Il suffira d'un signe* devient un succès. De 1982 à 1985, il produit trois autres albums, peaufinant son style d'auteur compositeur interprète et élargissant chaque fois son public. L'album de 1985, intitulé *Non homologué,* se vendra à plus d'un million d'exemplaires en seulement quatre mois. En 1984, Jean-Jacques Goldman monte sur la scène de l'Olympia de Paris, puis se produit au Palais des Sports.

En 1985, après une série de 18 concerts au Zénith, il entreprend deux longues tournées européennes pour se retrouver ensuite au Festival international de Québec, en 1986. On l'identifie aux tubes *Quand la musique est bonne, Comme toi, Au bout de mes rêves, Je te donne.*

C'est seulement à partir des années 90 que Jean-Jacques Goldman se met à écrire sans relâche pour d'autres artistes tels Johnny Hallyday (*Je t'attends* et *Laura*), Khaled (*Aïcha*), Robert Charlebois, Patricia Kaas (*Il me dit que je suis belle*), Florent Pagny (*Si tu veux m'essayer*) et Marc Lavoine.

En 1995, la première rencontre de Céline Dion avec Jean-Jacques Goldman porte fruit. Il s'engage immédiatement à écrire un album complet pour elle, en tenant compte de la vie et des expériences de la chanteuse. Cet album sortira quelques mois plus tard. En 1998, Céline Dion renoue avec le tendre, intègre et prolifique parolier pour produire un second album : *S'il suffisait d'aimer.*

Marié en 1975, et père de trois enfants, Jean-Jacques Goldman mène une vie simple et paisible, à Montrouge, en banlieue de Paris, malgré une fortune qui lui permettrait de s'offrir bien des extravagances.

Quelques mots ici sur Eddy Marnay, de son vrai nom Edmond David Bacri, qui connaît tous les rouages du métier d'auteur-compositeur. C'est lui qui est responsable de la montée fulgurante de la carrière de Céline Dion en France. En 1982, cet auteur de 3500 chansons lui écrit un album complet, *Tellement j'ai d'amour,* qui sera couronné d'or et obtiendra le Grand Prix du Festival de Tokyo, la même année. Les titres de cette production, *D'amour et d'amitié, La voix du bon Dieu, Tu restes avec moi, Écoutez-moi* lui ouvrent les portes de l'émission *Champs Élysées* de Michel Drucker, et de toutes les grandes émissions de télévision et de radio. Parlant de Jean-Jacques Goldman, le pionnier Eddy Marnay est dès plus élogieux: «Jean-Jacques est à la chanson française ce que Spielberg est au cinéma américain.»

Selon son biographe attitré, Georges-Hébert Germain, quand Céline Dion chante *Pour que tu m'aimes encore,* «C'est à René, bien sûr qu'elle pense, chaque fois. Cette chanson ressemble tant à l'*Hymne à l'amour* que chantait Édith Piaf. Même thème, même structure, même femme dévorée par l'amour.»

Dans une lettre qu'il nous adressait le 20 novembre 2001, Eddy Marnay, qui nous pardonnera d'en dévoiler un extrait, confiait: «Il est vrai que j'ai beaucoup écrit pour les artistes québécois et qu'il m'a été offert d'être au départ de la carrière de Céline Dion, mais je n'ai fait que rendre à votre beau pays le dixième de ce qu'il m'a donné. Cette belle terre et les gens qui la peuplent m'ont apporté un regain d'enthousiasme et de jeunesse, beaucoup d'amour et des joies inoubliables.»

CÉLINE DION

Née le 30 mars 1968, à Charlemagne

Viendra le jour où l'on écrira *Le miracle de Charlemagne*. Ce film universel racontera le merveilleux conte de fées de Céline, la petite campagnarde, devenue comme par magie, la reine planétaire de la chanson populaire. C'est la seule personne sur cette terre qui pourrait se mesurer au phénomène et personnage de fiction Harry Potter et devenir une légende de son vivant. Depuis plus de 20 ans, Céline Dion fascine et captive les gens du monde entier, de tous les âges et de toutes les races.

Le 18 juin 1945, au village de La Tuque, lorsque Thérèse Tanguay épouse Adhémar Dion, qui a quatre ans de plus que sa belle. Les jeunes mariés sont loin de se douter qu'ils auront une famille nombreuse. Quelques années plus tard, enceinte de son quatorzième enfant, la future maman de 41 ans a un faible pour la chanson *Céline*, d'Hugues Aufray, qu'elle entend souvent à la radio. Elle se promet donc de donner ce prénom à son bébé, si c'est une fille.

Toute la famille Dion a la musique et le sens du spectacle dans le sang. La mère joue de l'harmonica, du violon et de l'accordéon et accouche sa rêverie sur papier. Le père joue aussi de l'accordéon et tape du pied.

Ce n'est pas facile pour les Dion de joindre les deux bouts avec seize personnes à table. Écrire les noms des frères et sœurs de Céline, c'est comme faire l'appel des élèves en classe, à la manière de l'institutrice Jeannine Sirois, qui se rappelle de Céline comme d'une petite fille timide qui n'élevait pas la voix et qui avait toujours un beau sourire.

Allons-y donc pour le clan Dion : l'aînée, Denise, est née le 15 juin 1946. Suivent Clément, Claudette, Liette, Michel, Louise, Jacques,

Daniel, Ghislaine, Linda, Manon, Paul, Pauline. La cadette, Céline, n'oublie pas ces belles années de vie passée à Charlemagne: «Il y avait de l'amour, du partage, de la musique et des chansons, des vêtements chauds, de la bonne nourriture avec des recettes économiques et une belle complicité entre nous tous.»

Très jeune, Céline préfère chanter plutôt que d'étudier. Elle ne jure que par son idole, Ginette Reno, dont elle connaît tout le répertoire: *Des croissants au soleil, Un peu plus loin* et *T'es mon amour, t'es ma maîtresse,* de Jean-Pierre Ferland. Le jour où son père réalise son rêve et devient le propriétaire d'un restaurant-bar, *Le Vieux Baril,* à Le Gardeur, Céline, 11 ans, conquiert son premier public. Son frère Paul, 17 ans, joue de l'orgue pour réchauffer l'atmosphère.

En 1981, Thérèse Dion et son fils Jacques écrivent *Ce n'était qu'un rêve.* La cassette qui résulte de l'enregistrement-maison de cette chanson est envoyée à René Angélil, qui est à l'époque l'agent de Ginette Reno. Angélil raconte qu'en écoutant cette cassette, il a tout de suite su que cette jeune fille allait devenir une vedette avec un grand V.

Toujours à l'affût de nouvelles vedettes, il rencontre donc pour la première fois Céline Dion, reconnaît son immense talent, tombe sous le charme de la gamine de 12 ans et signe alors un contrat à long terme. À 39 ans, René Angélil abandonne tous les artistes dont il gère la carrière pour se consacrer uniquement à celle de sa découverte. Il multiplie les rendez-vous chez les banquiers, les gens d'affaires, car il lui faut trouver le financement pour enregistrer au plus vite des disques. Et René Angélil n'hésitera pas à s'endetter et à hypothéquer sa propre maison pour pouvoir lancer la jeune et talentueuse chanteuse.

Le 19 juin 1981, Michel Jasmin reçoit Céline Dion à son émission de Télé-Métropole. Trois mois plus tard, à la demande pressante du public, il l'invite de nouveau à chanter *La voix du bon Dieu,* une chanson d'Eddy Marnay, en présence du cardinal Paul-Émile Léger. Le premier album de Céline Dion porte le même nom. En moins de trois ans, René Angélil réussit tout un exploit: lancer trois albums de Céline Dion, au Québec et en France. En 1982, elle participe à l'émission *Champs Élysées* de Michel Drucker et séduit les téléspectateurs français avec *D'amour ou d'amitié.*

Après ses premiers grands succès à Paris et la sortie de son quatrième microsillon, *Les chemins de ma maison,* Céline s'engage dans la lutte contre la fibrose kystique, sachant que sa nièce, Karine, fille de sa sœur Liette, est atteinte de cette terrible maladie. Elle chante à la Place des Arts, à Montréal, au cours d'un gala de charité dont les profits sont versés à la recherche visant à combattre ce mal qui ne pardonne pas. En 1983, la roue continue de tourner à plein régime pour Céline qui rafle quatre trophées au Gala de l'ADISQ: interprète féminine de l'année, révélation de l'année, album de l'année dans la catégorie populaire et artiste s'étant le plus illustré hors Québec.

En septembre 1984, Céline Dion chante *Une colombe,* de Marcel Lefebvre et Paul Baillargeon, en présence du pape Jean-Paul II et devant un public de 65 000 personnes au Stade olympique de Montréal. En novembre de la même année, elle est sur la scène de l'Olympia pendant trois jours.

Au cours des années suivantes, elle continuera son ascension tout en raflant nombre de Félix lors de Galas de l'ADISQ: 1984, 1985, 1988.

En 1987, son spectacle *Incognito* au Théâtre Saint-Denis et sa tournée au Québec lui apportent la consécration de ses concitoyens. C'est à cette époque que s'opère un changement majeur dans l'apparence physique et vestimentaire de la vedette, devenue plus «pop». À la radio, elle est omniprésente avec *Lolita, On traverse un miroir, Délivre-moi* et *Fais ce que tu voudras,* des chansons tirées de l'album *Incognito.*

Au tournant des années 90, après la conquête des pays francophones, Céline Dion s'attaque au marché américain. Pour ce faire, elle n'hésite pas à interrompre sa carrière pendant plusieurs mois pour suivre des cours intensifs d'anglais. Elle procédera du reste de la même façon pour apprendre l'espagnol.

En 1990, son premier album en anglais, *Unison,* passe facilement la rampe dans les pays anglo-saxons, en Afrique du Sud, au Brésil, en Grande-Bretagne et au Japon, alors que sa popularité s'accentue dans le monde entier. Plusieurs chansons de cet album se classent aux premières positions du palmarès américain. C'est le cas de *Where Does My Heart Beat Now?* qui se classe au «top 5» américain. Cet album se vend à 400 000 copies au Canada et à plus d'un million d'exemplaires dans le monde.

Pour ses 10 ans de carrière, elle a à peine 23 ans, le 19 juin 1991, Céline Dion se produit au Forum de Montréal, avec l'Orchestre symphonique métropolitain, pour venir de nouveau en aide à l'Association de la fibrose kystique. Au même moment, la chanteuse joue la comédie dans la télésérie *Des fleurs sur la neige* (SRC) et lance l'album *Céline Dion chante Plamondon* qui comporte des succès de Starmania, l'opéra-rock de Luc Plamondon et Michel Berger, mais aussi de nouvelles chansons écrites pour elle comme *L'amour existe encore*. En France, cet album portera un autre nom: *Des mots qui sonnent.* Certains titres portent à la controverse. *L'amour existe encore* traite des relations souvent cachées dans une société marquée par le sida, alors que *Ziggy,* tiré de *Starmania,* raconte l'histoire d'une jeune femme amoureuse d'un homosexuel.

Et ce qui devait arriver arriva le 17 décembre 1994. René Angélil, 52 ans, et Céline Dion, 26 ans, se marient, lors d'une cérémonie catholique à la basilique Notre-Dame de Montréal. Après de courtes vacances, le couple s'envole pour la France. Céline se produit alors sur les deux plus grandes scènes parisiennes, le Zénith et Bercy (1994-1996) pour faire connaître son album *D'eux*, concocté par Jean-Jacques Goldman, mais aussi ses plus récents succès en anglais: *The Power of Love, Falling Into You, The Colour Of My Love, My Heart Will Go On*, du film *Titanic*, consacrée meilleure chanson originale, à la remise des Oscar, en 1997.

Mais l'événement qui consacre la carrière internationale de Céline Dion est sans aucun doute sa participation à la soirée d'ouverture des Jeux olympiques d'Atlanta en 1996. Elle chante *The Power Of The Dream* devant plus de 3,5 milliards de téléspectateurs. En 1997 et les deux années suivantes, Céline Dion multiplie ses spectacles au Centre Molson, à Montréal, qui est plein à craquer à chacune de ses représentations.

C'est d'ailleurs au Centre Molson de Montréal que, le 31 décembre 1999, elle annonce officiellement son retrait de la scène pour un temps indéterminé. Elle n'a qu'une idée en tête: avoir un enfant. René-Charles naîtra le 25 janvier 2001, dans le riche domaine de ses parents, à Jupiter Island, aux États-Unis.

Tout au long de sa carrière, Céline Dion a été l'objet de nombreuses biographies. Depuis la publication de *Céline Dion: la naissance d'une étoile* de Marc Chatel, en 1983, il y a eu les ouvrages de Georges-Hébert Germain, Jean Beaunoyer, Francine Delbecq et Jeremy Dean.

Il faut dire que tous les épisodes relatifs à la carrière et au beau roman d'amour de Céline et de son Pygmalion attirent bien des lecteurs.

Le conte de fées de Céline, une histoire vécue, se poursuit en 2002. C'est son grand retour sur disque avec *A New Day Has Come* et elle prévoit également faire une spectaculaire rentrée sur scène au *Caesar's Palace* à Las Vegas, au Nevada, en 2003. Elle entreprendra alors une série de 600 spectacles échelonnés sur trois ans, dans un nouvel amphithéâtre de 4000 places.

À 34 ans, Céline Dion a enregistré une vingtaine d'albums et accumulé une fortune colossale. Sa notoriété publique et médiatique est immense, hors du commun. Son visage et son nom ont été imprimés sur les pages couvertures de centaines de magazines, aussi bien *Paris Match* que *Time*. Elle a remporté tous les succès en enregistrant des duos avec des artistes aussi prestigieux que Barbra Streisand, Paul Anka, Luciano Pavarotti et les Bee Gees. Céline Dion mérite donc bien tous les honneurs autant chez elle qu'à l'étranger. À titre d'Officier de l'Ordre du Canada et de l'Ordre national du Québec, mais aussi de Chevalier des Arts et des lettres de France, elle a contribué par ses disques et ses spectacles à mettre le Québec et le Canada sur la carte à l'échelle internationale.

POUR QUE TU M'AIMES ENCORE

J'ai compris tous les mots, j'ai bien compris, merci!
Raisonnable et nouveau, c'est ainsi par ici
Que les choses ont changé, que les fleurs ont fané
Que le temps d'avant, c'était le temps d'avant
Que si tout zappe et lasse, les amours aussi passent

Il faut que tu saches...

J'irai chercher ton cœur si tu l'emportes ailleurs
Même si dans tes danses d'autres dansent tes heures
J'irai chercher ton âme dans les froids dans les flammes
Je te jetterai des sorts pour que tu m'aimes encore

Fallait pas commencer m'attirer me toucher
Fallait pas tant donner moi je sais pas jouer
On me dit qu'aujourd'hui, on me dit que les autres font ainsi
Je ne suis pas les autres
Avant que l'on s'attache, avant que l'on se gâche

Je veux que tu saches...

J'irai chercher ton cœur si tu l'emportes ailleurs
Même si dans tes danses d'autres dansent tes heures
J'irai chercher ton âme dans les froids dans les flammes
Je te jetterai des sorts pour que tu m'aimes encore

Je trouverai des langages pour chanter tes louanges
Je ferai nos bagages pour d'infinies vendanges
Les formules magiques des marabouts d'Afrique
J'les dirai sans remords pour que tu m'aimes encore

Je m'inventerai reine pour que tu me reviennes
Je me ferai nouvelle pour que le feu reprenne
Je deviendrai ces autres qui te donnent du plaisir
Vos jeux seront les nôtres si tel est ton désir
Plus brillante plus belle pour une autre étincelle
Je me changerai en or pour que tu m'aimes encore.

ÉPILOGUE

S'il est vrai que tout commence et finit par une chanson, pourquoi ne pas continuer la tradition avec ces paroles d'espoir et d'amitié :

Ce n'est qu'un au revoir, mes frères
Ce n'est qu'un au revoir.
Oui, nous nous reverrons, mes frères,
Ce n'est qu'un au revoir.

Les paroles de cette chanson, aussi appelée *Chant des adieux,* ont été écrites vers 1920 par le père Jacques Sevin, fondateur du scoutisme français, sur l'air d'une musique traditionnelle écossaise : *Auld Lang Syne*.

Le passé ne nous appartient pas et le présent, guère davantage. Puisse l'avenir nous rapprocher encore pour chanter d'autres succès inoubliables.

BIBLIOGRAPHIE

BOSSÉ, Éveline. *Les grandes heures du Capitol*, Éditeur: Éveline Bossé, Québec, 1991, 408 p. ill.

BRUNSCHWIG, C., L.-J. CALVET et J.-C. KLEIN. *Cent ans de chanson française*, Éditions du Seuil, Paris, 1981, 448 p.

CHAMBERLAND, Roger et André GAULIN. *La chanson québécoise*, Nuit blanche éditeur, Québec, 1994, 595 p. ill.

CÔTÉ, Jean. *Alys Robi, ma carrière et ma vie*, Éditions Quebecor, Montréal, 1980, 156 p. ill.

DAY, Pierre et *Jean RAFA. De Paris aux nuits de Montréal*, Les Éditions Logiques, Montréal, 1997, 270 p. ill.

DAVID, Martine et Anne-Marie DELRIEU. *Aux sources des chansons populaires*, Bélin, Paris, 1984, 320 p. ill.

DUFRESNE, Claude. *La belle histoire de l'opérette*, Éditions Solar, Paris, 1997, 96 p. ill.

DUREAU, Christian. *Dictionnaire mondial des chanteurs*, Vernal/Philippe Lebaud, Paris, 1989, 378 p. ill.

FLÉOUTIER, Claude. *Un siècle de chansons*, Éditions PUF, Paris, 1988, 264 p. ill.

GAUTHIER, Robert. *Jacques Normand, l'enfant terrible*, Éditions de l'Homme, Montréal, 1998, 275 p. ill.

GUÉRARD, Daniel. *La belle époque des boîtes à chansons*, Stanké, Montréal, 263 p. ill.

GIROUX, Robert, Constance HAVARD et Rock LAPALME. *Le guide de la chanson québécoise*, Triptyque, Montréal, 1991, 180 p. ill.

GROSZ, Pierre. *La grande histoire de la chanson française et des chansons de France*, France- Progrès, Ivry-sur-Seine, 1996, 5 volumes.

KLEIN, Jean-Claude. *Florilège de la chanson française*, Bordas, Paris, 1990, 254 p.

LAFRAMBOISE, Philippe. *350 chansons d'hier et d'aujourd'hui*, Publications Proteau, Boucherville, 1992, 380 p. ill.

MAROUANI, Eddy. *Pêcheur d'étoiles*, Robert Laffont, Paris, 250 p. ill.
MOREAU, Jeanne. *Les plus belles chansons d'amour*, Éditions Albin Michel, Paris, 1997, 285 p. ill.
NORMAND, Pascal. *La chanson québécoise, miroir d'un peuple*, France-Amérique, Montréal, 1981, 281 p. ill.
PÉNET, Martin. *Mémoire de la chanson. 1200 chansons, du Moyen-Âge à 1919*, Omnibus, Paris, 2001, 1536 p. ill.
RÉMY, Edward et Marie-Odile VÉZINA. *Têtes d'affiche*, Éditions du Printemps, Montréal, 1983, 434 p. ill.
RIOUX, Lucien. *50 ans de chanson française de Trenet à Bruel*, Éditions de l'Archipel, Montréal, 1992, 443 p. ill.
ROBIDOUX, Fernand. *Si ma chanson,* Éditions populaires, Montréal, 1974, 160 p. ill.
ROY, Bruno, *Pouvoir chanter*, VLB éditeur, Montréal, 1991, 446 p.
SAKA, Pierre et Yann PLOUGASTEL. *La chanson française et francophone*, Larousse, Paris, 1999, 302 p. ill.
SALACHAS, Gilbert et Béatrice BOTTET. *Le guide de la chanson française*, Éditions Syros/Alternatives, Paris, 1989, 168 p. ill.
SAVOY, Marc. *Top pop français de la chanson*, Publications Proteau, Montréal, 1993, 335 p.
SERMONTE, Jean-Paul. *Gilles Vigneault le poète qui danse*, Éditions du Rocher, Monaco, 1991, 184 p. ill.
SEVRAN, Pascal. *Le dictionnaire de la chanson française*, Michel Lafon, Paris, 1988, 390 p. ill.
THERRIEN, Robert et Isabelle D'AMOURS. *Dictionnaire de la musique populaire au Québec*, Institut québécois de la recherche sur la culture, Québec, 1992, 580 p. ill.
THIBAULT, Gérard et Chantal HÉBERT. *La petite scène des grandes vedettes*, Les Éditions Spectaculaires, Sainte-Foy, Québec, 1988, 542 p. ill.
VERLANT, Gilles et associés. *L'encyclopédie de la chanson française*, Éditions Hors Collection, Paris, 1997, 266 p. ill.
ZEITOUN, Frédéric. *Toutes les chansons ont une histoire*, Ramsay/Archimbaud, Paris, 1997, 340 p. ill.
ZIMMERMANN, Éric. *Chansons françaises 200 portraits inédits*, Éditions Didier Carpentier, Paris, 1997, 240 ill.

REMERCIEMENTS

En premier lieu, je tiens à remercier grandement Dominique Chauveau pour sa contribution indispensable à l'éclosion de ce livre, sa compréhension et sa bienveillance à notre égard. Par son expérience de l'édition et ses connaissances du monde littéraire et artistique, elle a su nous prodiguer de précieux conseils et nous stimuler dans la recherche constante d'informations véridiques.

Tout au long de ce voyage en chansons, nous avons pu compter sur l'aide d'autres excellents collaborateurs que je désire remercier également. Toute ma gratitude va à Isabelle Gusse, pour son professionnalisme et ses interventions judicieuses.

Merci à Claire Séguin, Murielle Alarie, Isabelle Dionne et au personnel dévoué et compétent de la Bibliothèque de Saint-Léonard pour leur aide efficace. Un cordial merci également à Francine Ménard, de la Société canadienne des auteurs, compositeurs et éditeur de musique (SOCAN), à Claudette Fortier et à ses collègues de la Société de droit de reproduction des auteurs, compositeurs et éditeurs au Canada (SODRAC), deux organismes au service des auteurs et compositeurs, à Jean-René Lassonde, de la Bibliothèque nationale du Québec.

Toute ma reconnaissance va également à Pauline, mon épouse, pour son encouragement soutenu et sa tâche consistant à lire et relire les 1000 feuilles de mon manuscrit. D'autres personnes généreuses nous ont facilité la tâche: Marianne Aubert, Jean Côté, Marc Savoy, Georges Coulombe, Claudette Monast, Marc Chatel, Robert Gauthier, Jean-Pierre Dréan, Hubert Ranger.

Un grand merci à toute l'équipe dynamique des Éditions de l'Homme pour son appui indéfectible.

Nous remercions grandement tous les éditeurs détenant les droits de reproduction des chansons paraissant dans cet ouvrage ainsi que les artistes qui, dans certains cas, ont bien voulu nous autoriser à reproduire les paroles de leurs chansons.

Si, malgré nos recherches et démarches intenses, ce livre contenait des mélodies n'appartenant pas au domaine public et pour lesquelles nous n'aurions pu obtenir d'autorisation, nous prions les ayants droit de nous excuser et leur demandons de nous signaler toute omission involontaire.

CHRONOLOGIE ET INTERPRÈTES DES CHANSONS